JN278371

聖女の救済

東野圭吾

文藝春秋

聖女の救済

装幀　石崎健太郎
写真　Siede Preis/Getty Images

1

　プランターに植えられたパンジーが、小さな花をいくつもつけていた。土が乾いたようになっている。それでも花びらの模様の鮮やかさには、些《いささ》かの曇りもない。派手な花ではないが、こういうのを本当の強さというのだろう。ほかの鉢植えにも後で水をやっておかねば、とガラス戸越しにベランダを眺めながら綾音《あやね》は思った。

「俺の話、聞いてるのか」背後から声をかけられた。

　綾音は振り返り、にっこりと笑った。

「聞いてるわよ。聞いてるに決まってるじゃない」

「それにしては反応が鈍いね」ソファに座ったままの義孝が、長い足を組み換えた。細いパンツが穿《は》けなくなるからといって、せっかくジムに行っても足や腰回りにだけは筋肉をつけすぎないよう気を遣っているらしい。

「ちょっとぼんやりしちゃって」

「ぼんやり？　君らしくないな」義孝は手入れの行き届いた眉の片方を上げた。

「だって、驚いたもの」

「そうかい？　でも君だって、俺のライフプランについてはよく知っているはずだろ」

「それは、わかってるつもりだったけど」

「何かいいたいことでも？」義孝は首を少し傾げた。余裕のある態度だ。こんなことは何でもない、とでもいわんばかりだった。そう演じているだけなのかどうかは、綾音にはわからなかった。

彼女は吐息をひとつつき、改めて彼の整った顔を見つめた。

「あなたにとって、それはそんなに重要なことなの？」

「それって？」

「だから……子供のこと」

すると義孝は小馬鹿にするように苦笑し、一度横を向いてから彼女に目を戻した。

「今まで何を聞いてたんだ」

「聞いてたから、尋ねてるんじゃない」

綾音が厳しい目で睨むと、義孝も真顔に戻った。彼はゆっくりと頷いた。

「重要なことだ。自分の人生にとって欠かせないことだと思っている。子供を持てないのなら、結婚生活自体に意味がない。男女間の恋愛感情なんて、時間が経てば消滅するものだからね。それでも一緒に暮らすのは、家庭というものを築くためだ。男と女は結婚して、まず夫と妻になる。

その後、子供を作って父親と母親になる。そこまでいって初めて、一生の伴侶となれる。そう思わないか」

「私は、それだけではないと思うけど」

義孝は首を振った。

「俺はそう思うんだ。信じているし、その信念を変える気はない。で、信念を変えない以上、子供を持てる見込みのない生活を続けるわけにはいかない」

綾音はこめかみを押さえた。頭痛がする。まさかこんな話を聞くことになるとは、夢にも思わなかった。

「結局、こういうこと？　子供を産めない女には用がない。だからさっさと捨てて、産める女に乗り換える——それだけのことなの？」

「ひどい言い方だな」

「でも、そういうことなんでしょ？」

綾音の語気が強くなったせいか、義孝はぴんと背筋を伸ばした。それから眉根を寄せ、ややためらいがちに頷いた。

「君にいわせれば、そういうことになるのかもしれないな。とにかく俺は、自分の決めたライフプランを大事にしているんだ。何よりも優先しているといってもいい」

綾音は思わず唇を緩めた。もちろん、本当に笑いたかったわけではない。

「あなた、その言葉が好きね。ライフプランを大事にしている——初めて会った時も、真っ先にそれをいってた」

「なあ綾音、一体何が不満なんだ。君だって、望むものは全部手に入れたわけだろ。もちろん、まだ何か希望があるというのなら、遠慮なくいってくれていい。出来るかぎりのことはするつもりだ。あれこれ思い悩むのはやめて、新しい生活のことを考えろよ。それともほかに選択肢があるのかい？」

綾音は彼から目をそらし、壁に目を向けた。そこには幅一メートルほどのタペストリーが掛けられている。彼女が約三か月をかけて作ったものだ。イギリスから取り寄せた布を使用しているのが特徴だった。

義孝にいわれるまでもない。子供を産むことは、彼女自身の夢でもあった。日々大きくなっていく下腹部をかばいながら、揺り椅子に座ってパッチワークを縫うことを、どれほど願ったか。だがどういう神の悪戯《いたずら》か、その能力に恵まれなかった。それならそれで仕方がないと諦め、割り切って生きてきた。義孝ともうまくやっていけると信じていた。

「ねえ、ひとつだけ確認していい？　あなたにとってはくだらないことかもしれないけど」

「何だ？」

綾音は彼のほうに身体を向け、深呼吸をした。

「私への愛情は？　それはどうなったの？」

義孝は虚をつかれたように顎を引き、少ししてから再び先刻までの笑みを唇に蘇らせた。

「それは変わっていない」彼はいった。「そのことは断言できる。君が好きだという気持ちに変わりはないんだ」

綾音には、その言葉はまるっきりの嘘に聞こえた。しかし彼女は微笑《ほほえ》んだ。そうするしかなかった。

よかった、と彼女はいった。

「行こう」義孝はくるりと背中を見せ、ドアに向かって歩きだした。

綾音は彼に続きながら、その目を化粧台に向けた。右側の一番下の引き出しに隠してある白い粉のことを思い浮かべた。ビニール袋に入っていて、その口はしっかりと閉じられている。

あれを使うしかなさそうだ、と思った。もはや自分の前に光はない。

綾音は義孝の背中を見つめた。その背中に向かって、あなた、と心の中で呼びかけた。

私はあなたを心の底から愛しています。それだけに今のあなたの言葉は私の心を殺しました。だからあなたも死んでください——。

2

二階から下りてきた真柴《ましば》夫妻を見て、様子が変だ、と若山宏美は思った。どちらも笑顔だったが、明らかに作り物めいた色が滲《にじ》んでいた。特に綾音のほうにその気配が強かった。しかし宏美はそれについて発言することは控えた。何かをぶち壊しにしてしまうような予感があったからだ。

「待たせたね。猪飼《いかい》から何か連絡はあったかな?」義孝が尋ねてきた。その口調も少し固いようだった。

「先程、あたしのケータイに電話がありました。あと五分ほどで着くそうです」

「じゃあ、シャンパンを開ける用意でもしておくか」

「私がやります」綾音が即座にいった。「宏美ちゃん、グラスを並べておいて」

「わかりました」

「俺も手伝おう」

綾音がキッチンに消えるのを見送った後、宏美は壁際のカップボードの戸を開けた。アンティーク調の家具で、三百万円近くするものだと以前に聞いたことがある。もちろん、中に収められている品々も高級品ばかりだ。

バカラのフルートを三客とベネチアングラスのシャンパングラス二客を慎重に取り出した。主役にはベネチアングラスを使ってもらう、というのが真柴家の慣例だ。

八人掛けのダイニングテーブルに、義孝が五人分のランチョンマットを敷き始めた。彼はホームパーティには慣れたものだ。宏美も手順がわかってきた。

彼が敷いたランチョンマットの上に、宏美はシャンパングラスを並べた。キッチンからは水を流す音が聞こえてくる。

「先生とは何の話を？」宏美は小声で訊いた。

「別に」義孝は彼女のほうを見ないで答えた。

「話したの？」

ここで初めて彼は宏美を見た。「何を？」

だから、と彼女がいいかけた時、インターホンのチャイムが鳴った。

「来たようだぞ」義孝がキッチンに向かって呼びかけた。

「ごめんなさい。手が離せないの。あなた、出てちょうだい」綾音の声が返ってきた。

了解、といって義孝は壁のインターホンに近づいた。

それから十分後には、全員が顔を揃え、テーブルについていた。誰の顔にも笑顔があった。穏やかな空気を乱しすぎない程度にリラックスした表情を全員が心がけているように宏美には見えた。このさじ加減は、どのようにすれば身につくのだろうと彼女はいつも考える。生まれつきのものだとは思えない。真柴綾音が約一年でこの空気に溶け込めるようになったことを宏美は知っていた。

「綾音さんの料理は相変わらず素晴らしいわねえ。マリネのソースに、ふつうここまで凝ったりしないわよ」白身魚を口に運び、猪飼由希子が感嘆の声をあげる。料理の一つ一つに褒め言葉を並べるのは、いつも彼女の役目だった。

「おまえはいつも通販で取り寄せたソースばっかりだもんなあ」夫の猪飼達彦が隣からいった。

「失礼ね。自分で作る時だってあるわよ」

「青じそソースだろ。おまえは何かっていうと、あれだからな」

「いけないの？　おいしいじゃない」

「私、青じそソース好きよ」そういったのは綾音だ。

「でしょ？　健康にだっていいのよね」

「綾音さんね、あんまりこいつを庇わないでくれるかな。調子に乗って、ステーキにまで青じそソースをぶっかけるかもしれない」

「あら、それっておいしそう。今度やってみるわ」

由希子の言葉に皆が笑い、猪飼は顔をしかめた。

猪飼達彦は弁護士だ。いくつかの会社で顧問を務めている。真柴義孝が経営する会社もその一つだが、顧問というだけでなく、かなり積極的に経営にも参加しているという話だった。猪飼と義孝は大学のサークルで一緒だったらしい。

猪飼がワインクーラーからボトルを取り出し、宏美のグラスに注ごうとした。

「あっ、あたしはもう結構です」彼女はグラスの上に手を置いた。

「そうなの？　宏美ちゃん、ワイン好きじゃなかったっけ？」

「好きですけど、まだ大丈夫です。ありがとうございます」

ふうん、と頷き、猪飼は義孝のグラスに白ワインを注いだ。

「体調でも悪いの？」綾音が尋ねてきた。

「いえ、そうじゃないです。友達との飲み会があったりして、最近ちょっと飲み過ぎなので……」

「いいねえ、若い人は」猪飼は綾音のグラスにもワインを注いだ後、ちらりと隣の妻を見てから、自分のグラスにボトルを近づけた。「由希子も当分は酒断ちだから、今夜は仲間がいてよかったな」

「へえ、酒断ちかあ」義孝がフォークを持つ手を止めた。「やっぱりそういうことが必要なんだね」

「そりゃあ、こいつの乳が赤ん坊の栄養分になるわけだからね」猪飼がグラスを振りながらいう。「乳にアルコールが混ざったらだめだろう」

「それって、どのぐらい我慢するものなのかな」義孝が由希子に訊く。

「そうねえ。先生は一年ぐらいっていうんだけど」

「一年半だな」猪飼がいった。「二年でもいいぐらいだ。いやいやいや、いっそのこと、このまま断酒してしまうってのはどうだ」

「あなたねえ、私にはこれから何年も辛い育児生活が待ってるのよ。好きなお酒ぐらい飲ませてもらわないと、とても乗り切れないわよ。それともあなたが子供を育ててくれるわけ？　それなら少しは考えてもいいけど」

「わかったわかった。一年後にはビールでもワインでも飲めばいいさ。ただし、ほどほどにな」

そんなことわかってるわよといって由希子は膨れ、すぐに笑顔を取り戻した。その表情は幸福感に満ちていた。こんなふうに夫とやり合うことさえ、今の彼女にはこの上なく楽しい儀式のようだった。

猪飼由希子は二か月前に出産を果たしていた。夫妻にとっては初めての、そして待望の赤ん坊だった。猪飼は今年四十二歳で、由希子は三十五歳だ。滑り込みセーフ、という台詞《セリフ》を二人は何度も口にしている。

　今夜の会は、そんな彼等のための出産祝いパーティだった。義孝がいいだし、綾音が準備を進めた。

「今夜は御両親に任せてきたわけか」義孝が猪飼夫妻を交互に見た。

　猪飼は頷いた。

「ゆっくりしてこいってさ。自分たちだけで存分に赤ん坊の世話が出来るものだから、はりきっていた。親が近くに住んでいるというのも、こういう時には都合がいい」

「でも正直いうと少し心配なのよね。お義母《かあ》さんは少しかまいすぎるきらいがあるのよ。少々泣いたって、ほうっておけばいいって、友達なんかからは聞くんだけど」由希子は眉をひそめる。

　彼女のグラスが空なのに気づき、宏美は腰を浮かせた。

「あの……お水をお持ちしますね」

「冷蔵庫にミネラルウォーターが入ってるから、ボトルごと持ってきて」綾音がいった。

　宏美はキッチンに入り、冷蔵庫を開けた。五百リットルは入ろうかという、両開きの巨大な冷蔵庫だ。扉の内側にミネラルウォーターのペットボトルがずらりと並んでいた。そのうちの一本を取り出した。冷蔵庫を閉じ、席に戻ろうとしたところで綾音と目が合った。ありがとう、という形に唇が動いた。

「やっぱり子供が出来ると生活が変わるだろ」義孝が訊いている。

「仕事はともかく、日常生活は子供中心になるな」猪飼が答えた。

「それは仕方ないんじゃないか。それに、仕事にも無関係ではないだろう。子供が生まれたことで責任感も芽生えたはずだし、今まで以上にがんばろうって気合いが入るんじゃないのか」

「それはたしかにあるね」

綾音が宏美から水のボトルを受け取り、各自のグラスに注ぎ始めた。その口元には笑みが浮かんでいる。

「そういうおまえたちのところはどうなんだ。そろそろじゃないのか」猪飼が義孝と綾音の顔を見比べた。「結婚して一年か。二人きりの生活にも飽きただろ?」

「あなた」由希子がたしなめるように夫の腕を軽く叩いた。「余計なことはいわないの」

「あ、まあ、人それぞれだからな」猪飼は作り笑いをしてワインを飲み干した後、宏美に目を向けてきた。「宏美ちゃんのほうはどうだ。といっても、野暮なことを訊いてるんじゃない。教室のほうだ。順調かい?」

「ええ、今のところは何とか。まだ戸惑うことも多いですけど」

「もうすっかり宏美ちゃんに任せてるわけ?」由希子が綾音に訊いた。

綾音は頷いた。

「私が宏美ちゃんに教えることは、もう何もないもの」

「へえ、すごいわね」由希子が感心したように宏美を見つめてきた。

宏美は口元を緩め、目を伏せる。実際のところ、猪飼夫妻が宏美のやっていることにどこまで興味を持っているかは怪しいものだった。二組の夫婦に混じって食事をしている場違いな娘のことも、少しは話題にしなければかわいそうだと思っただけかもしれない。

「そうだ。お二人に私からプレゼントがあるの」綾音は席を立ち、ソファの陰から大きな紙袋を持ってきた。

これなのよ、といって彼女が取り出したものを見て、由希子が大袈裟に驚きの声を上げ、口元を両手で覆った。

それはパッチワークで作られたベッドカバーだった。ただし通常のものより、はるかに小さい。

「ベビーベッドのカバーにしてもらえたらと思って」綾音がいった。「ベッドを使わなくなったら、タペストリーとして飾ってもらってもいいし」

「素敵。ありがとう、綾音さん」由希子が感極まったような顔をし、パッチワークの端を握りしめた。「大切に使わせてもらう。ほんとにありがとう」

「これ、すごい力作じゃないか。こういうのって、すごく時間がかかるんだろう？」猪飼が同意を求めるように宏美に目を向けてきた。

「半年ぐらいかかりましたっけ？」宏美は綾音に確認した。この作品の制作過程については、宏美もある程度は把握している。

どうだったかな、と綾音は首を傾げた。「でも喜んでもらえたのならよかった」

「すごく喜んでる。こんなのもらっちゃっていいのかしら。ねえあなた、わかってる？　こういうのって、すごく高いのよ。しかも三田綾音の作品よ。銀座で展示会をした時には、シングルベッドのカバーに百万円の値がついてたんだから」

へええ、と猪飼は目を丸くした。本当に驚いているようだ。単に布を縫い合わせただけのものに、という顔に見えた。

「それ、ずいぶんと熱心に作ってたもんなあ」義孝がいった。「俺が休みの日でも、そこのソファに座って、ずっと針を動かしてた。一日中だ。あれには感心したよ」リビングのソファを顎でしゃくった。

「間に合ってよかった」綾音は目を細めて呟いた。

食事の後、ソファに移動し、男性陣はウイスキーを飲むことになった。由希子がコーヒーのおかわりがほしいといったので、宏美はキッチンに向かおうとした。

「コーヒーは私が入れる。宏美ちゃん、水割りの用意をしてあげて。冷凍庫にロックアイスが入ってるから」綾音は水道の蛇口を開き、ケトルに水を入れた。

宏美が水割りのセットをトレイに載せてリビングに戻ると、猪飼夫妻たちの話題は庭の園芸に移っていた。この家の庭には照明が凝らされ、夜でも鉢植えなどが鑑賞できるのだ。

「これだけの花を世話するとなると、結構大変なんだろうなあ」猪飼がいった。

「よくわからないけど、しょっちゅう手入れをしているようだ。二階のベランダにもある。毎日、せっせと水をやってるよ。御苦労なことだと思うが、本人はさほど苦にならないらしい。心底、花が好きなんだろうな」義孝はこの話題にはあまり乗り気ではなさそうだ。彼が植物や自然といったものに無関心であることを宏美は知っていた。

綾音が三人分のコーヒーをカップに入れて運んできた。宏美はあわてて水割りを作り始めた。

猪飼夫妻が辞去する意思を示したのは午後十一時を過ぎた頃だった。

「すっかり御馳走になっちゃったなあ。おまけに素敵なプレゼントまでもらって、何だか申し訳ないな」腰を上げてから猪飼はいった。「今度は是非、うちに来てくれ。といっても、今は赤ん坊の世話で家の中が散らかってるんだけどさ」

「近いうちに整理するわよ」由希子が夫の脇腹を小突いた後、綾音に笑いかけた。「うちの王子様の顔を見に来てちょうだい。大福みたいな顔をしてるけど」

是非、と綾音は答えた。

宏美もそろそろ帰らねばならない時間だった。猪飼夫妻と共に辞去することにした。猪飼が、タクシーで家まで送ってくれるといった。

「宏美ちゃん、私、明日からちょっと留守にするから」玄関で宏美が靴を履いていると、綾音が声をかけてきた。

「明日から三連休ですものね。旅行?」由希子が訊いた。

「そうじゃなくて、しばらく実家に帰らなきゃいけなくなったの」

「実家って、札幌に?」

綾音は笑顔のままで頷いた。

「父の具合がよくないらしいから、母を手伝いに。大したことはないみたいなんだけど」

「それは心配だな。そんな時に出産祝いなんかしてもらって、ますます恐縮しちゃうなあ」猪飼が頭に手をやった。

綾音は首を振った。

「気にしないで。ほんとに大したことないんだから。——じゃあ宏美ちゃん、そういうことだから、もし何かあったらケータイに連絡をちょうだいね」

「いつ頃、お帰りの予定ですか」

「さあそれは……」綾音は首を傾げた。「見通しがたったら電話するわ」

「わかりました」

宏美は義孝のほうを窺った。彼はあらぬ方向を見ている。

真柴家を出て、大通りに出たところで猪飼がタクシーを拾った。最初に降りる宏美が、一番最後に乗り込んだ。

「少し子供の話をしすぎたかしら」タクシーが走り始めて間もなく、由希子がいった。

「どうして？　かまわんだろ。出産を祝ってくれてるんだから」助手席の猪飼が応じる。

「そうじゃなくて、向こうの家に対する配慮が足りなかったかなと心配してるのよ。だって、子供を作ろうとはしてるんでしょ？」

「以前、真柴からはそんなふうに聞いたけどね」

「やっぱり出来ないのかしらねえ。宏美ちゃんは何か聞いてない？」

「いえ、あたしは何も」

そう、と由希子は落胆の声を漏らした。何か情報を引き出したくて、家まで送ってくれるといったのかもしれないなと宏美は思った。

翌朝、宏美はいつものように午前九時に家を出て、代官山にある『アンズハウス』に向かった。マンションの一室を改装し、パッチワーク教室を開けるようにした部屋だ。ただし開校したのは彼女ではなく綾音だ。約三十人いる生徒たちも、三田綾音直伝の技術を習得できるのなら、ということで通ってきている。

宏美がマンションのエレベータを降りると、部屋の前に綾音の姿があった。傍らにスーツケースが置かれている。綾音は宏美を見て、にっこりと微笑んだ。

「どうされたんですか」

「大したことじゃないの。あなたにこれを預けておこうと思って」綾音はジャケットのポケットから何かを出してきた。差し出された彼女の手に載っていたのは鍵だった。

「これは……」

「うちの鍵よ。昨日もいったように、いつ帰ってこれるかわからないから、家のことが心配なの。それで一応、あなたに預けておこうと思って」

「あ……そうなんですか」

「嫌？」

「いえ、そんなことないですけど、先生は鍵をお持ちなんですか」

「私は別に困らないわよ。帰ってくる時にはあなたに連絡するし、もしあなたの都合が悪くても、夜になれば主人が家にいるわけだし」

「そういうことでしたら、お預かりいたします」

「よろしくね」綾音は宏美の手を取り、その上に鍵を載せた。さらに指を折り、しっかりと握らせた。

じゃあ、といって綾音はスーツケースを引きずりながら歩きだした。その後ろ姿に宏美は思わず声をかけた。「あの、先生……」

綾音は足を止めた。「なあに？」

「いえ、あの、気をつけて行ってきてください」

「ありがとう」綾音は空いた手を小さく振り、再び歩き始めた。

パッチワーク教室は夜まで続いた。生徒の顔ぶれは途中で変わるが、宏美は殆ど休みがない。最後の生徒を送り出した時には、肩と首のこりがひどくなっていた。

宏美が後片づけを終えて部屋を出ようとした時、携帯電話が鳴りだした。液晶表示を見て、一瞬息を呑んだ。義孝からだった。

「教室は終わったかい？」彼はいきなり尋ねてきた。

「ついさっき終わったところよ」

「そうか。俺は今、会食中なんだ。終わったらすぐに帰るから、うちに来いよ」

あまりにもさらりといわれ、宏美は返答に窮した。

「どうした？　都合悪いのか」

「そうじゃないけど……いいの？」

「いいに決まってるじゃないか。知ってると思うけど、あいつは当分家には帰らない」

宏美は傍らのバッグを見つめた。その中には今朝受け取ったばかりの鍵が入っている。

「それに、話したいこともあるしな」彼はいった。

「話って？」

「会ってからだ。九時には帰る。来る前に電話してくれ」一方的にそれだけいうと彼は電話を切った。

パスタで有名なファミレスで夕食を済ませた後、宏美は義孝に電話をかけた。彼はすでに帰宅していた。早く来いよ、という口調には浮き浮きした響きがあった。

タクシーに乗って真柴家に向かう途中、宏美は自己嫌悪に陥っていた。義孝のまるで後ろめたさを感じさせない様子に眉をひそめそうになりながら、自分にも浮かれた気持ちがあることは認めざるをえなかった。

義孝はにこやかに出迎えてくれた。こそこそした様子はなく、すべてのしぐさに余裕があった。

リビングに入るとコーヒーの香りが漂っていた。

「自分でコーヒーを入れるのは久しぶりでさ。うまくいったかどうかはわからない」キッチンに入った義孝は、二つのカップを両手に持って戻ってきた。ソーサーは使わないようだ。

「初めて見た。真柴さんがキッチンに入るところ」

「そうかい。でも、そうかもしれないな。あいつと結婚してからは、全く何もしなくなったからな」

「先生は献身的だから」宏美はコーヒーを啜った。濃くて、苦いコーヒーだった。

義孝も口元を歪《ゆが》めた。「コーヒーの粉が多すぎたな」

「入れ直しましょうか」

「いや、いい。この次は頼むよ。それはそうと」彼はコーヒーカップを大理石のセンターテーブルに置いた。「昨日、あいつに話したよ」

「やっぱり……」

「ただし、相手が君だとはいっていない。あいつの知らない女だといってある。どこまで信用したかはわからんがね」

今朝、鍵を預けていった時の綾音の顔を宏美は思い出した。あの笑みに何らかの企みが隠されているとは思えなかった。

「それで、先生は何と？」

「うん。すべて納得してくれた」

「本当？」

「本当だ。だからいっただろ。あいつは逆らわないって」

宏美は頭を振った。

「あたしがこんなことをいうのも変だけど……理解できない」

「そういうルールだったんだよ。俺が作ったルールだけどさ。とにかくこれで何も悩む必要はなくなった。すべて解決だ」

「安心しててもいいのね」

「もちろんだ」そういうと義孝は宏美の肩に手を回し、ぐいと引き寄せた。宏美は彼に身体を預けた。彼女の耳に彼の唇が近づく気配があった。「とりあえず、今夜は泊まっていけよ」

「寝室で寝るの？」

真柴は口の端を曲げた。

「来客用の部屋がある。そっちもダブルベッドだ」

迷いと戸惑い、安堵、そしてやはり依然として燻《くすぶ》り続ける不安を胸に抱いたまま、宏美は小さく頷いた。

翌朝、宏美がキッチンでコーヒーを入れようとしていると、義孝がやってきた。手本を見せてくれ、というのだった。

「あたしも先生から教わっただけだから」

「それでいいんだよ。やってみせてくれ」義孝は腕組みした。

宏美はドリッパーにペーパーフィルターをセットし、メジャースプーンでコーヒーの粉を入れた。粉の量を見て、義孝は頷いている。

「ここへまず少しだけお湯を入れるの。ほんの少しよ。で、粉が膨らむまで待つの」ケトルで沸かした湯を少量注いだ後、二十秒ほど待って、宏美は再び注ぎ始めた。「円を描くようにね。ふわーっとコーヒーが盛り上がってくるので、その状態を維持しながら注いでいくの。サーバーの目盛りを見て、二人分が入ったら、すぐにドリッパーを外す。そのままにしておくと薄くなっちゃうから」

「案外難しそうだな」

「以前は自分で入れてたんでしょ」

「コーヒーメーカーを使ってたんだ。だけど綾音と結婚した時に捨てられた。こっちのほうがおいしいとかいってさ」

「真柴さんがコーヒー中毒だって知ってるから、少しでもおいしいコーヒーを入れたいと思ったのよ、きっと」

義孝は口元を曲げ、ゆらゆらと頭を揺らした。綾音がどれほど献身的かを宏美が語ると、彼はいつもこういう表情になる。

入れたてのコーヒーを飲み、やっぱりうまいや、と義孝はいった。

日曜日は『アンズハウス』は休みだ。しかし宏美の仕事がないわけではない。池袋にあるカルチャースクールで講師のバイトをしているからだ。その仕事も綾音から引き継いだものだった。仕事が終わったら電話をくれ、と義孝からいわれていた。一緒に夕食を摂ろうということらしい。宏美には断る理由がなかった。

カルチャースクールの仕事が終わったのは七時過ぎだった。宏美は帰りの支度をしながら電話をかけた。ところが義孝の携帯電話が繋がらない。呼び出し音は鳴っているのだが、彼が出ないのだ。真柴家の固定電話にもかけてみたが、結果は同じだった。

どこかに出かけているのだろうか。しかし携帯電話を置いていくことは考えられない。

仕方なく、宏美は真柴家に向かうことにした。その途中、何度か電話をかけてみたが、やはり繋がらなかった。

結局、真柴家の前まで来てしまった。門から見ると、リビングルームには灯りがともっている。それでも電話には誰も出ない。

意を決し、宏美はバッグから鍵を取り出した。綾音から預かった、例の鍵だ。

玄関のドアは施錠されていた。それを外し、ドアを開けた。玄関ホールも明るかった。

宏美は靴を脱ぎ、廊下を進んだ。かすかにコーヒーの匂いがする。今朝のコーヒーが残っているはずがないから、義孝が再び入れたのだろうか。

リビングのドアを開けた。その途端、彼女は立ち尽くした。

義孝が床に倒れていた。その傍らにはコーヒーカップが転がっており、黒い液体がフローリングの床に広がっていた。

救急車を、電話を、番号は、番号は――宏美は震える手で携帯電話を取り出した。だがどの番号を押せばいいのか、まるで思い出せなかった。

3

緩やかな坂道に沿って、洒落《しゃれ》た構えの邸宅が建ち並んでいた。どの家も手入れが行き届いていることは、街灯の光だけでも十分に窺えた。一軒家を購入するだけで精一杯、といった人種たちの街ではなさそうだ。

数台のパトカーが路上に止まっていた。それを見て、「運転手さん、ここでいいよ」と草薙《くさなぎ》はいった。

車を降り、歩きながら腕時計を見た。午後十時を過ぎている。今夜は見たい番組があったのにな、と草薙は思った。劇場で見逃した邦画だ。テレビで放映されると知り、レンタル店でＤＶＤを借りるのを思い留まったのだ。呼び出しを受け、あわてて部屋を出てきたせいで、録画予約することも忘れてしまった。

夜のせいか、野次馬の姿はなさそうだった。テレビ局の連中も、まだ押しかけてきていない様子だ。すんなりと片づきそうな事件ならいいのだが、と淡い期待を抱いた。

事件が起きたという邸宅の門の前に、見張りの警官が固い顔つきで立っていた。草薙が警察手帳を示すと、御苦労様です、と会釈してきた。

門をくぐる前に屋敷を眺めた。中にいる人間たちの声が通りまで聞こえてくる。室内の灯りは、ほぼすべて点《つ》けられているようだ。

生け垣のそばに人影があった。薄暗くてよく見えないが、小柄な体格と髪型から、それが誰であるかを草薙は察知した。彼はその人物に近づいた。

「何をしてるんだ」

声をかけると、内海薫《うつみかおる》は驚いた様子も見せず、ゆっくりと彼のほうに顔を巡らせた。

「御苦労様です」抑揚のない口調だった。

「中に入らないで何をしてるのか、と訊いてるんだけどな」

「別に」内海薫は無表情のままでかぶりを振った。「生け垣とか、庭の花とかを眺めていただけです。それからベランダの花も」

「ベランダ？」

「あれです」彼女は上を指差した。

草薙が見上げると、たしかに二階にはベランダがあり、そこからたくさんの花や葉がはみだしている。だが特に珍しい光景ではない。

「しつこいようだけど、どうして中に入らないんだ」

「たくさんの人が入ってますから。かなりの人口密度です」

「混み合うのが嫌ってわけか」

「同じ場所を大勢で見たって、あまり意味がないと思うんです。鑑識さんたちの邪魔にもなるし。それで私は屋敷の外を見回ることにしたんです」

「見回ってないじゃないか。花を眺めてただけだ」

「すでに一通り見終えたところでした」

「まあいい。で、現場は見たのかよ」

「だから、見ていません。玄関まで入ったところで引き返したんです」

平然と答える内海薫の顔を、草薙は不思議な思いで見返した。誰よりも早く現場に到着したいというのは、刑事の本能だと思ってきた。しかしこの若手女性捜査員には、その常識は当てはまらないらしい。

「おまえの考えはわかったけど、とにかく俺と一緒に来い。自分の目で見ておいたほうがいいこともたくさんあるんだ」

草薙が踵《きびす》を返して門に向かうと、彼女も黙ってついてきた。

邸内にはたしかに大勢の捜査員がいた。所轄の刑事もいれば、草薙たちの仲間もいる。

後輩の岸谷が、草薙を見て、苦笑を浮かべた。

「お早い出勤、御苦労様です」

「嫌味かよ。それより、本当に殺しなのか」

「それはまだ何とも。でも、その可能性は高いですね」

「どういうことなんだ。簡単に説明してくれ」

「一言でいうと、この家の主人が急死したんです。リビングルームで。たった一人で」

「たった一人？」

「こっちに来てください」

岸谷は、草薙たちをリビングルームに案内した。三十畳ほどはありそうな広い部屋だった。緑色をした革張りのソファが並んでいて、大理石のセンターテーブルが中央に置かれている。

そのテーブルのそばの床に、人が倒れた形を白いテープで描いてあった。それを見下ろした後、岸谷は草薙のほうに顔を向けた。

「亡くなったのは真柴義孝さん、この家の御主人です」

「それは知ってるよ。ここへ来る前に聞いたから。何かの会社の社長だろ」

「いわゆるIT関連の会社みたいですね。今日は日曜日ですから、仕事は休みでした。昼間に外出されたかどうかはまだわかりません」

「床が濡れているみたいだな」フローリングの床に、何かの液体をこぼしたような跡が残っていた。

「コーヒーです」岸谷はいった。「死体が見つかった時、こぼれていたんです。鑑識さんがスポイトで採取してました。コーヒーカップも床に転がっていました」

「死体を見つけたのは？」

「ええと」岸谷は手帳を広げ、若山宏美という名前を口にした。「奥さんのお弟子さんだそうです」

「弟子？」

「奥さんは有名なパッチワーク作家なんです」

「パッチワーク？　あんなもので有名になるなんてことがあるのか」

「あるそうです。自分も知りませんでしたが」岸谷は内海薫に目を向けた。「女性なら知っているのかもしれないな。ミタアヤネ、という名前を聞いたことないかな。こういう字を書くんだけど」

岸谷が開いた手帳には、三田綾音、と書かれていた。

「知りません」彼女は素っ気なく答えた。「どうして女性なら知っていると思うんですか」

「いや、何となくだけど」岸谷は頭を掻く。

二人のやりとりを見て、草薙は頬を緩めたくなった。若手の岸谷は、ようやく入ってきた後輩に対して先輩風を吹かしたいのだろうが、女性相手ではやりにくいようだ。

「発見までの経緯は？」草薙は岸谷に訊いた。

「じつはこちらの家では、昨日から奥さんが実家に帰られています。で、奥さんは出発前、家の鍵を若山さんに預けているんです。自分はいつ戻ってこれるかわからないので、万一を考えて、ということだったそうです。今夜若山さんは、真柴義孝氏が何か不自由していないかどうか気になり、電話をかけたところ、携帯電話にも固定電話にも誰も出ない。それで胸騒ぎがして、この家まで来たという話です。最初に電話をかけたのが七時過ぎ。この家に入った時には八時近くになっていたのではないか、とおっしゃっています」

「それで死体を見つけた、というわけか」

「そういうことです。自分の携帯電話で一一九番に通報しています。すぐに救急隊員が来たわけですが、死亡が確認できたので、近所の医師に来てもらい、死体を診てもらったそうです。ところが死因に不審な点があるということで、救急隊員が所轄に連絡を入れた。まあ、こういう流れです」

ふうん、と頷きながら、草薙は内海薫のほうを見た。彼女はいつの間にか彼のそばから離れ、カップボードの前に移動していた。

「で、その発見者は今どこに？」

「若山さんならパトカーで休んでいただいています。係長が一緒です」

「おやじ、もう来てるのか。パトカーの中とは気づかなかったな」草薙はしかめっ面を作った。

「死因はわかってるのか」

「毒物の疑いが濃厚です。自殺の可能性もありますが、他殺も十分に考えられるということで、うちにお呼びがかかったというわけです」

「ふうん」内海薫がキッチンに入っていくのを草薙は目で追った。「若山宏美さんだっけ、その人が家に入る時、鍵はかかってたのかな」

「かかっていたそうです」

「窓とかガラス戸とかは？　戸締まりはどうなっていたんだろう」

「所轄から捜査員が来た時には、二階のトイレの窓以外は施錠されていたそうです」

「二階にトイレがあるのか。それ、人間が出入りできるのか」

「試してませんが、たぶん無理だと思います」

「じゃあ、自殺だよ」草薙はソファに腰を下ろし、足を組んだ。「誰かがコーヒーに毒を入れたっていうのか。もしそうなら、その犯人はどうやってこの家から出たんだ。おかしいじゃないか。なんで所轄は、他殺も考えられるなんて思ったんだ」

「たしかにそれだけなら、他殺のセンは考えにくいかもしれませんが」

「ほかに何かあるのか」

「所轄の捜査員が現場を調べている時、携帯電話が鳴ったそうです。亡くなった真柴さんの電話です。出てみると、恵比寿にあるレストランからでした。じつは真柴さんは、今夜八時から店を予約していたんです。二名分だそうです。それが時間になっても現れないので、店側が電話をかけてきたというわけです。予約を入れたのは今日の六時半頃ということでした。さっきもいいましたように、若山さんが真柴さんに電話したのは七時過ぎで、その時すでに繋がらなくなっていました。六時半にレストランを予約した人間が七時過ぎには自殺を遂げている——それはやはりおかしいです。所轄の判断は妥当だと自分は思います」

岸谷の話に、草薙は顔をしかめた。指先を曲げ、眉の横を掻いた。

「そういうことなら、もっと先にいえよ」

「草薙さんの質問に答えているうちに、話しそびれてしまったんです」

「わかったよ」草薙は自分の両膝を叩いて立ち上がった。キッチンから出てきた内海薫は、カップボードの前に戻っていた。その背中に近づいた。「せっかく岸やんが話してくれてるのに、何をうろちょろしてるんだ」

「話は聞いています。岸谷さん、どうもありがとうございます」

どういたしまして、といって岸谷は首をすくめた。

「カップボードがどうかしたのか」

「ここです」彼女はカップボードの中を指した。「この棚のところ、ほかのところと比べて寂しいと思いませんか」

たしかにその部分は不自然に空いていた。何かの食器が置いてあったような感じだ。

「そうだな」

「キッチンを見てみましたら、シャンパングラスが五客、洗ったままになっていました」

「じゃあ、それがここに並んでたんじゃないのか」

「だと思います」

「それで？　どうかしたのか」

するとと内海薫は草薙を見上げ、唇を少し動かした。だが思い返したように首を振った。

「大したことじゃありません。最近、パーティでもあったのかなと思っただけです。シャンパングラスなんて、そういう時しか使わないと思いますから」

「なるほど。これぐらいの金持ちになれば、ホームパーティなんてものも頻繁にやってるのかもしれんな。だけど、最近パーティをしたからといって、自殺するほどの悩みがなかったとはいいきれないぞ」草薙は岸谷のほうを振り返り、続けた。「人間ってのは複雑で矛盾だらけなんだ。直前までパーティで盛り上がってようが、レストランを予約した直後だろうが、死にたい時には死ぬもんなんだ」

はあ、と岸谷は曖昧に頷いている。

「奥さんは？」草薙は訊いた。

「えっ？」

「被害者……じゃなくて、ホトケさんの奥さんだ。連絡したんだろ？」

「それが、まだ連絡がつかないそうなんです。若山さんによれば、奥さんの実家は札幌だそうです。しかも市街地からは少し離れているようなので、仮に連絡が取れたとしても、今夜こっちに来るのは無理でしょう」

「北海道か。それは無理だな」

助かった、と草薙は胸を撫で下ろした。妻が駆けつけてくるとなれば、それまでは誰かがここで待っていなければならない。そんな時、係長の間宮は必ずといっていいほど、そういう仕事を草薙に命じてくるのだ。

遅い時間帯だし、近所の聞き込みも明日からになると思われた。今夜はこのままあっさりと帰れるかなと草薙が期待しかけた時、ドアが開き、間宮の四角い顔が現れた。

「草薙、来てたのか。遅かったな」

「とっくの昔に来てましたよ。大体の状況は岸谷から聞きました」

間宮は頷いた後、後ろを振り返った。「どうぞ、お入りになってください」

促されてリビングに入ってきたのは、二十代半ばと思われる、ほっそりとした女性だった。セミロングの髪が、近頃の女性にしては珍しく黒い。その色が、肌の白さを一層際立たせていた。もっとも今にかぎっていえば、白いというよりも青白いと形容したほうが適切かもしれなかった。いずれにせよ、間違いなく美人の部類に入る。化粧の仕方も上品だった。

若山宏美だな、と草薙は察した。

「先程のお話によれば、この部屋に入ってすぐに死体を見つけたということでしたね。そうしますと、大体、今お立ちになっているあたりから見えたわけですか」

間宮の質問に、俯き気味だった若山宏美が、ちらりとソファのほうに目を向けた。死体を発見した時のことを回想しているのだろう。

「はい。このへんだったと思います」細い声で彼女は答えた。

痩せていて顔色が悪いせいか、立っているのでさえやっとのように草薙には見えた。死体を見た時のショックを引きずっているに違いなかった。

「その前にあなたがこの部屋に入ったのは、一昨日の夜が最後だということでしたね」間宮が確認するようにいう。

はい、と若山宏美は頷いた。

「その時と今と、何か変わっている点はありませんか。どんな些細なことでも結構です」

質問され、彼女は怯《おび》えたような目で室内を見回した。しかしすぐに首を振った。

「よくわかりません。一昨日は、ほかの人もたくさんいましたし、みんなで食事をした後だったし……」声が震えた。

間宮は眉根を寄せながらも頷いた。仕方がない、といった表情だ。

「お疲れのところ、申し訳ありませんでした。今夜はゆっくりとお休みになってください。ただ、明日もう一度、お話を伺うことになると思うのですが、よろしいですか」

「いいですけど、あたしにお話し出来ることなんて、大してないと思います」

「そうかもしれませんが、我々としてもなるべく詳しい話を伺いたいものですからね。どうか捜査への御協力を御願いいたします」

若山宏美は俯いたまま、はい、と短く答えた。

「お宅まで部下に送らせます」そういってから間宮は草薙を見た。「おまえ、今日はどうやって来た？　車じゃないのか」

「すみません。タクシーです」

「何だよ、今日にかぎって」

「最近はあまり車は使わないんです」

間宮が舌打ちした直後、「私、車で来ました」と内海薫がいった。

草薙は驚いて、振り返った。「車？　いい御身分だな」

「車で食事に出ている最中に連絡を受けたんです。すみません」

「謝ることはない。じゃあ、君が若山さんをお送りしてくれるか」間宮は訊いた。

「わかりました。でもその前にひとつだけ、若山さんに質問させていただいてもよろしいでしょうか」

内海薫の言葉に、間宮は虚をつかれたような顔をした。若山宏美も、ぴくりと緊張を走らせた気配を見せた。

なんだ、と間宮が訊いた。

内海薫は若山宏美を見つめたまま、前に一歩踏み出した。

「真柴義孝さんはコーヒーを飲んでいる最中に倒れられたようですが、いつもソーサーはお使いにならないんでしょうか」

はっとしたように若山宏美は目を見開いた。その視線が揺れた。

「ええ、あの……お一人で飲まれる時はそうだったかもしれません」

「すると、昨日か今日、来客があったということになりますが、何かお心当たりはありますか」

断定的な口調で話す内海薫の横顔を、草薙は見た。

「来客があったって、どうしてわかるんだ」

「キッチンの流し台に、まだ洗っていないコーヒーカップが一つとソーサーが二つ、入っています。真柴さん御自身が使われただけなら、ソーサーは出ていないはずです」

岸谷がキッチンに入っていき、すぐに出てきた。

「内海のいうとおりです。カップが一つとソーサーが二つ、置いてあります」

草薙は間宮と顔を見合わせた後、若山宏美に目を戻した。

「それについて、何か思い当たることはありますか」

彼女は不安げな顔で首を振った。

「あたし……知りません。だって、一昨日の夜にここを出た後、ずっと来てなかったんですから。来客があったかどうかなんて、あたしにはわかりません」

草薙は再び間宮のほうを見る。間宮は思案顔のままで頷き、口を開いた。

「わかりました。遅くまでありがとうございました。——内海、じゃあお送りしてくれ。それから草薙、おまえも同乗しろ」

はい、と草薙は返事した。間宮の狙いはわかる。若山宏美は明らかに何かを隠していそうだった。それを探り出せということなのだろう。

三人で家を出ると、「ここにいてください。車を取ってきます」と内海薫がいった。一般車両なので、コインパーキングに止めてあるのだという。

車を待つ間、草薙は横にいる若山宏美を観察した。ひどく、うちひしがれているように見えた。死体を見たショックからだけとは思えなかった。

「寒くないですか」草薙は訊いた。

「大丈夫です」

「今夜、お出かけになる予定はありますか」

「そんなの……あるわけないじゃないですか」

「そうですか。もしかすると、どなたかと約束されていたかもしれないと思ったものですから」

草薙の言葉に、若山宏美はわずかに唇を動かした。狼狽しているようにも見えた。

「これはすでに何度か質問されたことだと思いますが、もう一度お尋ねしてもいいでしょうか」

「何ですか」

「今夜あなたは、なぜ真柴さんに電話をかけようと思ったのですか」

「だからそれは、先生から鍵を預かっているので、時々は連絡を取らなきゃいけないと思ったからです。真柴さんが何か不自由な思いをされているようなら、お手伝いしなければと思って……」

「でも電話が繋がらなかったので、家までやってきた、ということでしたね」

はい、と彼女は小さく頷いた。

草薙は首を傾げてみせた。

「だけど、携帯電話が繋がらない程度のことはよくあるでしょう。固定電話にしたってそうだ。真柴さんが出かけていて、たまたまケータイにも出られない状況だとは思わなかったのですか」

若山宏美は少し沈黙した後、小さくかぶりを振った。

「思いませんでした……」

「どうしてですか。何か気になることでもあったんですか」

「そういうわけじゃありません。ただ、何となく胸騒ぎがして……」

「胸騒ぎねえ」

「いけませんか？　胸騒ぎがしただけで、家まで様子を見にきては」

「いや、そういうわけじゃありません。鍵を預かっているからといって、そこまで責任を持とうとする人は珍しいので、感心しているだけです。しかも、結果的にあなたの胸騒ぎが的中したのですから、その行為は褒められるべきだと思います」

草薙の言葉を額面通りには受け取れないらしく、若山宏美は顔をそむけた。

臙脂《えんじ》色のパジェロが屋敷の前で止まった。ドアを開け、内海薫が降りてきた。

「四駆かよ」草薙は目を丸くした。

「乗り心地は悪くないですよ。どうぞ、若山さん」

内海薫に促され、若山宏美が後部座席に乗り込んだ。草薙も彼女に続いた。

運転席に座ると、内海薫がカーナビをセットし始めた。若山宏美の住所は確認済みのようだ。学芸大学駅のそばらしい。

車が走り出して間もなく、「あのう」と若山宏美が口を開いた。

「真柴さんは、その……事故とか自殺とかではないんですか」

草薙は運転席を見た。ルームミラー越しに内海薫と目が合った。

「まだ何ともいえません。解剖の結果も出ていませんし」

「でも、皆さんは殺人事件を担当する刑事さんなんでしょう」

「もちろんそうですが、現時点では、他殺の可能性もある、という程度なんです。それ以上のことは申し上げられない、というより、我々にもわからないんです」

そうなんですか、と若山宏美は小声で答えた。

「では若山さん、そのことで逆に質問させていただきますが、もし今回の事件が他殺だとすれば、それについて何か心当たりはありますか」

彼女が息を呑むような気配があった。その口元を草薙は凝視した。

「わかりません……。真柴さんについては、先生の旦那さんということ以外、殆ど何も知りませんから」細い声で彼女は答えた。

「そうですか。まあ、今すぐに思いつかなくても結構です。何か思い出すことがあれば教えてください」

しかし若山宏美は、頷くこともなく黙っていた。

マンションの前で彼女を降ろすと、草薙は助手席に移った。

「どう思う？」草薙は前を向いたままで尋ねた。

「強い人ですね」車を発進させながら内海薫は即答した。

「強い？　そうかな」

「だって、ずっと涙を堪えてたじゃないですか。私たちの前では、とうとう一滴も流しませんでした」

「それほど悲しくないからってことも考えられるぜ」

「いえ。あの人は泣いていたはずです。救急車が来るのを待つ間、ずっと泣いていたんだと思います」

「どうしてわかる？」

「目元のメイクです。一旦崩れたメイクを、急遽修正した形跡がありました」

草薙は後輩刑事の横顔を見つめた。「そうなのか」

「間違いないと思います」

「さすがに女は目のつけどころが違うな。おっと、これは褒め言葉だぜ」

「わかっています」彼女は唇を緩ませた。「草薙さんはどう感じました？」

「一言でいうと、怪しいな。いくら鍵を預かっているからといって、若い女が男が一人でいる家の様子を見に行ったりするかな」

「同感です。私なら考えられません」

「あの女性とホトケさんが、じつは出来てたっていうのは、想像が飛躍しすぎてるかな」

内海薫は、ふっと息を吐いた。

「飛躍してるどころか、それしか考えられないと思います。二人は今夜、一緒に食事をするつもりだったのではないでしょうか」

草薙は自分の膝を叩いた。「恵比寿のレストランか」

「時間になっても誰も現れないから、店側が電話をかけてきたわけですよね。予約は二名分ということでした。つまり真柴氏だけでなく、連れの人物も現れなかったということになります」

「その連れが若山宏美だと考えれば、辻褄は合うな」

これは間違いなさそうだ、と草薙は確信した。

「二人の間に特殊な関係があるのなら、すぐにそれは証明されると思います」

「どうして?」

「コーヒーカップです。流し台の中にあったのは、二人で使ったものではないでしょうか。だとすれば、どちらかに彼女の指紋がついているはずです」

「なるほどな。しかし、二人が出来てたからといって、彼女を容疑者扱いする根拠にはならないぜ」

「もちろんそれはわかっています」そういった後、彼女は車を左側に寄せて止めた。「ちょっと電話をかけてもいいですか。確認したいことがあるので」

「いいけど、どこに電話をかけるんだ」

「もちろん、若山宏美さんに、です」

驚く草薙をよそに、内海薫は携帯電話を操作した。間もなく繋がったらしい。

「若山さんですか。警視庁の内海です。先程は失礼いたしました。……いえ、大したことではないんです。明日の御予定をお聞きするのを忘れたと思いまして。……そうですか。わかりました。お疲れのところ、申し訳ありませんでした。おやすみなさい」話し終えると内海薫は電話を切った。

「明日、どうしてるって?」草薙は訊いた。

「未定だけど、たぶん家にいるだろうということでした。パッチワーク教室は休むことになるだろう、とも」

「ふうん」

「でも、私が電話をかけた目的は、明日の予定を確認することだけではないんです」

「というと?」

「彼女の声、涙声になっていました。ごまかそうとしていたみたいですけど、明らかでした。部屋で一人きりになった途端、抑えていた感情が爆発したのだと思います」

草薙はシートから身体を起こした。「それを確かめるための電話だったのか」

「特に親しい人物でなくても、死んでいるという事実にショックを受け、思わず泣きだしてしまうということはあるかもしれません。でも、ある程度の時間が経ってから、改めて泣くということは……」

「その相手に特別な感情を持っている、というわけか」草薙はにやりと笑って後輩の女性刑事を見た。「なかなかやるじゃないか」

「恐れ入ります」内海薫は微笑み、車のサイドブレーキを外した。


翌朝、草薙は電話の音で目を覚ました。かけてきたのは間宮だった。まだ午前七時を回ったところだ。

早いですね、と嫌味をいってみた。

「自宅で寝られただけでもありがたいと思え。今日は朝から目黒署で捜査会議だ。たぶん捜査本部が設置される。今夜からは泊まり込みになりそうだ」

「そのことをいうためにわざわざ電話を？」

「そんなわけないだろ。おまえ、これから羽田に行け」

「羽田？　どうしてまたそんなところに……」

「羽田といえば空港に決まってるだろ。真柴氏の奥さんが札幌から戻ってくる。それを迎えに行くんだ。車に乗せたら、目黒署にお連れしてくれ」

「本人の了解はとってあるんですね」

「そのはずだ。内海と一緒に行ってくれ。あいつが車を出すことになった。八時に到着する便だ」

「八時っ」草薙は飛び起きた。

大急ぎで支度をしていると、またしても携帯電話が鳴った。今度は内海薫だった。すでにマンションの前に来ている、ということだった。

昨夜と同じように彼女のパジェロに乗り、羽田空港に向かった。

「損な役を押しつけられちまったなあ。遺族と顔を合わせるってのは、何回やっても慣れないんだよな」

「でも係長は、遺族の扱いが一番うまいのは草薙だとおっしゃってました」

「へえ、あのおやじがそんなことを」

「安心感を与える顔だから、とも」

「何だ、それ。間抜け面ってことかよ」草薙は大きく舌打ちした。

空港には八時五分前に着いた。到着ロビーで待っていると、続々と客が出てくる。草薙は内海薫と共に、真柴綾音を目で探した。ベージュのコート、ブルーのスーツケース、というのが目印だ。

「あの人じゃないですか」内海薫が一方向を見つめていった。

草薙は彼女の視線の先を追った。たしかに条件にぴったりの女性が一人で出てくる。憂いの帯びた眼差しをやや下に向け、厳粛とさえいえる雰囲気を全身に漂わせていた。

「あの人……みたいだな」草薙の声がかすれた。

彼は動揺していた。彼女から目が離せなかった。なぜ自分の心がこれほどまでに揺さぶられるのか、自分でもわからなかった。

4

草薙たちの自己紹介を聞いた後、真柴綾音が最初に発したのは、義孝の遺体はどこにあるか、という質問だった。

「遺体は司法解剖に回されました。現在の状況は把握していないのですが、後ほど確認して、お知らせいたします」草薙は答えた。

「そうなんですか……。じゃあ、すぐには会えないんですね」綾音は沈んだ表情で瞬きした。涙が滲みそうになるのを堪えているように見えた。若干、肌が荒れているようだが、この女性本来のものではないはずだった。

「解剖が終わっているようなら、なるべく早くお返しするよう手配しておきます」

草薙は、自分の口調が妙に硬くなっているのを感じた。遺族と対面する時には多少緊張するのだが、いつもの感覚とは微妙に違っていた。

「すみません。よろしくお願いいたします」

綾音の声は女性にしては低かった。だがその声は草薙の耳の奥で、魅惑的に響いた。

「目黒署のほうで、お話を伺いたいのですが、構いませんか」

「ええ、そうしてほしいという連絡がありました」

「すみません。お願いいたします。車を用意しておりますので」

内海薫が運転するパジェロの後部座席に彼女を乗せ、草薙は助手席に乗り込んだ。

「昨夜、連絡はどちらで？」草薙は後ろを振り返りながら訊いた。

「地元の温泉地です。昔の友達と泊まりに行ってたんです。携帯電話の電源を切っていたものですから、着信に全然気づかなくて……。寝る前になって留守番電話を聞きました」そういってから綾音は、ふうーっと長い息を吐いた。「悪戯かと思いました。警察から電話がかかる覚えなんてありませんでしたから」

そうでしょうね、と草薙はいった。

「あのう、それで……どういうことなんでしょうか。私には何が何だかわからないんですけど」

綾音が躊躇《ためら》いがちに尋ねてくるのを聞き、草薙は胸が痛んだ。彼女はおそらく、いの一番にこの質問をしたかったはずなのだ。だが同時に、訊くのが怖かったに違いない。

「電話では、どのように聞いておられますか」

「それが、主人が亡くなったということと、死因に不審な点があるので警察のほうで調べることになるだろう、ということだけです。詳しいことは何も……」

電話をかけた警官としては、それ以上のことは話せないだろう。だが綾音としては、悪夢としか思えず、悶々と夜を過ごしていたに違いない。どんな思いで飛行機に乗ったのか、想像するだけで草薙は息苦しくなりそうだった。

「御主人は御自宅で亡くなったんです」彼はいった。「原因はまだ不明です。目立った外傷はありませんでした。居間で倒れているところを若山宏美さんが発見されたそうです」

「彼女が……」綾音が息を呑む気配があった。

草薙は、運転中の内海薫を見た。すると彼女のほうも、ちらりと一瞬だけ彼に目を向けてきた。二人の視線がぶつかった。

同じことを考えているらしい、と草薙は思った。若山宏美と真柴義孝の関係について内海薫と語り合ってから、まだ十二時間も経過していない。

若山宏美は綾音にとって愛弟子だ。ホームパーティに呼ぶほどだから、家族のようにかわいがっていたと考えられる。そんな娘が夫を寝取っていたとすれば、まさに飼い犬に手を咬まれたようなものだ。

問題は、綾音が二人の関係に気づいていたかどうかだ。近い存在だから気づいて当然、と決めつけるわけにはいかない。近すぎるので気づかなかった、というケースを草薙はいくつも知っている。

「御主人に持病のようなものは？」

草薙の問いに、綾音は首を振った。

「なかったはずです。定期的に健康診断を受けてましたけど、何も聞いておりません。深酒をすることもありませんでしたし」

「これまでにも、突然倒れた、ということはなかったんですね」

「ないと思います。私は存じません。だから、そんなこと、とても考えられないんです」綾音は頭痛を抑えるように額に手をやった。

毒物を飲んだ可能性については、まだ話さないほうがいいだろうと草薙は判断した。解剖の結果が出るまでは、自殺や他殺の疑いがあることは伏せておかねばならない。

「現時点では不審死ということになります」草薙はいった。「その場合、事件性の有無にかかわらず、警察としては出来るかぎり現場の様子を記録しておかねばなりません。それで、若山宏美さんに立会人になっていただき、ある程度の現場検証をやらせていただきました。その時点で、奥さんに連絡を取れなかったものですから」

「それは昨夜の電話で聞きました」

「札幌には、よくお帰りになるんですか」

綾音はかぶりを振った。

「結婚してからは初めてです」

「御実家のほうで何か？」

「父の具合があまりよくないので、たまには帰ろうと思っただけです。でも、案外元気そうにしているので、思い立って友達と温泉に……」

「なるほど。鍵を若山さんに預けられたのはなぜですか」

「私の留守中、何かあった時のためです。彼女には仕事を手伝ってもらっているんですけど、家に保管してある資料だとか作品が教室で必要になることもありますから」

「若山さんによれば、御主人が何か困っていないかと思って電話をかけたところ、どうしても繋がらないので心配になり、お宅に様子を見に行ったということなんです。御主人の身の回りのことなんかも、若山さんに頼まれたのですか」草薙は慎重に言葉を選びつつ、重要なポイントを意識しながら質問した。

綾音は眉根を寄せ、首を傾げた。

「わかりません。頼んだかもしれません。いわなくても、あの子は気が利くので、主人が一人で困ってないかと気にかけてくれたのかも……。あのう、それがどうかしたんでしょうか。私が彼女に鍵を預けたことが、何か問題だったんですか」

「いえ、そういうわけじゃありません。昨日、そういう経過を若山さんから伺ったものですから、確認しておきたかっただけです」

綾音は両手で顔を覆った。

「とても信じられません。別に体調だって崩してなかったたし、金曜日の夜には友達を呼んで、ホームパーティだってしたんですよ。あの人もとても楽しそうだったのに……」声が震えていた。

「お気持ちは大変よくわかります。そのパーティにいらっしゃった御友人というのは？」

「主人の大学時代からの友達とその奥さんです」

猪飼達彦と由希子という名前を綾音はいった。

綾音は顔を覆っていた手を離し、思い詰めたようにいった。

「お願いがあるんですけれど」

「何でしょうか」

「これからすぐに警察に行かなければいけませんんか」

「何か？」

「出来ればその前に、家の様子を見ておきたいんです。あの人がどんなふうに倒れていたのかも知っておきたいですし……。いけませんか」

草薙は再び内海薫のほうを見た。しかし今度は目が合うことはなかった。後輩の女性刑事は真っ直ぐに前を向いたままで、運転に集中しているように見えた。

「わかりました。上の者に相談してみます」草薙は携帯電話を取り出した。

電話に出た間宮に、綾音の意向を伝えてみた。間宮は少し唸ってから、わかった、と答えた。

「じつは状況が少し変わったんだ。現場で話を聞いたほうがいいかもしれん。家にお連れしてくれ」

「状況が変わったというのは？」

「それは後で話す」

「わかりました」

電話を切った後、「御自宅に向かいます」と草薙は綾音にいった。

よかった、と彼女は呟いた。

草薙が前方の道路に目を向けていると、綾音が携帯電話をかける音が聞こえてきた。

「もしもし、宏美ちゃん？　綾音です」

彼女の声を聞き、草薙はあわてた。今ここで若山宏美に電話をかけるとは思わなかった。だが、やめろというわけにもいかない。

「……ええ、わかってる。今、警察の人と一緒なの。これから家に向かうところ。宏美ちゃん、大変だったわね」

草薙は気が気でなかった。若山宏美がどんなふうに応対するか、想像がつかなかったからだ。愛する人間を失った悲しみのあまり、秘めていた思いを吐き出してしまうおそれも十分にあった。そうなれば綾音も平静ではいられなくなるだろう。

「……そうらしいわね。あなた、大丈夫？　体調とか崩してない？　……そう、それならいいんだけど。それでね、宏美ちゃんも家に来てくれない？　もちろん、無理にとはいわないけど。ただ、宏美ちゃんの話も聞いておきたいと思って」

どうやら若山宏美は冷静に話しているようだ。しかし綾音が彼女を呼ぶというのは、草薙の予想になかったことだ。

「大丈夫？　じゃあ、後でね。……うん、ありがとう。あなたも無理しないでね」綾音が電話を切る気配があった。鼻を啜る音も聞こえた。

「若山さんもいらっしゃると？」草薙は確かめた。

「ええ。あっ、いけませんでした？」

「いえ、構いません。発見したのは彼女ですから、彼女の話を直接訊いたほうがいい」そういいながらも草薙は落ち着かなくなった。男の死体を発見した時の模様を、その愛人が妻の前でどのように話すのか、純粋に興味が湧いた。一方で、それを聞く綾音の様子を注意深く観察していれば、夫と弟子の不倫に気づいていたかどうかも見極められるのではないか、と計算を働かせた。

首都高速道路を降りた後、内海薫はパジェロを真柴邸に向けて走らせた。昨日、彼女はこの車で現場に駆けつけている。そのせいか、道に迷う気配もなかった。

真柴邸に着くと、間宮の姿があった。岸谷と共に門の前で待っていた。

車から降りると、草薙は間宮たちに綾音を紹介した。

「このたびは、まことにお気の毒なことでした」

間宮は綾音に向かって丁寧に頭を下げた後、草薙のほうを向いた。

「事情はお話ししたのか」

「大まかなことだけは」

間宮は頷き、再び綾音を見た。

「じつは、奥さんにはいろいろと伺いたいことがあるんです。着いた早々に申し訳ないのですが」

「それは構いません」

「とりあえず中に入ってから。――岸谷、家の鍵を」

岸谷がポケットから鍵を取り出した。綾音は戸惑った表情のまま、それを受け取った。

家の鍵をあけ、邸内に足を踏み入れた綾音に続き、間宮たちも入っていった。草薙も彼女のスーツケースを提げたまま追いかけた。

「主人はどこで？」家に上がってから綾音が訊いた。

こちらです、と間宮が先に進んだ。

居間の床には、まだテープが貼られたままだった。人間が倒れたような形を目にし、綾音は口元を押さえ、立ち尽くした。

「若山さんの話では、御主人はその場所で倒れておられたようです」間宮が説明した。

悲しみと衝撃が、改めて綾音の全身を襲ったらしい。彼女は崩れるように床に膝をついた。肩が小刻みに震えるのを草薙は見た。しゃっくりをするような泣き声が、かすかに漏れている。

「何時頃のことですか？」彼女が細い声でいった。

「若山さんが発見した時には八時近くになっていたということです」間宮が答えた。

「八時……あの人、何をしていたんでしょうか」

「コーヒーを飲んでおられたようです。今は片づけられていますが、コーヒーカップが床に落ちていて、コーヒーがこぼれていました」

「コーヒー……あの人、自分で入れたのかしら」

「といいますと？」草薙が訊いた。

「だって、自分じゃ何もしない人だったんです。あの人が自分でコーヒーを入れたのなんて、見たことありません」

間宮の眉がぴくりと動くのを草薙は見た。

「自分で入れることは、まずないと？」間宮が念を押す。

「私と結婚する前は、自分で入れていたようです。でもその頃はコーヒーメーカーがありましたから」

「今はコーヒーメーカーは？」

「ございません。必要ないので処分しました」

間宮の目つきは一層険しいものになっていた。その顔つきのままで彼は口を開いた。

「奥さん、これは解剖の結果が出ないことにはまだ何ともいえないのですが、どうやら御主人は中毒死されたようなのです」

綾音は一瞬無表情になった後、大きく目を見張った。

「中毒って……何の中毒ですか」

「それはまだ調査中です。しかし、現場に残っていたコーヒーを調べたところ、強力な毒物が検出されたらしいのです。つまり御主人が亡くなられた原因は、病気や単純な事故などではないということになります」

綾音は口元を覆い、瞬きを繰り返した。その目元がみるみるうちに赤くなった。

「そんな、どうしてあの人が、そんなことに……」

「それが謎なのです。ですから、その点について何か心当たりがないか、奥さんにお尋ねしたかったのです」

電話で間宮がいっていた、「状況が変わった」とはこういうことかと草薙は合点した。間宮が直々にやってきたことにも得心がいった。

綾音は額に手を当てたまま、そばのソファに腰掛けた。

「心当たりなんて、そんなのありません」

「御主人と最後に話をされたのはいつですか」間宮が訊く。

「土曜日の朝です。私が家を出る時、彼も一緒に出たんです」

「その時、御主人の様子に何かいつもと違うところはありませんでしたか。どんな些細なことでも結構なんですが」

綾音は考えを巡らせるように黙っていたが、やがて大きく頭を振った。

「だめです。何も考えられません」

無理もない、と草薙は彼女に同情した。夫の急死だけでもショッキングなのに、不審死だの中毒だのといわれれば、頭が混乱して当然だ。

「係長、少し休んでいただいたらどうでしょう」草薙はいった。「札幌から戻られたばかりで、疲れておられるでしょうから」

「うん、そうだな」

「いえ、大丈夫です」綾音が背筋を伸ばしていった。「ただ、ちょっと着替えてきてもいいでしょうか。昨夜から、この服のままなので」彼女は黒っぽい色のスーツを着ていた。

「夜から？」草薙が訊いた。

「ええ。何とかして東京に帰れないだろうかって、ずっと考えてたんです。それで、いつでも出かけられるようにと思って、支度だけは済ませておきました」

「すると、おやすみになってないんじゃないですか」

「そうですけど、どうせ眠れませんから」

「それはいかんな」間宮がいった。「やはり、少しおやすみになられたらいかがですか」

「いえ、平気です。着替えを済ませたら、すぐに戻ってきます」綾音は立ち上がった。

彼女が部屋を出ていくのを見届けてから、草薙は間宮に訊いた。

「毒物の正体はわかってるんですか」

間宮は頷いた。

「残っていたコーヒーから、亜ヒ酸が検出されたらしい」

草薙は目を剝いた。

「亜ヒ酸？　毒入りカレー事件で使われたやつですか」

「鑑識によれば、亜ヒ酸ナトリウムだろうということだ。コーヒーに含まれていた濃度から、義孝氏が飲んだ量は致死量をはるかに超えていたと考えられるらしい。午後には解剖の詳しい結果も出るはずだが、亜ヒ酸の中毒症状と考えれば、死体の状況とも合致するそうだ」

草薙はため息をつきながら頷いた。自然死の可能性は限りなくゼロに近いらしい。

「義孝氏が自分でコーヒーを入れることはない、という話だったな。では、あのコーヒーは誰が入れたのか」間宮が独り言のように、だが無論部下たちに聞こえるようにいった。

「自分でコーヒーを入れることはあったと思います」不意に横から口を挟んできたのは内海薫だ。

「どうして断言できる？」間宮が訊く。

「そう証言している人がいるからです」内海薫は草薙を見てから続けた。「若山さんです」

「彼女、何かいってたかな」草薙は記憶を探った。

「昨夜、私がソーサーについて尋ねたことを覚えておられますか。真柴義孝氏はコーヒーを飲む時にはソーサーをお使いにならないのですか、と訊きました。若山さんのお答えは、一人の時はそうだったかもしれない、というものでした」

その時のやりとりを草薙は思い出した。

「そういえばそうだ。俺もその話は聞いていた」間宮も頷いた。「問題は、奥さんが知らないことを、どうして奥さんの弟子が知っているか、だな」

「それについて、お話ししておきたいことが」

草薙は間宮の耳元で、内海薫と二人で話し合った内容――若山宏美と真柴義孝は特別な関係にあったのではないか、という推理を述べた。

間宮は草薙と内海薫の顔を見比べ、にやりと笑った。

「おまえらも同意見ということか」

「ということは係長も？」草薙は意外な思いで見返した。

「だてに歳をくってると思うな。昨日の段階で、ぴんときてるさ」間宮は自分の頭を指先で突いた。

「あのう、どういうことですか」岸谷が横から訊いてきた。

「おまえには、後で教えてやる」そういってから間宮は再び草薙たちを見た。「奥さんの前では、そのことに触れるな。絶対にだ」

わかりました、と草薙は答えた。隣で内海薫も頷いている。

「それで、その毒物が見つかったのは、残っていたコーヒーからだけなんですか」草薙は訊いた。

「いや、もう一箇所から見つかっている」

「それは――」

「ドリッパーにセットされていたペーパーフィルターからだ。正確にいうと、ペーパーフィルターに残っていた使用済みのコーヒーの粉から、ということになる」

「すると、コーヒーを入れる時に、コーヒーの粉に毒物を混入させたわけですか」岸谷がいった。

「ふつうに考えるとそうなる。しかしもう一つ、考えられることがある」間宮は人差し指を立てた。

「コーヒーの粉に、前もって仕込んでおく」内海薫が発言した。

間宮が満足そうに顎を引いた。

「そういうことだ。コーヒーの粉は冷蔵庫に入っていた。鑑識によれば、毒物は検出されなかったようだが、だからといって仕込まれてなかったとはいいきれん。表面のほうに仕込んであって、スプーンでコーヒーをすくう時に、全部取り除かれたのかもしれんからな」

「だとすると、いつ、仕込んだんですか」草薙が訊いた。

「それはわからん。鑑識はゴミ袋から、使用済みのフィルターをいくつか回収しているが、それらからは毒物は見つかっていない。それはまあ当然のことだ。見つかっていたら、誰かが先に毒入りコーヒーを飲んでたってことになるからな」

「流し台に、洗っていないコーヒーカップが置いてありました」内海薫がいった。「あれが、いつ飲んだ時のものかというのが重要ですね。誰が使ったものか、ということもそうですが」
するとと間宮は舌なめずりをした。

「それはわかってるさ。指紋の結果が出てるからな。一人は義孝氏。もう一人は、おまえたちの考えている人物だ」

草薙は内海薫と目を合わせた。どうやら二人が推理したことは、すでに裏づけ捜査が終わっているらしい。

「係長、じつは若山宏美がここへ来ることになっています」草薙は、綾音が電話をかけたことを間宮に話した。

間宮は眉間に皺を寄せたまま頷いた。

「ちょうどいい。若山宏美からコーヒーをいつ飲んだのかを聞き出せ。ごまかされるなよ」

わかりました、と草薙は答えた。

階段を下りる足音が聞こえてきたので、彼等は口をつぐんだ。

お待たせしました、といって綾音が入ってきた。薄いブルーのシャツに、黒いパンツという出で立ちだった。幾分、顔の血色がよくなっているように見えるが、おそらく化粧を直したのだろう。

「改めて、お話を伺わせていただいてもよろしいですか」間宮が訊いた。

「ええ。何でしょうか」

「とにかく、おかけになってください。お疲れでしょうから」係長はソファを指差した。

綾音はソファに腰を下ろした。それからガラス戸越しに庭を見つめた。

「かわいそうに、すっかり元気がなくなっちゃってる。お水をやってねと主人に頼んでおいたんですけど、あの人、花にはあまり興味がなかったから」

草薙は庭に目を向けた。色とりどりの花が、鉢植えやプランターの中で咲いていた。

「すみませんけど、花に水をやってもいいでしょうか。このままだと落ち着かなくて」

間宮は一瞬当惑した表情を見せたが、すぐに頰を緩めて頷いた。

「ええ、構いませんよ。我々は急ぎませんから」

すみません、といって綾音は立ち上がった。しかしなぜかキッチンに向かった。不審に思い、草薙が覗くと、彼女はバケツに水道の水を入れ始めていた。

「庭に水道はひいてないんですか」草薙は後ろから声をかけた。

綾音は振り向き、微笑んだ。

「この水は、ベランダの花にやるんです。二階に洗面所がないものですから」

「ああ、なるほど」

昨日、初めてこの家に来た時、内海薫が二階のベランダを見上げていたことを草薙は思い出した。

水を満杯にしたバケツは、かなり重そうだった。持ちましょう、と草薙は手を出した。

「いえ、大丈夫です」

「気にしないでください。二階に持っていけばいいんですね」

すみません、と綾音は消えそうな声でいった。

夫妻の部屋は、二十畳ほどはありそうな洋室だった。壁に巨大なパッチワークのタペストリーが飾られていた。鮮やかな配色に、草薙は目を奪われた。

「これはあなたが？」

「ええ。少し前の作品ですけど」

「すごいですね。失礼ですが、ただの刺繍のようなものだろうと思っていました。こんなに芸術的なものだとは……」

「芸術なんかじゃありません。パッチワークは実用品です。生活に役立つことが第一です。でも、目で見て楽しめたら、もっといいと思いません？」

「思います。こういうものを作れるなんて、素晴らしいです。でも、大変なんでしょうね」

「時間がかかりますから、根気は必要です。だけど、作っている間も楽しいんですよ。楽しみながら作らないと、いいものも出来ません」

草薙は頷き、タペストリーに目を戻した。一見、適当に色を並べてあるようだが、綾音が頭の中で楽しみながら作り上げたものなのかと思うと、眺めているだけで心が和んだ。

部屋に合わせてベランダも広く作られていた。ただしずらりと並んだプランターのせいで、一人が動き回るのが精一杯という感じだ。

綾音は隅に置いてあった空き缶を手にした。

「これ、面白いでしょう？」そういって草薙に見せた。

その空き缶の底には小さな穴がいくつも空いていた。彼女はそれでバケツの水を汲んだ。当然、穴から水が落ちる。その水をプランターの花にかけ始めた。

「ははあ、如雨露《じょうろ》の代わりですね」

「そうです。如雨露だとバケツから水を汲みにくいでしょう？　それで空き缶に私が錐《きり》で穴を空けたんです」

「グッドアイデアだ」

「でしょう？　でも主人にいわせたら、こんなことまでしてベランダで花を育てること自体が理解できないんですって」そういった後、綾音は突然顔を強張らせ、しゃがみこんだ。空き缶の水は落ち続けている。

「真柴さん」草薙は声をかけた。

「ごめんなさい。主人がもうこの世にいないってことが、どうしても信じられなくて……」

「すぐに信じろというほうが無理だと思います」

「御存じだと思いますけど、私たち、結婚してまだ一年しか経っていないんです。ようやく新しい生活に慣れて、彼の食べ物の好みなんかもわかってきたところだったのに。いろいろと楽しいことを、いっぱい出来ると思っていたのに」

片手で顔を覆って項垂《うなだ》れる綾音に、草薙はかけるべき言葉が思いつかなかった。彼女を取り囲むように咲く花の華やかさが、今は痛々しく感じられた。

すみません、と彼女は呟いた。

「私がこんなふうじゃ、警察のお役に立てませんよね。しっかりしなきゃだめなのに」

「事情聴取は、日を改めましょうか」草薙は思わずいっていた。間宮が聞いていたら、苦い顔をしたに違いない。

「いいえ、大丈夫です。私としても、早く真相を知りたいですから。でも、いくら考えてもわからないんです。どうしてあの人が毒なんかを……」

綾音がそういった時、インターホンのチャイムが鳴った。彼女は、はっとしたような顔をして立ち上がった。ベランダから下を覗き込んだ。

「宏美ちゃん」綾音は下に向かって声をかけ、小さく手を上げた。

「若山さんですか」

ええ、といって綾音は部屋に入ってきた。

彼女が部屋を出たので、草薙も後に続いた。階段を下りていくと内海薫が廊下にいた。チャイムの音が聞こえたからだろう。若山宏美が来た、と草薙は小声で伝えた。

綾音が玄関のドアを開けた。外に若山宏美が立っていた。

「宏美ちゃん」綾音は涙声になっていた。

「先生、大丈夫ですか」

「大丈夫。来てくれてありがとう」

そういうなり、綾音は若山宏美に抱きついていった。わあわあと子供のように声をあげ、泣き始めた。

5

若山宏美から離れた真柴綾音は、目の下を指先でぬぐった後、ごめんなさい、と小声でいった。

「ずっと堪えてたんだけど、宏美ちゃんの顔を見たら、急に気持ちを抑えきれなくなっちゃった。でも、もう平気よ。本当に大丈夫だから」

懸命に笑みを浮かべようとする綾音を見て、草薙は辛くなった。早く一人にさせてやりたいと思った。

「先生、あたしに何か出来ること、あります？」若山宏美が上目遣いに綾音を見ながら訊いた。

綾音は首を横に振った。

「来てくれただけで十分。それに、今は何も考えられないの。とにかく、上がってちょうだい。詳しい話を聞きたいし」

「いや、あの、真柴さん」二人の女性を見ながら、草薙はあわてていった。「じつは、我々も若山さんから話を伺いたいと思っているんです。昨夜は、ごたごたとしておりまして、ゆっくりと話を出来なかったものですから」

若山宏美が当惑したように視線を揺らした。彼女としては、死体発見時のことは十二分に説明し終えたつもりで、それ以上に話すべきことはないという思いなのだろう。

「もちろん、刑事さんたちも一緒にいてくださって結構です」綾音が、草薙の意図に全く気づかない様子でいった。

「いや、あの、まずは我々だけで若山さんの話を」

草薙がいうと、綾音は得心がいかない顔で瞬きした。

「どうしてですか？　私も宏美ちゃんの話を聞きたいです。だって、そのために彼女に来てもらったわけだし」

「奥さん。真柴さん」いつの間にかそばにいた間宮が、割って入ってきた。「申し訳ないのですが、我々警察の仕事にも形式というものがありましてね、とりあえずは草薙たちに任せていただけませんか。役所仕事だと思われるでしょうが、形を守っておかないと、後々に面倒なことになりかねませんので」

慇懃無礼を絵に描いたような言い方に、綾音は少し不快そうな表情を浮かべた。しかし頷いた。

「わかりました。じゃあ、私はどこにいればいいのですか」

「いや、奥さんはここにいていただいて結構です。奥さんにもお尋ねしたいことがありますので」そういってから間宮は草薙と内海薫を見た。「どこか落ち着いて話を出来る場所に、若山さんをお連れしてくれ」

はい、と草薙は返事した。

「車をとってきます」内海薫が玄関ドアを開け、出ていった。

約二十分後、草薙たちはファミリーレストランの隅のテーブルについていた。彼の隣に内海薫が座り、向かい側では若山宏美が固い顔つきで俯いていた。

「昨夜は、よく眠れましたか」草薙はコーヒーを一口飲んでから訊いた。

「あまり……」

「やはり死体を見つけたショックが大きかったんでしょうね」

この問いかけには若山宏美は答えなかった。下を向いたまま、唇を噛んでいる。

内海薫によれば、昨夜彼女は帰宅した途端に泣いたらしい。不倫とはいえ、愛した男の死を目の当たりにしたのだから、その衝撃の大きさは並大抵ではなかっただろう。

「昨日は出来なかった質問をいくつかしたいのですが、構いませんか」

若山宏美は大きく呼吸をした。

「あたし、何もわからないんですけど……。たぶん、どんな質問にも答えられないと思います」

「いや、そんなことはないと思いますよ。それほど難しい質問ではありません。あなたのほうに、正直に答えるという意思があれば、ですが」

若山宏美はちらりと草薙を見た。睨む、と表現してもよさそうな光を帯びていた。

「あたし、嘘なんかついていません」

「それなら結構。では伺いますが、あなたが真柴義孝さんの死体を発見したのは昨夜の八時頃で、それ以前に真柴さんの家に入ったのは、金曜日に行われたホームパーティの時だという話でしたが、それについては間違いありませんか」

「間違いありません」

「本当ですか。ショックのあまり気が動転して、記憶が混乱してしまうというのはよくあることです。気持ちを落ち着けて、もう一度よく考えてみてください。金曜の夜に辞去してから昨夜まで、本当に一度も真柴邸を訪れませんでしたか」若山宏美の長い睫《まつげ》を見つめながら、草薙は質問した。本当に、という部分では口調を強めた。

しばらく黙り込んだ後、彼女は唇を開いた。

「どうしてそんなことを訊くんですか。間違いないっていってるのに、そんなふうにしつこく訊かなきゃいけない理由でもあるんですか」

草薙は口元を緩めた。

「質問しているのは、私のほうなんですがね」

「でも」

「単なる確認だと思ってください。ただ、今あなたがおっしゃったように、これだけしつこく尋ねているわけですから、あなたにも慎重に答えていただきたいのです。やや嫌な言い方をすれば、後になって簡単に翻されると、こちらとしても困るということです」

若山宏美は再び口を閉ざした。草薙は、彼女が頭の中で様々な計算を働かせているのを感じた。嘘が警察にばれている可能性を考え、ここですべて白状することが得策かどうかを検討しているはずだった。

だが心の中の天秤は、なかなか止まらないらしく、彼女は押し黙ったままだ。草薙はしびれをきらした。

「昨夜、我々が現場に駆けつけた時、流し台の中にコーヒーカップが一つと、二枚のソーサーが残っていました。それについて心当たりがありますかとあなたにお尋ねしたところ、ありませんという答えでした。しかしこちらで指紋を調べたところ、あなたのものが検出されたのです。あなたはいつ、あの食器類に触れたのですか」

若山宏美の肩が、吐息と共にゆっくりと上下した。

「土日の間に、真柴義孝さんと会っていますね。もちろん、生きている真柴さんとです」

彼女は額に手を当て、その肘をテーブルについた。言い逃れを考えているのかもしれないが、逃がさない自信が草薙にはあった。

彼女は額から手を離し、視線を落としたまま頷いた。

「おっしゃる通りです。ごめんなさい」

「真柴さんと会ったんですね」

少し間をおいてから、ええ、と彼女は答えた。

「いつですか」

この問いに対しても、彼女は即答しようとしなかった。往生際が悪い、と草薙は苛立った。

「それって、答えなきゃいけないんですか」若山宏美は顔を上げ、草薙と内海薫に目を向けてきた。「だって、全然関係ないことでしょ？　そういうのって、プライバシーの侵害じゃないんですか」

泣きだしそうな顔ではあるが、その目には本気の怒りが込められていた。語気も鋭い。

草薙は、かつて先輩刑事から聞かされた話を思い出していた。どんなにひ弱そうに見えても、不倫をしている女は手強い、という話だった。

とはいえ、こんなところで手間取るわけにはいかない。草薙は次のカードを切ることにした。

「真柴義孝さんの死因が判明しています。毒物中毒です」

若山宏美は、たじろいだような表情を見せた。

「毒……」

「現場に残っていたコーヒーから、毒物が検出されたのです」

彼女は目を見開いた。「そんな、まさか」

草薙はほんの少し身を乗り出し、彼女の顔を覗き込んだ。

「なぜ、まさか、なんですか」

「だって……」

「その前にあなたが飲んだ時には、何も異状がなかったからですか」

彼女は瞬きし、やや躊躇いながらも首を縦に動かした。

「若山さん、問題はそこなんです。真柴さんが自分で毒を入れたのであれば、そしてその痕跡が残っているのならば、我々が問題にすることは殆どありません。自殺もしくは事故ということですからね。しかし現時点では、その可能性は極めて低い。誰かが何らかの意図を持って、真柴さんが飲んだコーヒーに毒を入れたと考えざるをえない状況なんです。しかも毒物は、使い終えたペーパーフィルターからも見つかっている。今のところ最も有力な説は、コーヒーの粉に毒物が混入されていた、ということなんです」

若山宏美は狼狽を露わにし、首を激しく振った。

「あたし、何も知りません」

「それならば、せめて我々の質問に答えていただきたい。あなたが真柴邸でコーヒーを飲んだというのは、非常に大きな手がかりなのです。犯人……いや、犯人という言い方が適切かどうかはまだ断定できないのですが、何者かがコーヒーに毒物を混入させたタイミングを推定するためにも、あなたの話は重要になってくるのです」

いかがですか、と草薙は締めくくり、ぴんと背筋を伸ばして彼女を見下ろした。この後は、相手が何らかの言葉を発するまで、自分も黙っているつもりだった。

若山宏美は両手で口元を覆った。その視線はテーブル上をさまよっている。やがて彼女は、ぽつりといった。

「あたし、違います」

「えっ？」

「あたしじゃありません」彼女は訴えかける目をし、かぶりを振った。「毒なんか入れてません。本当です。信じてください」

草薙は思わず内海薫と顔を見合わせた。

たしかに若山宏美は容疑者の一人だ。最も怪しいとさえいえる。毒を入れるチャンスはある。真柴義孝と不倫の関係にあったのならば、所謂《いわゆる》愛情のもつれという動機が生じることも十分に考えられる。自分で殺した上で発見者を装うという手順も、カムフラージュと考えられなくもない。

しかし現段階では、草薙はそうした先入観は極力排除して、彼女に接しているつもりだった。彼女を疑うような言葉は一言も口にしていないはずだ。いつ真柴義孝とコーヒーを飲んだのか、と尋ねているだけなのだ。それにもかかわらず、このような発言をしたのはどういうことか。自分が犯人だからこそ、刑事たちの考えを深読みし、思わず先走ったと見ることもできる。

「あなたを疑っているわけではありません」彼は笑いかけた。「今もいいましたように、我々は犯行のタイミングを明確にしたいだけなのです。あなたが真柴さんと会い、コーヒーを飲まれたのだとしたら、それはいつで、そして誰がどのようにしてコーヒーを入れたのか、教えていただけませんか」

若山宏美は白い顔に苦悶の色を浮かべた。単に不倫を告白するのを躊躇っているだけなのかどうかは、草薙にはまだ判断がつかなかった。

「若山さん」不意に内海薫が口を開いた。

若山宏美は驚いたように顎を上げた。

「私たちは、あなたと真柴義孝さんの関係について、ある想像を働かせています」内海薫は続けた。「たとえあなたがそれを否定したとしても、その点について真偽を確かめることになるでしょう。そして警察がその気になれば、大抵のことは判明してしまいます。さらには判明する過程で、多くの人から事情を伺うことになります。そのことをよくお考えになってください。今ここで正直に話してくだされば、こちらとしても対応できることがあると思います。たとえば、極力ほかの人には口外しないでくれということなら、そのように配慮します」

役人が何かの手続きを説明するように淡々と話した後、内海薫は草薙のほうを見て、小さく頭を下げた。出しゃばったことに対する詫びのつもりだろう。

だがこのアドバイスは、若山宏美の心を動かしたようだ。同性の言葉であったことも大きかったのかもしれない。彼女は一度深く首を折った後、改めて顔を上げ、ゆっくりと瞬きしてから吐息をついた。

「本当に、内緒にしていただけます？」

「事件に無関係であるかぎり、不用意に話したりはしません。信じてください」草薙も明言した。

若山宏美は頷いた。

「おっしゃるとおり、あたしは真柴さんと特別な関係にありました。この土日も、お宅に伺ったのは、昨夜だけではありません」

「その前はいつ？」

「土曜日の夜です。夜の九時過ぎだったと思います」

真柴綾音が実家に帰るや否や、不倫関係の二人は逢瀬を楽しんだということらしい。

「前から約束していたのですか」

「違います。パッチワーク教室が終わった頃、真柴さんから電話があったんです。今夜、うちに来ないかって」

「で、行ったというわけですね。その後はどうしましたか」

若山宏美は一瞬迷った顔を見せた後、覚悟を決めたように草薙を見つめてきた。

「その夜は泊まりました。真柴さんのお宅を出たのは翌朝です」

草薙の隣で内海薫がメモを取り始めた。その横顔からは何の感情もくみ取れない。しかし彼女なりに感じていることはあるはずだった。後でそれを聞いてみたい、と草薙は思った。

「二人でコーヒーを飲んだのは、いつですか」

「昨日の朝です。あたしが入れました。あっ、でも、一昨日の夜も飲みました」

「土曜の夜も？　すると、二回飲んだわけですか」

「そうです」

「その時もあなたが入れたのですか」

「いいえ。土曜の夜は、あたしがお宅に行った時、真柴さんが自分で入れておられました。あたしの分も用意してあったんです」若山宏美は俯いて続けた。「あの人が自分でコーヒーを入れるのを見るのは、それが初めてでした。御自分でも、久しぶりだとおっしゃっていました」

「その時は、ソーサーはお使いにならなかったわけですね」内海薫がメモから顔を上げて訊いた。

そうです、と若山宏美は答えた。

「で、昨日の朝はあなたがコーヒーを入れたと？」草薙は、もう一度確認した。

「真柴さんの入れたコーヒーが少し苦くて、この次はあたしに入れてほしいといわれてたんです。昨日の朝、あたしがコーヒーを入れるのを、真柴さんは横でじっと見ておられました」彼女は視線を内海薫に移した。「その時にはソーサーを使いました。流し台に残っていたのが、それです」

草薙は頷いた。今のところ、話に矛盾はない。

「念のために伺うのですが、土曜の夜や日曜の朝に入れたコーヒーは、いつも真柴さんの家でお使いになっているものですか」

「そのはずです。あたしは冷蔵庫に入っていたコーヒーの粉を、そのまま使っただけです。土曜の夜に真柴さんが入れたコーヒーについてはわかりません。でも、たぶん同じものだと思います」

「あなたが真柴さんの家でコーヒーを入れることは、これまでにもありましたか」

「先生にいわれて、ごくたまに入れることはありました。入れ方も、先生から教わったんです。昨日の朝も、その通りにしました」

「あなたがコーヒーを入れる際、何か気づいたことはありませんか。容器の位置が変わっていたとか、コーヒーの銘柄がいつもと違っていたとか」

若山宏美は薄く目を閉じ、首を振った。

「気づきませんでした。何もかも、いつもと同じだったと思います」そういってから彼女は目を開け、不思議そうに首を傾げた。「それに、その時のことは関係ないんじゃないですか」

「といいますと？」

「だって」彼女は顎を引き、上目遣いをした。「その時はまだ、毒なんか入ってなかったんですから。誰かが毒を入れたとしたら、その後でしょう？」

「それはそうですが、犯人が何らかの仕掛けを施した可能性があります」

「仕掛け……」彼女は腑に落ちない顔をしてから改めていった。「何も気づきませんでした」

「コーヒーを飲んだ、その後は？」

「すぐに出かけました。日曜日は、池袋にあるカルチャースクールでパッチワークを教えているものですから」

「教室は何時から何時まででですか」

「午前の部が朝の九時から十二時までで、午後の部が三時から六時です」

「その間はどちらに？」

「教室の後始末をしたり、お昼御飯を食べたり、午後の準備をしていました」

「昼は外食ですか」

「そうです。昨日はデパートのレストラン街にある蕎麦屋さんで済ませました」そういってから彼女は眉をひそめた。「あたしが外出していたのは、一時間程度だと思います。真柴さんの家に行って、また戻ってくることなんて出来ないはずです」

草薙は苦笑し、まあまあとなだめる手つきをした。

「アリバイを調べているわけじゃありませんから、気にしないでください。昨日のお話では、スクールが終わった後で真柴さんに電話をかけたということでしたが、その点について何か訂正することはありますか」

若山宏美は気まずそうな顔で草薙から目をそらした。

「電話をかけたのは事実です。でも、その理由は昨日お話ししたのとは、少し違います」

「奥さんが留守で、何か不自由しているのではないかと心配になって電話をかけた、というのが昨日の説明でしたね」

「本当は、朝、家を出る時に真柴さんからいわれてたんです。スクールの仕事が終わったら電話をくれって」

草薙は、目を伏せた若山宏美を眺めながら、二度三度と首を縦に振った。

「レストランで夕食をしよう、ということですね」

「そのつもりだったみたいです」

「それですっきりしました。いくら尊敬している先生の夫とはいえ、そこまで気を配るものだろうかと疑問に思っていたんです。さらに、電話に出ないからといって、家まで行くものだろうか、とね」

若山宏美は肩をすくめ、げんなりしたような顔を作った。

「自分でも、怪しまれるだろうなって思ってました。でもほかに言い訳が思いつかなかったし……」

「真柴さんが電話に出なかったので、心配になって家まで行った――そのあたりの経過についてはどうですか。何か訂正すべきところはありますか」

「いえ、ありません。後は、昨日、お話しした通りです。嘘をついててごめんなさい」彼女は項垂れ、肩を落とした。

草薙の隣では、内海薫がメモを取り続けていた。それを横目でちらりと見た後、彼は再び若山宏美の様子を観察した。

これまでの話に不審な点はない。むしろ、昨夜の時点で生じていた疑問は、殆どすべて解消されたといえる。しかしだからといって、そのことが若山宏美を全面的に信用する根拠にはならない。

「さっきもいいましたが、今回の事件は他殺の疑いが濃くなっています。その場合、何か心当たりはないかという質問を、昨夜、させていただきました。あなたの返事は、わからない、というものでした。自分は、真柴さんについては、先生の旦那さんということ以外は何も知らない、とも。しかし真柴さんとの特別な関係を告白された今、何か我々に話せることがあるのではないですか」

だが若山宏美は、困惑したように眉の両端を下げた。

「わかりません。あの人が誰かに殺されるなんて、とても信じられないんです」

今までずっと「真柴さん」と呼んでいたのが、「あの人」に変わったことに草薙は気づいた。

「最近の真柴さんとの会話をよく思い出してください。これが他殺であれば、明らかに計画殺人です。つまり具体的な動機が存在するということです。ふつうその場合、被害者側もそのことを強く意識しているものです。本人は隠しているつもりでも、思わず口に出てしまうことも多いのです」

若山宏美は両手で自分のこめかみを押さえ、首を振った。

「わかりません。仕事は順調そうで、特に大きな悩みなんてなかったみたいだし、誰かの悪口をいうこともなかったし」

「もう少し、よく考えていただけませんか」

するとと彼女は悲しげな目で、抗議するように草薙を見つめてきた。

「すごく考えたんです。一晩中、どうしてこんなことになってしまったんだろうって、泣きながら考えました。自殺したんだろうかとか、誰かに殺されたんじゃないかとか、いろいろと考えました。でもわからないんです。彼とのやりとりなんかも、何度も何度も思い返しました。だけどやっぱりわからない。刑事さん、なぜ彼が殺されたんだろうってことは、あたしが一番知りたいことなんです」

彼女の目が充血していくのを草薙は認めた。目の周囲も、みるみるうちにピンク色に染まっていった。

不倫とはいえ、本気で真柴義孝のことを愛していたのだな、と草薙は思った。またその一方で、もしこれが演技ならば大したものだ、と警戒もした。

「真柴義孝さんと特別な関係になったのは、いつ頃からですか」

彼の質問に、若山宏美は赤い目を大きく見開いた。

「そのことって、事件に関係ないと思うんですけど」

「関係あるかないか、それを判断するのはあなたではなくて我々です。さっきも申し上げましたように、部外者に明かすことはありませんし、関係がないとわかれば、今後一切この手の質問はいたしません」

彼女は唇を真一文字に結び、深呼吸を一つした。ティーカップに手を伸ばし、おそらくすでに冷めているであろう紅茶を口に含んだ。

「三か月ほど前からです」

「なるほど」草薙は顎を引く。そういう関係に陥った経緯について尋ねたかったが、さすがに思い留まった。「あなた方の関係について、知っている人はいますか」

「いえ、いないはずです」

「でも二人で食事をすることなんかはあったわけでしょう？　誰かに目撃されていた可能性だってある」

「それについてはずいぶんと気をつけていました。二人で二度以上、同じ店に行くことはありませんでした。それにあの人は、仕事で知り合った女性やホステスさんらと食事をすることも多かったので、あたしといるところを目撃されたところで、特にどうということはなかったと思います」

どうやら真柴義孝は、かなりの遊び人だったようだ。若山宏美以外にも愛人がいることも考えられる。もしそうならば、目の前にいる女性にも、真柴義孝を殺す動機が生じることになる。草薙はそんなことを考えた。

内海薫がメモを取る手を止め、顔を上げた。

「二人で密会する際には、ラブホテルを使っておられたんですか」

極めて事務的な口調で訊く女性刑事の横顔を、草薙は思わず見つめていた。同様の質問をするつもりだったが、これほどの直接的な表現は念頭になかった。

若山宏美は顔に不快感を示した。

「そんなことが捜査に必要なんですか」声が少し尖っていた。

だが内海薫のほうは表情を変えない。

「もちろん必要です。私たちは事件を解決するために、真柴義孝さんの生活のすべてを調べなければいけないんです。どこで何をしていたのか、可能なかぎり明らかにしなければなりません。いろいろな人から話を聞くことで、多くのことはわかるかもしれません。でも今のままだと、真柴さんの行動に空白が生じるのは確実です。あなたと何をしていたのかまでは訊きませんが、せめてどこにいたのかぐらいは教えていただかねばなりません」

何をしていたのかも訊いてみたらどうだ、と横から口を挟みたくなるのを草薙は堪えた。

若山宏美は、ふてくされたように口元を歪めた。

「ふつうのホテルを使うことが多かったです」

「その場合、ホテルはいつも決まったところでしたか」

「いつも使うところが三つほどありました。でも、確認は出来ないと思います。あの人、いつも偽名を使ってたから」

「念のため、そのホテルを教えてください」内海薫はメモを取る格好をした。

若山宏美は諦めたような表情で、三つのホテル名をいった。いずれも都内にある一流ホテルで、しかも規模の大きなところだった。続けざまにでも使っていなければ、従業員が客の顔を覚えている可能性は低そうだった。

「会う日は決まっていたんですか」内海薫はさらに訊く。

「いえ、都合のいい日をメールでやりとりして決めていました」

「頻度は？」

若山宏美は首を傾げた。

「一週間に一度とか、それぐらいだったと思います」

メモを終えた内海薫は、草薙のほうを見て小さく頷いた。

「ありがとうございました。今日のところは、このぐらいで結構です」彼はいった。

「これ以上、何もお話し出来ることはないと思います」

仏頂面でいう若山宏美に向かって黙って笑いかけ、草薙は伝票を手にした。

ファミレスを出て、駐車場に向かう途中で、若山宏美が突然立ち止まった。

「あのう」

「何ですか」

「あたし、帰っていいですか」

草薙は虚を突かれた思いで彼女を見返した。

「真柴さんの家に行かなくていいんですか。呼ばれたんでしょう？」

「でも、何だか疲れちゃったし、気分もよくないから。先生には、刑事さんのほうから、そのように伝えていただけませんか」

「それは構いませんが」

事情聴取は終わっているので、草薙たちとしては何も問題はない。

「では、送っていきましょうか」内海薫がいった。

「いいえ、結構です。タクシーを拾いますから。どうもすみません」

若山宏美は草薙たちに背を向けて歩きだした。するとタイミングよくタクシーの空車が通りかかったので、彼女は手を上げて止め、それに乗り込んだ。タクシーが走り去るのを草薙は見送った。

「俺たちが不倫のことを真柴夫人に話すとでも思ったのかな」

「それはわかりませんが、あんな話をした後で、夫人と何食わぬ顔で接しているところを、私たちに見られたくなかったんじゃないでしょうか」

「なるほど、そうかもしれないな」

「でも、あっちはどうなんでしょうね」

「あっちって?」

「真柴夫人のほうです。本当に、不倫には気づいてないんでしょうか」

「そりゃあ、気づいてないだろ」

「どうしてそう思うんですか」

「だって、さっきの態度を見ればわかる。若山宏美に抱きついて、泣いてたじゃないか」

「そうですか」内海薫は目を伏せた。

「何だよ。いいたいことがあるならいえよ」

彼女は顔を上げ、草薙を見つめていった。

「私はあの場面を見て、ふと思ったんです。もしかしたらこの人は、人前で堂々と泣けるところを見せつけたがってるんじゃないか、と。人前で堂々と泣くわけにはいかない人に」

「何だって？」

「すみません。くだらないことをいいました。車をとってきます」

内海薫が駆けだすのを草薙は啞然としたまま見送った。

6

真柴邸でも、間宮たちによる綾音からの事情聴取が終わっていた。草薙は綾音に、若山宏美が体調不良で帰宅したことを告げた。

「そうですか。やっぱり彼女も、ショックが大きかったんでしょうね」綾音はティーカップを両手で包み、遠い目をしていった。悄然《しょうぜん》とした表情は相変わらずだ。しかし、ぴんと背筋を伸ばしてソファに座っている姿勢には凜とした雰囲気があり、内面の強さを感じさせた。

携帯電話の鳴る音がした。綾音がそばに置いているバッグの中だ。彼女は電話を取り出すと、許可を求めるように間宮のほうを見た。

どうぞ、と答えるように間宮は頷いた。

綾音は着信表示を確かめてから電話に出た。

「はい……ええ、大丈夫よ。……今、警察の人がいらしてるの。……それはまだよくわからないの。居間で倒れてたっていうだけで。……うん、わかったら連絡する。……ええ、お父さんにも心配しないでと伝えておいて。……うん、じゃあね」電話を切った後、綾音は間宮を見て、「実家の母からでした」といった。

「お母さんには詳しい事情を話されたんですか」草薙が訊いた。

「急死したということだけです。どういうことなんだって尋ねてくるんですけど、何と答えていいのかわからなくて……」綾音は額に手を当てた。

「御主人の会社には知らせたんですか」

「今朝、札幌を出る前に、顧問弁護士の方に知らせました。先程お話しした、猪飼さんという方です」

「ホームパーティに来た方ですね」

「そうです。経営者が突然いなくなって、社内は混乱していると思いますけど、私には何もできませんので……」

綾音は思い詰めたような表情で宙の一点を見つめた。懸命に気丈さを示しているが、今にも折れそうな切迫感が漂っている。草薙は、支えてやりたい衝動に駆られた。

「若山さんのお加減がよくなるまで、親戚の方とか御友人とか、どなたかに来ていただいたほうがいいんじゃないですか。身の回りのこととか、いろいろと大変だと思うんですが」

「大丈夫です。それに、今日はまだ、この家には誰も入れないほうがいいんですよね」綾音が確認するように間宮にいった。

間宮が気まずそうな顔を草薙に向けた。

「午後から、もう一度鑑識に入ってもらうことになった。奥さんの了解も得た」

彼女には悲しみにふける余裕も与えられないようだ。草薙は黙って綾音に頭を下げた。

間宮が立ち上がり、未亡人のほうを向いた。

「長々と失礼いたしました。岸谷を残していきますから、何かあれば遠慮なくおっしゃってください。雑用をいいつけてくださっても結構です」

ありがとうございます、と綾音は小さな声で答えた。

屋敷を出るとすぐに間宮が、「どうだった？」と草薙と内海薫を均等に見ながら尋ねてきた。

「若山宏美は、義孝氏との関係を認めました。三か月ほど前からだそうです。誰も知らないはずだ、と本人はいっています」

草薙の話を聞き、間宮は鼻の穴を膨らませた。

「すると流し台に残っていたコーヒーカップは……」

「日曜の朝、二人で飲んだ時のものでした。その時は若山宏美がコーヒーを入れたそうです。特に異状はなかったといっています」

「では毒を仕込んだとすれば、その後か」間宮は無精髭の生えた顎に手を当てた。

「真柴夫人から何か聞き出せましたか」草薙のほうから訊いた。

間宮は渋面を作り、首を振った。

「大した話は聞けなかった。義孝氏の不倫に気づいていたかどうかもよくわからん。御主人の女性関係はどうでしたか、と、かなり直接的な訊き方をしたんだが、意外そうに否定されただけだ。動揺しているふうでもなかった。芝居には見えなかったが、もし芝居なら相当な役者だ」

草薙は内海薫の顔を横目で盗み見た。彼女は、綾音が若山宏美に抱きついて号泣したのは、一種の芝居だといっているのだ。係長の意見を聞き、どんな反応を示すのか、興味があった。しかし若手女性刑事は特に表情を変えることなく、手帳とペンを構えているだけだ。

「義孝氏の不倫について、夫人に教えたほうがいいでしょうか」

草薙の問いに、間宮は即座に首を振った。

「こっちから知らせることはない。そんなことをしても、捜査にはプラスにならんからな。おまえたちは今後、夫人と顔を合わせる機会が多くなると思うが、言葉には気をつけろよ」

「隠しておく、ということですね」

「敢えて教えることはないってことだ。向こうが勝手に勘づく分には仕方がない。現時点で本当に知らなければ、の話だが」そういってから間宮は、懐から一枚のメモを出してきた。「おまえたち、これからこの家に行ってくれ」

メモには猪飼達彦という名前と電話番号、住所が記されていた。

「最近の義孝氏の様子や、金曜日のことなんかを聞いてみてくれ」

「さっきの話によれば、猪飼氏のほうは事態収拾のために奔走中だと思いますが」

「奥さんはいるだろう。電話を入れてから訪問してくれ。真柴夫人によれば、出産して二か月だそうだ。育児で疲れているはずだから、手短に済ませてやってくれ、ということだった」

どうやら猪飼夫妻から事情聴取することは、綾音も承知しているらしい。この状況で友人の体調に配慮できる徳性に、草薙は胸が熱くなった。

内海薫の運転する車で、猪飼宅に向かった。途中で先方に電話をかけた。警察と聞いただけで、猪飼由希子は深刻そうな声を出した。こちらの質問に気軽に答えてくれればいいと草薙は強調し、ようやく訪問することに了解を得た。ただし、一時間ほど後にしてくれという。仕方なく二人は、車を止められる喫茶店を見つけ、中に入った。

「さっきの話だけど、本気で、真柴夫人は旦那の浮気に気づいていたと思っているのか」ココアの入ったカップを傾けて草薙は訊いた。コーヒーは、若山宏美の話を聞く時に飲んだばかりだからだ。

「そんな気がしたというだけのことです」

「でも、そう思ってるんだろ？」

内海薫は答えず、コーヒーカップの中を見つめている。

「仮に気づいてたんだとしたら、どうして旦那や若山宏美を責めない？　週末にはホームパーティを開いて、そこに若山宏美を呼んでるんだぜ。ふつうはそんなことしないだろ」

「たしかにふつうの女性なら、気づいた時点で逆上するでしょうね」

「夫人はふつうの女性じゃないというのか」

「まだ何ともいえませんけど、とても賢い女性ではないかと思います。賢いだけでなく我慢強い女性です」

「我慢強いから、亭主の浮気にも耐えているって？」

「逆上して相手を責めても、何も得られないとわかっているんです。そんなことをすれば夫人は、ふたつの大切なものを失うことになります。一つは安定した穏やかな結婚生活で、もう一つは優秀な弟子です」

「たしかに亭主の浮気相手を、いつまでもそばに置いてはおけないだろうな。だけど見せかけだけの結婚生活に価値があるかな」

「価値観は、人それぞれです。ＤＶで悩んでいるというのならともかく、ホームパーティを開くほど、真柴夫妻は円満だったわけです。少なくとも表面上は。金銭面で苦労することもなく、好きなパッチワークに没頭できる——そんな生活を衝動的にふいにしてしまうほど、夫人は愚かではないと思います。夫と弟子の不倫関係が自然消滅するのを待っていたほうが、結果的に何も失わないで済むと考えたのではないでしょうか」珍しく長々と語った後、少し断定的にいいすぎたと反省したか、「私の想像です。的はずれかもしれません」と付け足した。

草薙はココアを飲み、思った以上の甘さに顔をしかめた。急いで水を口に流し込んだ。

「そういう計算をするタイプには見えないけどな」

「計算ではないんです。防衛本能です。賢い女性特有の」

草薙は口元を手の甲でぬぐい、後輩刑事を見た。

「内海にもそういう本能があるのか」

彼女は苦笑し、首を振った。

「私にはありません。相手が浮気したら、後先考えずに逆上すると思います」

「その相手がどんな目に遭うかを想像すると、気の毒になるな。とにかく俺には理解できない。不倫に気づいていながら、平然と結婚生活を続けるなんていうことは」

草薙は時計を見た。猪飼由希子との電話を終えてから、三十分が経過していた。

猪飼夫妻の家は、真柴邸に劣らぬ豪華な造りの邸宅だった。煉瓦を模したタイル貼りの門柱のすぐ横には、来客者用の車庫が備えられていた。おかげで内海薫は、有料駐車場を探さずに済んだ。

屋敷では、猪飼由希子だけでなく、夫の達彦も一緒に待っていた。刑事が来るという妻の連絡を受け、急いで帰ってきたのだという。

「会社のほうは大丈夫なんですか」草薙は訊いた。

「優秀なスタッフが揃っているから心配はありません。ただ今後、顧客への説明に苦労することになるでしょうね。そういう意味で、一刻も早く事件の真相を明らかにしていただきたいわけですが」猪飼は二人の刑事に窺うような目を向けてきた。「一体どういうことなんです？　何があったんですか」

「真柴義孝さんが自宅で亡くなられました」

「それはわかっています。しかし警視庁の刑事さんが動いているということは、事故や自殺では片づけられない、ということですよね」

草薙は小さく吐息をついた。相手は弁護士だ。中途半端な説明では納得しないだろうし、その気になれば別のルートで詳細を知ることも可能だろう。

草薙は、絶対に口外しないでくれと前置きした上で、亜ヒ酸による中毒死であること、飲んでいたコーヒーからそれが検出されたことを話した。

革張りのソファに猪飼と並んで座っていた由希子が、丸い顔を包むように両手を頰に当てた。見開かれた目は、やや充血している。ふっくらとした体型だが、子供を産んだせいなのかどうかは、以前の彼女を知らない草薙にはわからなかった。

猪飼は、緩くパーマをかけているらしい髪を後ろにかきあげた。

「やっぱりね。警察から連絡があったとか、遺体を解剖に回すとか、ただの病死にしてはおかしいと思っていたんです。かといって、彼が自殺するなんてことは全く考えられなかったし」

「他殺なら考えられるということですか」

「どこの誰が、どんな考えを持っているのかは、僕にはわかりませんからね。それにしても毒殺とはね……」猪飼は顔をしかめ、首を振った。

「真柴さんを恨んでいた人物とかはいませんか」

「たとえば仕事で、彼が誰かと衝突することはなかったかと訊かれれば、皆無だったとはいえません。しかしいずれもビジネス上、折り合いがつかなかったというだけで、彼個人が恨まれていたわけではありません。トラブルが発生した際に、矢面に立っていたのは、彼ではなくむしろ僕のほうですからね」猪飼はそういって自分の胸を叩いた。

「ではプライベートではどうでしたか。真柴さんに敵はいませんでしたか」

草薙が訊くと、猪飼はソファにもたれかかり、足を組んだ。

「それはわかりません。僕と真柴は良きパートナー同士ではあったけれど、お互いのプライバシーには干渉しないスタイルを貫いてきましたから」

「でもホームパーティに招かれる関係でしょ？」

猪飼は、わかってないな、というように首を振った。

「ふだん干渉し合わないから、ホームパーティをするんです。僕や彼のように忙しい人間にはメリハリが必要でね」

友人付き合いに、だらだらと時間を費やすほど暇ではない、といいたいようだ。

「そのホームパーティの際、何か気にかかったことはありませんか」

「事件の予兆を感じたかという意味なら、ノーとしか答えられません。とても楽しく、充実した一時でした」そういった後、猪飼は眉間に皺を寄せた。「あれからまだ三日しか経っていないっていうのに、彼がそんなことになるなんてなあ」

「土曜日曜で、真柴さんが誰かと会うようなことは話しておられませんでしたか」

「僕は聞いてないな」猪飼は、妻のほうに顔を向けた。

「私も聞いてません。綾音さんが実家に帰るということだけで……」

草薙は頷き、ボールペンの後ろでこめかみを搔いた。この二人からは、有益な情報は得られそうにないと判断しつつあった。

「ホームパーティは、よくされたんですか」内海薫が質問した。

「二か月か三か月に一度というところかな」

「いつも真柴さんのお宅で？」

「彼等が結婚した直後には、こちらが招待しました。その後は、ずっと向こうです。妻が妊娠したものですから」

「綾音さんのことは、真柴さんと結婚される前から御存じだったんですか」

「知ってましたよ。だって、真柴が彼女と知り合った場に、僕もいましたからね」

「といいますと？」

「ちょっとしたパーティがあって、僕と真柴が出席したんですけど、そこに彼女も来ていたんです。それをきっかけに交際が始まったわけです」

「いつ頃のことですか」

「あれは……」猪飼は首を捻った。「一年半ぐらい前だったかなあ。いや、もう少し後だったか」

話を聞いていて、草薙も口を挟みたくなった。

「結婚されたのは一年前ですよね。ずいぶんとスピード結婚という気がしますが」

「それはまあね」

「真柴さんは、早く子供が欲しかったんです」由希子が横からいった。「なかなかいい出会いがなくて、少し焦ってたんじゃないかしら」

「余計なことというなよ」猪飼が妻を窘《たしな》めた。それから草薙たちを見た。「あの夫妻の出会いや結婚が、今度の事件に何か関係しているんですか」

「いえ、そういうわけでは」草薙は手を振った。「今のところ、これといった手がかりがないものですから、真柴さんの御家庭についても少し知っておきたいと思ったまでです」

「そうですか。捜査のために被害者に関する情報を集めたいというお気持ちはわかりますが、あまり度が過ぎるのは問題だと思いますよ」猪飼は弁護士の顔になり、やや威嚇《いかく》するような目を向けてきた。

承知しています、と草薙は頭を下げた。それから改めて弁護士の目を見返した。

「失礼ついでにお尋ねしたいことがあります。形式上のことですから、気になさらないでください。お二人が、この土日をどのように過ごされたかを教えていただけると、大変ありがたいのですが」

猪飼は唇を曲げ、ゆっくりと首を上下に動かした。

「アリバイですか。まあ、調べられるのは仕方がないでしょうね」彼は上着のポケットから手帳を出してきた。

猪飼は、土曜日は自分の事務所で仕事をこなした後、夜は顧客と酒席を共にしている。日曜日は、別の顧客とゴルフに行き、帰宅したのは十時過ぎらしい。由希子は、ずっと家にいたが、日曜日には実家から母親と妹が遊びに来ていたと答えた。

この日の夜、目黒署において捜査会議が開かれた。警視庁捜査一課の管理官から最初に述べられたのは、本件が他殺である可能性が極めて高いということだった。猛毒である亜ヒ酸が、使用済みのコーヒーの粉から検出されていることが、その最大の根拠だ。自殺ならば、毒を飲むのにコーヒーに混ぜたりはしないだろうし、仮にそうするとしても、入れ終えたコーヒーに混ぜるのがふつうだからだ。

では、毒はどのようにして混入されたのか。それを明らかにするために鑑識の責任者がこれまでの調査結果を報告したが、そこから導き出された答えは、依然としてよくわからない、というものだった。

今日の午後、鑑識は改めて真柴家を調べている。食材、調味料、飲み物、薬物といった、真柴義孝が口にする可能性のあるものすべてについて、毒物の有無を確認するのが目的だった。食器についても同様の調査が行われた。捜査会議が開かれた時点で、すでに約八割の検査が終わっていたが、毒物はどこからも見つかっていない。この分では、残る二割からも見つかる可能性は低いのではないか、というのが鑑識責任者の見解だった。

つまり犯人は、義孝の飲むコーヒーに的を絞って毒を仕込んだということになる。方法としては二つだ。コーヒーの粉やペーパーフィルター、カップ等に予《あらかじ》め仕込んでおくか、コーヒーを入れる際に混入させるかだ。だがここから先は、まだどちらとも断定できなかった。亜ヒ酸はどこからも発見されていないし、義孝がコーヒーを入れた際に、誰かと一緒だったという根拠もないからだ。

真柴邸周辺の聞き込み捜査の結果も報告された。それによれば、事件が起きる前に、真柴邸を訪れた人間は目撃されていない。もっとも、周辺は人通りの少ない静かな住宅地で、住民たちも、自分たちの生活が脅かされないかぎりは近所の家には無関心という者が多いので、目撃者がないからといって、誰も訪問しなかったとはいいきれない、ということだった。

草薙は、真柴綾音や猪飼夫妻から事情聴取した結果を報告した。若山宏美と真柴義孝の関係についてては触れなかった。会議の前に、そのように間宮から指示されていたからだ。もちろん、間宮は管理官には報告している。デリケートな問題なので、事件との関連が証明されるまでは、この情報を共有する捜査員は限定しておく、というのが上層部の考えらしい。マスコミに嗅ぎつけられることも嫌っているのだろう。

会議が終わった後、草薙は内海薫と共に間宮から呼ばれた。

「明日、札幌に飛んでくれ」二人を見比べて、間宮はいった。

札幌と聞き、草薙は即座に目的を察した。

「真柴夫人のアリバイ確認ですか」

「そういうことだ。不倫をしていた男が殺された。となれば、愛人と女房を疑うのは当然だろう。で、愛人にはアリバイがない。では女房のほうはどうか、ということだ。はっきりさせられるものは早急に片づけてしまえ、というのが上からの指示だ。いっておくけど、日帰りだ。道警の協力は得られるように手配しておく」

「夫人は温泉地で、警察からの連絡を受けたといっています。その温泉地にも行かなきゃいけないと思いますが」

「定山渓温泉《じょうざんけい》だろ。札幌駅から車で一時間ちょっとだ。夫人の実家は札幌市西区。二人で手分けして回れば、半日で終わる仕事だ」

まあたしかに、と草薙は頭を掻くしかない。間宮には、温泉地で一泊という思いがけないプレゼントを部下に与える気はなさそうだ。

「なんだ、内海。何かいいたそうだな」間宮がいった。

草薙が隣を見ると、たしかに内海薫が釈然としない表情で口を真一文字に結んでいる。その唇が動いた。

「その間のアリバイだけでいいんでしょうか」

「うん？　どういうことだ」間宮が訊く。

「真柴夫人は土曜日の朝に東京を出て、月曜日の朝、戻ってきました。その間のアリバイを確認するだけでいいんでしょうか、とお尋ねしているんです」

「不足だというのか」

「わかりません。ただ、毒物を混入した方法やタイミングがわからない以上、その間のアリバイがあるからといって、容疑対象から外すのは早計ではないかと思うんです」

「方法はともかく、タイミングはわかってるぜ」草薙はいった。「日曜日の朝、若山宏美は真柴義孝とコーヒーを飲んでいる。その時にはコーヒーに異状はなかった。毒を仕込んだのは、その後だ」

「そう結論づけてもいいんでしょうか」

「よくないか？　ほかに、どのタイミングで仕込めるというんだ」

「それは……私にもわかりませんけど」

「若山宏美が嘘をついているとでもいうのか」そういったのは間宮だ。「だとすると、愛人と本妻が共謀していることになる。その可能性は低いんじゃないか」

「それはないと私も思います」

「だったら何が気に入らないんだ」草薙は声を荒らげた。「土曜から日曜のアリバイがあれば十分だろ。いや、日曜のアリバイがあるだけでも、夫人はシロということになる。この考えに、何かおかしいところがあるか？」

内海薫は首を振った。

「ありません。妥当な考えだと思います。でも、その裏をかく方法って、本当にないでしょうか。義孝氏が自分で毒を入れるように仕組んだとか……」

草薙は眉根を寄せた。

「自殺するように仕向けたっていうのか」

「そうじゃないです。義孝氏には毒とはいわないんです。毒じゃなくて、たとえば、コーヒーがおいしくなる隠し味とかいうわけです」

「隠し味？」

「カレーにガラムマサラというのがあるじゃないですか。食べる前に少しふりかけたら、味や香りがよくなるというスパイスです。それのコーヒー版だとかいって、義孝氏に渡しておくんです。

義孝氏は、若山さんといる時には使わなかったけれど、自分一人でコーヒーを飲む時、そのことを思い出して使ってみた……。強引かもしれませんけど」

「強引だね。話にならない」草薙はいい放った。

「そうでしょうか」

「コーヒーに混ぜたら味がよくなる粉なんて、聞いたことがない。そんな嘘を真柴義孝が信用するとは思えない。もし信用していたなら、若山宏美にも話したんじゃないか。義孝は彼女と、おいしいコーヒーの入れ方について話しているんだぜ。それに義孝本人が毒を入れたのなら、その痕跡が残っているはずだ。亜ヒ酸は粉だ。袋に入れるとか紙に包むとかしないと持ち運べない。ところが現場からは、そんな袋も紙も見つかっていない。それについてどう考える?」

草薙の矢継ぎ早の反論に、内海薫は小さく頷いた。

「残念ながら、それに対して答えられることは何ひとつありません。草薙さんのおっしゃってることはもっともだと思います。でも、何か方法があるんじゃないか、そう思えてならないんです」

草薙は横を向き、ため息をついた。

「女の直感を信用しろってか」

「そんなことはいってません。でも女には女の考え方があって――」

「まあ、待て」間宮が、げんなりした顔で間に入ってきた。「議論は結構だが、話のレベルを下げるな。内海、おまえ、夫人が怪しいと思っているのか」

「確信があるわけではありませんが」

直感だろ、といいたいのを草薙は我慢した。

「根拠は？」間宮が訊いた。

内海薫は、深呼吸をひとつしてからいった。「シャンパングラスです」

「シャンパングラス？　それがどうかしたのか」

「私たちが現場に駆けつけた時、キッチンに、洗ったシャンパングラスが置いてありました。数は五客でした」彼女は草薙のほうを向いた。「覚えておられますか」

「覚えてるよ。金曜の夜にホームパーティをした時のものだ」

「あのシャンパングラスは、通常は居間のカップボードにしまわれています。だから私たちが行った時、カップボードにはその分の空きスペースがありました」

それで、と間宮が訊く。「俺の頭が悪いのかな。何が問題なのか、よくわからん」

草薙も同感だった。内海薫の、気の強そうな横顔を見つめた。

「なぜ夫人は、片づけて行かなかったんでしょうか」

えっ、と草薙は声を漏らした。少し遅れてから間宮も、「はあ？」といった。

「別にかまわんだろう。片づけなくたって」草薙はいった。

「でも、ふつうは片づけると思うんです。あのカップボードを御覧になられましたよね。シャンパングラスを置いてあったスペースがひと目でわかるほど、整然としていました。たぶん夫人は、大事な食器に関しては、きちんと収めるべきところに収めないと気が済まない性格なんだと思うんです。それなのに、シャンパングラスを戻しておかなかったというのは、解せません」

「たまたま忘れたんだろう」

草薙の言葉に、内海薫は強く首を振った。「あり得ません」

「どうして？」

「通常なら、そういうこともあるかもしれません。だけど夫人は、しばらく家を留守にする予定だったんです。シャンパングラスを出したままにしておくなんてことは、考えにくいです」

草薙は間宮と顔を見合わせていた。間宮は意表をつかれたような表情だ。自分も同じような顔をしているのだろうと草薙は思った。内海薫が提示した疑問は、これまで頭を掠《かす》めることさえなかったものだ。

「夫人がシャンパングラスを片づけなかった理由は、ひとつしか考えられません」若手の女性刑事は続けた。「自分の留守が、それほど長くないことを知っていたからです。すぐに戻ってくるから、急いで片づける必要はないと思ったんじゃないでしょうか」

間宮は椅子にもたれ、腕組みした。そのまま草薙を見上げてきた。

「先輩刑事の反論を聞こうか」

草薙は眉の上を掻いた。反論は思いつかなかった。その代わり、内海薫に訊いた。

「なぜ、もっと早くいわなかった。現場に行った時から、その疑問を持ってたわけだろ」

彼女は首を傾げ、珍しく照れたように唇を緩めた。

「細かいことに一々拘《こだわ》るな、といわれそうな気がして。もし夫人が犯人なら、いずれ別の形でぼろが出るだろうと思いましたし。すみません」

間宮は、ふうーっと太い息を吐いた。改めて草薙に目を向けた。

「俺たちは態度を改めなきゃいかんようだぞ。せっかく女性刑事を入れたというのに、発言しにくい雰囲気を作ってるんだとしたら、話にならん」

「いえ、決してそういうわけでは……」

内海薫が弁明しようとするのを、間宮は手で制した。

「いいたいことがあるなら、遠慮なくいえばいい。男も女も、先輩も後輩も関係ない。今の意見、上にも報告しておこう。ただしだ、いくら着眼点がよかったとしても、そのことに酔っていてはいかん。夫人がシャンパングラスを片づけなかったのは、たしかに不自然だ。しかし、それで何かが証明できるわけではない。俺たちに求められているのは、証明するものを探し出すことだ。で、俺が今おまえたちに命じているのは、夫人のアリバイの真偽を証明するものを見つけてこい、ということだ。それをどう扱うかまでは、おまえは考えなくていい。わかったか」

内海薫は一旦目を伏せ、瞬きを何度かした後、「わかりました」と上司を見つめて頷いた。

7

携帯電話の音で、宏美は目を開けた。

眠っていたわけではない。ベッドの上で、目を閉じて横になっていただけだ。今夜も昨夜と同様、朝まで眠れないことは覚悟していた。以前義孝から貰った睡眠薬があるが、飲むのは怖かった。

軽い頭痛を感じながら、重い身体を起こした。携帯電話に手を伸ばすことさえ億劫だった。誰だろう、こんな時間に——時計を見ると、十時近くになっている。

しかし液晶画面に表示された名前を見て、宏美は冷水を浴びたように覚醒した。綾音からだったのだ。あわてて通話ボタンを押した。

「はい、宏美ですけど」声がかすれた。

「あ……ごめんなさい。綾音です。寝てた？」

「いえ、横になってただけです。あの……今朝はすみませんでした。そちらに行けなくて」

「うん、それはいいの。身体、大丈夫？」

「大丈夫です。先生こそ、お疲れじゃないですか」尋ねながら宏美は、別のことを考えていた。刑事たちが綾音に、義孝との不倫のことを話したのではないか、ということだった。

「やっぱり、少し疲れちゃった。何がなんだかわからないし……。現実に起きたことだって、まだ感じられないのよね」

それは宏美も同じだった。悪夢の続きを見ているようだ。わかります、と短く答えた。

「宏美ちゃん、本当に身体は、もう大丈夫？　具合、悪くない？」

「はい、平気です。明日から、仕事も始められると思います」

「仕事のことはいいの。それより、今からちょっと会えない？」

「今から……ですか」俄《にわか》に不安感が胸に広がった。「何か？」

「会って話しておきたいことがあるの。そんなに時間はとらせないと思う。疲れてるなら、私のほうからそっちに行ってもいいけど」

宏美は電話を耳に当てたまま、首を振っていた。

「いえ、あたしがお宅に伺います。これから準備をするので、一時間ぐらいかかるかもしれませんけど」

「それがね、私、ホテルにいるの」

「あ……そうなんですか」

「警察の人に、改めて家の中を調べたいといわれたものだから、とりあえずホテルに泊まることにしたの。札幌から持って帰ってきたスーツケースの中身を、少しだけ入れ替えて」

綾音が泊まっているのは、品川駅のそばにあるホテルらしい。すぐに行きます、といって宏美は電話を切った。

出かける支度をしている間も、綾音の用件が何なのか、気になって仕方がなかった。宏美の体調を気遣う言葉をかけておきながら、今すぐにでも押しかけてきそうな口ぶりだった。余程急いでいるか、後回しには出来ないほどの重要な用件があるとしか思えなかった。

電車で品川に向かう途中も、宏美は綾音が切りだしてくる話の内容を想定しないではいられなかった。やはり刑事から、義孝との関係を聞いたのだろうか。先程の電話では、口調から険しさは感じられなかったが、懸命に感情を押し殺していただけかもしれない。

夫と弟子の不倫を知った場合に、綾音がどんな反応を示すのか、宏美には想像がつかなかった。

彼女が本気で怒ったところを、これまでに一度も目にしたことがないのだ。だが彼女とて、怒りの感情を持っていないはずがない。

常に物静かで、激しい感情を表に出すことのない綾音が、夫を寝取った女にどのような顔を見せるのか、まるで予想できないだけに宏美は不気味で恐ろしかった。しかし、仮に問い質《ただ》された時には、下手に隠そうとはしないでおこうと決めていた。ただひたすら謝るしかない。許してはもらえないだろうし、おそらく破門されるだろうが、仕方のないことだ。ここで決着をつけておくことが、今の自分には必要なことだと思った。

ホテルに着いたところで、綾音に電話をかけた。部屋に来てくれ、と彼女はいった。

綾音はベージュ色の部屋着に着替えて待っていた。

「ごめんね、疲れているところを呼び出したりして」

「いいえ。それより、話というのは……」

「まあ、座ってよ」綾音は一人がけのソファを勧めてきた。ソファは二つある。

宏美は腰を下ろし、室内を見渡した。ツインルームだった。ベッドの横に、開いたままのスーツケースが置いてある。見たところ、衣類をかなり詰め込んできたようだ。滞在期間が長くなることを覚悟しているのかもしれない。

「何か飲む？」

「いいえ、結構です」

「じゃあ、一応入れておくから、よかったら飲んでちょうだいね」綾音は二つのグラスに冷蔵庫から出したウーロン茶を注いだ。

ありがとうございます、と宏美は小さく頭を下げ、早速グラスに手を伸ばした。じつは喉が渇いていた。

「刑事さんからは、どんなことを訊かれたの？」いつもと変わらぬ柔らかい口調で綾音は切りだしてきた。

宏美はグラスを置き、唇を舐《な》めた。

「真柴さんを見つけた時の様子とかです。後は、何か心当たりはないかとか」

「心当たりについてはどう答えたの？」

宏美は胸の前で手を横に振った。

「そんなの、ありません。刑事さんにも、そう答えました」

「そう。ほかには、どういうことを訊かれた？」

「ほかには別に……そういうことだけです」宏美は俯いていた。義孝と二人でコーヒーを飲んだことについて訊かれた、などとはいえない。

綾音は頷き、グラスを手にした。ウーロン茶を口に含んだ後、そのグラスを頬に当てた。顔が熱くなっているのを冷やそうとしているように見えた。

「宏美ちゃん」綾音が呼びかけてきた。「あなたに話しておきたいことがあるの」

宏美は、はっとして顔を上げた。綾音と目が合った。睨まれていると思ったが、次の瞬間には別の印象に変わっていた。綾音の目には憎悪や怒りの色はなかった。そのかわりに悲しさと虚しさを混ぜ合わせたような気配が漂っていた。口元にうっすらと笑みが浮かんでいるのが、そのことを余計に強く感じさせた。

「私ね、彼に、別れてくれっていわれたの」抑揚のない声で綾音はいった。

宏美は目を伏せた。驚きの演技をするべきだったかもしれないが、そんな余裕はなかった。綾音の顔を見ることすら出来なかった。

「金曜日のことよ。猪飼さんたちが来る前に、部屋で宣告されたの。子供を産めない女と結婚していても意味がないって」

宏美は項垂れたままで聞いているしかなかった。義孝が綾音に離婚を切りだしたことは知っているが、そんな言い方をしたとは思わなかった。

「それにね、もう、次の女の人も決まっているようなことをいってた。名前は教えてくれなかったけど。私の知らない人なんですって」

宏美は、どきりとした。綾音が何も知らずにしゃべっているとは思えなかった。淡々と語ることで、自分を追いつめようとしているように感じられた。

「でも、それはたぶん嘘なのよね。相手は私の知っている女性。しかも、とてもよく知っている人。だから彼も、名前をいえなかったんじゃないかな」

綾音の話を聞くうちに苦しくなってきた。宏美は耐えきれず、顔を上げた。涙が溢れ始めていた。

そんな彼女を見ても、綾音は驚かなかった。先程までと同様の、虚無感を漂わせた笑みを浮かべ続けていた。その表情のままで彼女はいった。

「宏美ちゃん、あなたなのよね」悪さをした子供を優しく問い質すような口調だった。

宏美は何をいっていいかわからず、嗚咽《おえつ》をこらえるために口をつぐんだ。涙が頰を伝っていく。

「あなた……でしょ？」

もはや否定できる状況ではなかった。宏美は小さく首を縦に動かした。

綾音が、ふうーっと息を吐いた。「やっぱり」

「先生、あたし……」

「うん、わかってる。何もいわなくていい。彼から別れを宣告された時に、何となくぴんときたの。というより、じつは少し前から気づいてたっていったほうがいいかな。それを認めたくなかっただけで……。そばにいるんだから、気づいて当然よね。それに宏美ちゃんはともかく、彼は自分で思っているほど、嘘も芝居も上手じゃないんだから」

「先生、あたしのこと、怒ってますよね」

綾音は首を傾げた。

「どうなのかな。やっぱり怒ってるのかな。どうせ彼のほうから言い寄ったんだろうけど、なぜ拒絶してくれなかったのかって。だけど、あなたに夫を奪われたようには思ってない。本当よ。だって彼は浮気をしたわけじゃない。まず私に対する思いが冷めて、その後で宏美ちゃんのほうに目が行ったのだと思うから。彼の気持ちを繫ぎとめておけなかった自分が悪いっていう気持ちもある」

「すみません。あたし、こんなことしちゃいけないって思ったんですけど、真柴さんから何度も誘われているうちに——」

「それ以上は話さないで」綾音がいった。それまでとは違い、鋭さと冷たさを感じさせる声だった。「そんな話を聞いたら、私だって少しは宏美ちゃんのことが憎くなる。あなたがどんなふうにして彼に惹かれていったのかなんて、私が聞きたいと思う？」

彼女のいっていることはもっともだった。宏美は項垂れ、首を横に振った。

「私たちね、結婚する時に約束したことがあるの」綾音の口調が、再び優しげなものに戻った。「一年経って、もし子供が出来なかったら、その時は考えましょうっていうこと。私たち、どちらもそんなに若くないでしょう？　だから、時間のかかる不妊治療みたいなことは、二人とも頭になかった。宏美ちゃんが新しい相手だったというのは、正直いってショックだったけど、彼にしてみれば、結婚前に約束したことを実行しただけっていう感じだったのかもしれない」

「その話は何度か聞いたことがあります」俯いたままで宏美はいった。

土曜日に義孝と会った時にも聞いた。彼はルールという表現を使った。そういうルールだったから、綾音も納得してくれるんだ——たしかそんな言い方をしていた。自分には理解できないと宏美は思ったが、今の話を聞いていると、実際に綾音は割り切っているように思える。

「札幌に帰ったのは、自分の気持ちに整理をつけるため。別れを宣告されて、そのままあの家に住み続けるのは、あまりにも惨めだと思ったしね。宏美ちゃんに鍵を預けたのも、彼への思いを断ち切るためだった。私が留守の間、二人は必ず会うと思ったから。どうせ会うのなら、鍵を渡してしまったほうがすっきりすると思ったの」

鍵を預けられた時のことを宏美は思い出した。それほどの決意を秘めていたとは、あの時は全く考えなかった。むしろ、自分は信頼されていると自惚《うぬぼ》れていた。何の疑問も抱かずに鍵を受け取った自分のことを、綾音はどんな思いで見ていたのだろうと考えると、気持ちが一層萎縮した。

「刑事さんたちに、彼とのことは話したの？」

宏美は小さく頷いた。

「あの人たちは、もう勘づいているような感じで、それで話すしかなかったんです」

「そうだったの。でも、そうよね。宏美ちゃんが、彼のことを心配して勝手に家に入るなんて、どう考えても不自然だものね。すると刑事さんたちは、あなたと彼の関係を知っているわけね。私には、そんなこと、一言もいわなかったけど」

「そうなんですか」

「たぶん、知らないふりをして、私の様子を窺っているんだと思う。あの人たち、私のことを疑っているだろうから」

えっ、と宏美は綾音を見た。

「先生のことを……ですか」

「一般的な見方をすれば、私には動機があるわけでしょ？　夫に裏切られたという動機が」

たしかにその通りだ。しかし宏美は、綾音に対する疑いの気持ちを全く持たなかった。義孝が殺された時には彼女は札幌にいた、ということもあるが、それ以上に、別れ話は順調に片づいたという義孝の言葉を信用していた。

「でも別に構わないの。警察から疑われたって。そんなことはどうでもいい」綾音はバッグを引き寄せ、中からハンカチを取り出した。それを使い、目の下をぬぐった。「それより、一体何があったのかしら。どうして彼があんなことに……。宏美ちゃん、あなた、本当に何も心当たりはないの？　一番最後に彼と会ったのは、いつだったの？」

答えたくはなかったが、ここで嘘をつくわけにはいかなかった。

「昨日の朝です。その時、一緒にコーヒーを飲んだので、そのことについて刑事さんからいろいろと訊かれましたけど、何も思い当たることはないんです。真柴さんの様子にも、変わったことはなかったし」

「そう」綾音は考え込むように首を傾げた後、改めて宏美を見つめてきた。「あなた、刑事さんには何も隠してないわね。知っていることは全部話したでしょうね」

「話したつもりです」

「それならいいけど、もし話し忘れたことがあるなら、きちんと話しておいたほうがいいわよ。あの人たちは、あなたのことだって疑うかもしれないから」

「もう、疑っているかもしれません。土日の間に真柴さんに会ったのは、今のところあたしだけですから」

「そうか。警察というのは、そういうところから疑ってくるわけね」

「あの……今日こうして先生とお会いしたことも、警察には話したほうがいいんでしょうか」

宏美が問うと、そうねえ、と綾音は頬に手を当てた。

「別に、隠す必要はないんじゃないの。私は構わないわよ。下手に隠したら、変に勘繰られそうだし」

「わかりました」

綾音は、ふっと唇を緩めた。

「奇妙な話ね。夫に別れを宣告された女と、夫の恋人が一つの部屋で話をしている。それも喧嘩してるわけじゃなくて、どちらも、ただ途方に暮れているだけ。私たちがいがみ合わないでいられるのも、もしかしたら彼が死んじゃったからかもしれない」

それに対して宏美は答えなかったが、同じ思いではあった。しかし彼女としては、義孝が生き返るのならば、ここでどれほど罵られようとも構わないと思った。現在の喪失感は、おそらく綾音よりも自分のほうが大きいという確信もあった。ただしその根拠については、さすがに今は口にできなかった。

8

真柴綾音の実家は、奇麗に区画整理された住宅地にあった。がっしりとした四角い建物で、玄関は階段を上がったところにあった。一階部分は駐車場になっているが、そこは地下扱いという話だった。つまり外見上は三階建てに見えるのだが、書類上では地上二階の地下一階建てというわけだ。

「このあたりには、こういう家が多いですよ」三田和宣が煎餅を割りながらいった。「冬になると雪が積もりますからね、玄関を地面に近いところに作るわけにはいきません」

なるほど、と頷き、草薙は湯飲み茶碗に手を伸ばした。その茶を運んできたのは、綾音の母親である登紀子だ。彼女は和宣の隣にいた。盆を膝の上に置いたままだった。

「それにしても、今回は驚きました。真柴さんがあんなことになるとはねえ。事故でも病気でもないということだから、おかしいなと思っていたんですが、そうですか、やはり警察が捜査をねえ」和宣は、白髪の少し混じった眉を八の字にした。

「まだ他殺だと決まったわけではないのですが」草薙は、ここでは一応そういっておいた。

和宣は顔をしかめた。痩せていることもあり、皺が深くなった。

「あの人は敵が多そうだからなあ。やり手の経営者というのは、大抵そうだ。しかしだからといって、一体、どこのどいつがそんなひどいことを……」

和宣は五年前まで地元の信用金庫で働いていたという話だった。様々な経営者を見てきたのかもしれない。

あのう、と登紀子が顔を上げた。

「綾音は、どうしているんでしょうか。電話では、大丈夫なようなことをいってたんですけど」

母親としては、やはり娘のことが一番気になっているようだ。

「しっかりしておられましたよ。もちろん、ショックを受けておられるようでしたが、我々の捜査にも、よく協力してくださっています」

「そうですか。それなら安心しましたけど」その言葉とは裏腹に、彼女の顔から不安の色は消えていなかった。

「綾音さんは、土曜日に、こちらに帰ってこられたそうですね。お父さんの具合があまりよくないから、という話でしたが」草薙は和宣の顔を見ながら本題に入った。彼は痩せていて顔色もあまりよくないが、病で苦しんでいるようには見えなかった。

「膵臓のほうです。三年ほど前に膵炎をやりましてね、それ以来、どうも調子がよくない。熱を出すこともあるし、腹や背中が痛くて動けなくなることもある。まあ何とか騙し騙しやってますがね」

「今回、特に綾音さんの手を借りる必要はなかったわけですか」

「はあ、別にそういうわけではなかったですよ。――なあ」和宣は登紀子に同意を求めた。

「金曜の夕方、あの子のほうから連絡があったんです。明日、そっちに行くって。お父さんの様子が気になるし、結婚以来一度も帰ってなかったから、とかいってました」

「それ以外の理由は、お聞きになってないわけですか」

「特に何も聞いておりません」

「どれぐらいの期間、こちらにいるとおっしゃってましたか」

「期間は特に何とも……。私が、いつ東京に帰るのって訊いたら、まだ決めてないといってましたけど」

二人の話を聞くかぎりでは、綾音が至急に帰省する必要があったわけではなさそうだった。ではなぜ彼女は実家に帰ったのか。

結婚している女性がそういう行動を取る場合、最も考えられるのは、夫との間に何らかのトラブルがあったということだ。

「ええと、刑事さん」和宣が、ややためらいがちに口を開いた。「綾音が、こちらに帰ってきたことに、やけにこだわっておられるみたいですが、何か問題があるんですか」

リタイヤしているとはいえ、かつては様々な人間と取引や契約を交わしていただけに、東京から来た刑事の目的について、あれこれと想像を巡らせているに違いなかった。

「今回の事件が他殺の場合、犯人は綾音さんが帰省している間を狙った可能性があります」草薙は、ゆっくりとした口調でしゃべり始めた。「その場合、なぜ犯人が綾音さんの行動を知っていたのか、ということが問題になります。そこで、失礼を承知で、細々としたことを伺っているのです。捜査の一環ということで、御容赦ください」

「なるほど、そういうことですか」本当に納得したのかどうかは不明だったが、和宣は頷いた。

「綾音さんは、こちらではどのように過ごしておられたのですか」草薙は、夫妻の顔を交互に見ながら訊いた。

「帰ってきた日は、ずっとこの家にいました。夜は、近くのお寿司屋さんに三人で出かけましたけど。あの子が昔から好きなお店があるんです」登紀子が答えた。

「何というお店ですか」

草薙が訊くと、登紀子の顔に怪訝《けげん》そうな色が浮かんだ。和宣も同様だった。

「すみません。今後何が重要になってくるかわからないので、細かいこともすべて確認しておきたいんです。こちらまでは、そう何度も足を運べませんから」

登紀子は釈然としていない顔つきだったが、寿司屋の店名を教えてくれた。『ふく寿司』というらしい。

「日曜日は、御友人と温泉に行かれたそうですね」

「中学時代からの友達です。サキちゃんといいましてね、歩いて五分ほどのところに実家があるんです。今は結婚して南区のほうに移りましたけど、土曜の夜に綾音から電話をかけたらしくて、二人で定山渓に行くことになったって」

草薙は手帳を見ながら頷いた。その友人の名前が元岡佐貴子だということは、間宮が綾音から聞き出していた。内海薫が、定山渓温泉の帰りに、その女性のところへ寄ることになっている。

「綾音さんが帰省されたのは、結婚後初めてだという話でしたが、真柴さんのことを何か話しておられましたか」

登紀子が首を傾げた。

「相変わらず仕事が忙しそうだとか、そのくせゴルフばっかり行ってるとか、そんなことを話してましたね」

「特に家で何かあったとか、そういう話はなかったわけですね」

「ありません。どちらかというと、あの子からいろいろと訊かれることのほうが多かったです。

お父さんの体調はどうかだとか、弟のこととか。あ、弟が一人いまして、今、仕事でアメリカに赴任しているんです」

「これまで綾音さんが帰省されなかったということは、真柴さんともあまりお会いになってないわけですか」

「そうなんです。結婚する少し前に、真柴さんのお宅に行きましたけど、ゆっくり話したのはそれが最後です。いつでも来てくださいと真柴さんにはいってもらってたんですけど、うちの人の体調が悪かったりして、結局、その後は一度も行けませんでした」

「あの人とは、四回ぐらいしか会えなかったんじゃないかなあ」和宣が首を捻った。

「スピード結婚だったみたいですね」

「そうなんですよ。綾音も三十になってたから、そろそろいい人を見つけてくれないかと気をもんでいたら、急に電話がかかってきて、今度結婚するからって」登紀子が唇を尖らせていった。

夫妻によれば、綾音が上京したのは八年ほど前らしい。しかしそれまで札幌にいたわけではなく、短大卒業後、イギリスに留学していたのだという。パッチワークは高校時代から趣味にしていて、その頃からいくつかのコンテストで高評価を得ていたらしい。一気に知名度が上がったのは、イギリスから帰国後に出版した本が、マニアたちの間で評判になったのがきっかけだということだった。

「仕事に夢中でしてね、いつ結婚するつもりなのって訊いても、人の奥さんなんかやってる暇はない、自分のほうが奥さんがほしいくらいだ、なんてことをいってたんですけどね」

「そうなんですか」草薙は登紀子の話を聞き、やや意外な思いがした。「家事なんか、かなり得意そうに見えましたが」

するとと和宣が、下唇を突きだし、手を振った。

「手芸が得意だからといって、ほかの家事も出来るとはかぎりません。ここに住んでた頃は、家のことなんか何ひとつやりませんでした。東京で独り暮らしをしていた時も、料理なんか、ろくにしてなかったそうですよ」

「えっ、本当ですか」

「そうなんですよ」登紀子がいった。「何度か、あの子の部屋に行ったことがあるんですけどね、自炊しているようには見えませんでした。外食とか、コンビニの弁当とか、そういうものばかり食べてたみたいで」

「でも真柴さんの友達の話では、頻繁にホームパーティなんかをしておられたそうですよ。綾音さんが料理を作って……」

「そうなんですってね。綾音から聞いています。結婚する前から料理学校に通ったりして、ずいぶんと腕を上げたみたいです。やっぱり、好きな人に食べさせたいっていう気持ちがあると、あんな子でもがんばれるのねって、二人で話してたんですけど」

「その肝心な旦那がそんなことになって、あいつも落ち込んでるだろうな」現在の娘の心境を改めて想像したのか、和宣が辛そうに目を伏せた。

「あのう、私たちがあの子に会いに行ってもいいんでしょうか。お葬式の手伝いとか、してやりたいんですけど」

「もちろん、何の問題もありません。ただ、御遺体については、いつお返しできるか、まだ何とも申し上げられないんですが」

「そうですか」

「後で、綾音に連絡してみなさい」和宣が妻にいった。

大方の目的を果たせたので、草薙は辞去することにした。玄関で靴を履いている時、ポールハンガーに、パッチワークで作られた上着が掛かっていることに気づいた。かなり長めで、ふつうの大人なら膝あたりまで隠れそうだ。

「これ、何年か前にあの子が作ってくれたんです」登紀子がいった。「冬場、新聞や郵便物を取りに外に出る時、お父さんが羽織るようにって」

「こんな派手に作らなくてもいいと思うんですがね」そういいながらも和宣は嬉しそうだ。

「この人の母親がね、冬に外に出て、足を滑らせて転んだんですよ。それで腰の骨を折っちゃったんです。綾音はそのことを覚えていたらしく、腰のところにクッションを入れてあるんです」

登紀子が上着の内側を見せながらいった。

彼女らしい気配りだなと草薙は思った。

三田家を出た後、彼は『ふく寿司』に寄った。準備中の札が出ていたが、中では板前が料理の下ごしらえをしている最中だった。頭を角刈りにした五十歳前と思われる板前は、綾音たちのことを覚えていた。

「綾ちゃんの顔を見るのは久しぶりなんで、こっちも張り切っちゃいましたよ。お帰りは十時頃だったかなあ。で、それがどうかしたんですか。何かあったんですか」

詳しいことを話せるわけがなく、草薙は適当にごまかして店を後にした。

内海薫とは札幌駅のそばにあるホテルのラウンジで待ち合わせをしていた。草薙が行くと、彼女は何やら書き物をしているところだった。

「収穫はあったか」向かいの席に腰を下ろしながら草薙は訊いた。

「綾音夫人は、たしかに定山渓の旅館に泊まっていました。仲居さんからも話を聞きましたが、お友達と楽しそうにしていたということでした」

「そのお友達の元岡佐貴子さんには……」

「会いました」

「夫人の供述と違うところはあったか」

内海薫は一度目を伏せてから首を振った。

「ありませんでした。ほぼ、彼女の供述通りです」

「だろうな。こっちのほうも同様だ。彼女が東京まで往復する時間はなかった」

「元岡さんは、日曜の昼前から真柴夫人と一緒にいたそうです。夜遅くになってから、夫人が携帯電話の留守電に気づいた、というのも事実のようです」

「じゃあ完璧だな」草薙は椅子にもたれかかり、後輩の女性刑事の顔を見た。「真柴綾音は犯人じゃない。あり得ない。いろいろと御不満はあるだろうが、客観的事実に目を向けろよ」

内海薫は、ひと呼吸置くように視線をそらしてから、再び大きな目を草薙に向けてきた。

「元岡さんの話で、いくつか気になることが」

「何だ？」

「元岡さんは、真柴夫人と会うのは久しぶりだったようです。少なくとも、結婚してからは会ってなかったそうです」

「両親もそういってたよ」

「印象が変わったとおっしゃってました。前はもっと弾けた感じだったのに、すっかりおとなしくなったと。元気がないようにも見えたそうです」

「だから、何なんだ？」草薙はいった。「たしかに、真柴夫人が夫の不倫に気づいていた可能性は高い。今回の帰省は傷心旅行だったのかもしれない。だけど、それが何だっていうんだ。係長にもいわれただろ。俺たちは、彼女のアリバイの真偽を確かめに来たんだ。そしてそれは完璧だった。それでいいじゃないか」

「それともう一つ」内海薫は表情を変えずにいった。「夫人がケータイの電源を何度か入れるのを見たそうです。電源を入れて、メールや留守電を確認していたということでした。で、確認した後、すぐに電源を切っていたようです」

「バッテリーの節約だろ。よくあることだ」

「そうでしょうか」

「ほかに何が考えられる」

「どこからか連絡が入ることを知っていたんじゃないでしょうか。ただし、その電話に直接出るのは避けたかった。留守番電話で予め状況を把握した後、自分から連絡する——そうしたかったから電源を切っていた」

草薙は首を振った。この若手刑事は頭が切れるが、片意地を張る癖がある、と思った。

腕時計に目を落とし、腰を上げた。

「行くぞ。飛行機に乗り遅れる」

9

建物に入ると、足元がひんやりとした。スニーカーなのに、足音がやけに大きく感じられる。まるで、どの部屋にも人がいないようだ。

階段を上がっていく途中で、ようやく人とすれ違った。眼鏡をかけた若者だ。彼は内海薫を見て、やや意外そうな表情を浮かべた。この建物に知らない女性が入ってくることは珍しいのかもしれない。

前に、ここへ来たのは数か月前になる。捜査一課に配属されてから間もない頃だ。ある事件の捜査で、どうしても物理的なトリックを解決する必要があり、アドバイスを求めにやってきた。その時の記憶を辿りながら目的の部屋を目指した。

第十三研究室は、薫の記憶通りの位置にあった。前に来た時と同じように、ドアに行き先表示板が張ってあり、この部屋の利用者たちが現在どこにいるのかが示されている。湯川と記された横には、在室のところに赤い磁石がくっつけられていた。それを見て彼女はほっとした。どうやら約束をすっぽかす気はないようだ。助手や学生たちは、全員が講義に出ているらしい。そのことも彼女を安心させた。なるべくなら、ほかの人間には話を聞かれたくなかった。

ドアをノックすると、はい、という声が返ってきた。それで待っていたが、いつまで経ってもドアが開かない。

「生憎《あいにく》、自動ドアじゃない」中から声が聞こえてきた。

薫が自分でドアを開けると、黒い半袖姿の背中が見えた。その向こうには大型のパソコンモニターがある。そこには、大小の球体を組み合わせたようなものが映し出されていた。

「すまないが、流し台の横にあるコーヒーメーカーのスイッチを入れてくれないか。水とコーヒーは、すでにセットしてある」背中の主がいった。

流し台は、入ってすぐ右側にあった。たしかにコーヒーメーカーが置いてある。まだ新しいようだ。薫がスイッチを入れると、間もなく蒸気の発生する音が聞こえた。

「インスタントコーヒーがお好きだと聞いていたのですが」薫はいった。

「バドミントンの大会で優勝したら、賞品としてコーヒーメーカーをくれた。せっかくだからと思って使ってみたら、なかなか便利だ。おまけに一杯当たりの単価も安い」

「もっと早くに使っていればよかった、という感じですか」

「いいや、それはないな。そいつには大きな欠点がある」

「何ですか」

「インスタントコーヒーの味を出せないことだ」話しながらキーボードを叩いた後、この部屋の主である湯川学は椅子を回転させ、薫のほうを向いた。「捜査一課の仕事には慣れたかい？」

「少しは」

「そう。それは何より、といっておこうか。刑事稼業に慣れるということは、人間性を少しずつ失っていくのと同義だ、というのが僕の持論なんだけどね」

「草薙さんにも同じ台詞を？」

「何度もいっている。彼は、びくともしないがね」湯川はパソコンモニターに目を戻し、マウスを手にした。

「それ、何ですか」

「これかい？　フェライトの結晶構造をモデル化したものだ」

「フェライト……磁石の？」

薫の返答に、物理学者は眼鏡の奥の目を大きくした。

「よく知っているね。磁性体という表現のほうが正しいのだけど、それでも大したものだ」

「何かの本で読んだことがあるんです。磁気ヘッドに使われている、とか」

「草薙に聞かせたいね」湯川はモニターのスイッチを切り、改めて薫を見た。「さてと、まずはこちらの質問に答えてもらおうか。なぜ、君がここに来ることを草薙には内緒にしなきゃいけないんだ？」

「それをお話しするには、まず事件のことを聞いていただかなければなりません」

薫の答えに、湯川はゆっくりと首を振った。

「今回、君から電話をもらった時、僕は一旦断った。もう警察の捜査には関わらないとね。それでも会う気になったのは、草薙には内緒だという言葉を聞いたからだ。なぜ彼には隠さねばならないのか、それを知りたくて、こうして時間も作った。だから、まずはそれを聞きたい。断っておくが、事件の話を聞くかどうかは、その後で決めさせてもらう」

淡々とした口調で話す湯川の顔を見て、一体何があったのだろうと薫は思った。草薙の話では、かつては捜査に協力的だったらしいのだ。ある事件がきっかけで草薙との仲も疎遠になったようだが、どんな事件なのかということも薫には知らされていなかった。

「事件のことを話さずに事情を説明するのは、とても難しいんですけど」

「そんなはずはない。君たちが聞き込みをする時、事件のことを相手に詳しく話すかい？　肝心な点をぼかしながら、自分たちの知りたいことだけを引き出すのは得意だろ？　そのテクニックを応用すればいいだけのことだ。さあ、早く話してくれ。ぐずぐずしていると学生たちが戻ってくるぞ」

皮肉を込めた言い方に、薫は思わず仏頂面をしそうになった。この冷静そうな学者を、ほんの少しでもあわてさせてやりたい、という気になった。

「どうしたんだ？」彼が眉をひそめた。「話す気がないのか」

「いえ」

「だったら、早くしてくれ。本当に時間はそれほどないんだ」

わかりました、と薫はいい、気持ちを整えた。

「草薙さんは」彼女は湯川の目を見つめて続けた。「恋をしています」

「えっ？」

湯川の目から、冷徹そうな光が消えた。迷子になった少年のように、焦点が曖昧になっている。そのままの目で彼は薫を見た。

「何だって？」

「恋です」彼女は繰り返した。「草薙さんは恋をしているんです」

湯川は顎を引き、眼鏡をかけ直した。再び薫に向けた目には、強い警戒感が漂っていた。

「誰に？」彼は訊いてきた。

「容疑者に、です」薫は答えた。「今回の事件の容疑者に恋をしているんです。だから、私とは全く違う視点で事件を見ておられます。ここへ来たことを草薙さんに知られたくないのは、それが理由です」

「つまり、僕が君に何らかのアドバイスをすることを、おそらく彼は期待していない、ということか」

「そういうことです」薫は頷いた。

湯川は腕を組み、瞼を閉じた。椅子の背もたれに身体を預け、ふうーっと息を吐いた。

「君のことを甘くみていたな。どういう話を聞かされようと、さっさとお引き取り願うつもりだったんだが、まさかそんな話が飛び出してくるとは思わなかった。恋とはね。しかもあの草薙が」

「事件について、話してもいいですか」勝利感を味わいながら薫はいった。

「ちょっと待ってくれ。まずはコーヒーを飲もう。気持ちを落ち着けないと、話を聞いても集中できそうにない」

湯川は席を立ち、二つのカップにコーヒーを注いだ。

「ちょうどよかったです」一方のカップを受け取りながら薫がいった。

「何が？」

「コーヒーを飲みながら話すのに、ぴったりの事件だからです。事件は、コーヒーから始まります」

「一杯のコーヒーから夢の花咲くこともある……昔、そういう歌があったらしいな。まあ、聞かせてもらおうか」湯川は椅子に腰掛け、コーヒーを啜った。

薫は、真柴義孝殺害事件について、これまでに明らかになったことを順番に話していった。捜査の内容を部外者に漏らすことは規則違反だが、そうしないことには湯川が協力してくれないことを、草薙から聞いて知っていた。それに何より薫自身が、この人物を信用している。

話を聞き終えた湯川は、コーヒーを飲み干し、空になったカップを見つめた。

「要するにこういうことだな。君は被害者の妻を疑っているが、草薙は彼女に恋をしているから公正な判断を下せないでいる」

「恋、という表現はいいすぎました。先生に関心を持ってもらおうと思い、インパクトのある言葉を使ったんです。でも、草薙さんが特別な感情を抱いているのは確かだと思います。少なくとも、いつもの先輩じゃありません」

「なぜそういいきれるのか、とは訊かないでおこう。そういうことについての女性の直感というものを、僕は信用する主義なんでね」

「ありがとうございます」

湯川は眉間に皺を寄せ、コーヒーカップを机の上に置いた。

「しかし君の話を聞いたかぎりでは、草薙がそれほど偏った考え方をしているようには思えないな。真柴綾音……といったか、その女性のアリバイは完璧だといっていい」

「でも、ナイフや銃といった直接的な凶器を使った犯行ならともかく、今回のは毒殺です。事前に仕掛けておくことも可能だと思うんですけど」

「その仕掛ける方法を僕に考えてくれ、とでもいうんじゃないだろうな」

図星なので薫は黙っていた。やっぱり、と物理学者は口元を歪めた。

「君は誤解しているようだが、物理は手品じゃない」

「でも手品のようなトリックを、先生はこれまでに何度も解いてこられたじゃないですか」

「犯罪トリックと手品とは違う。その違いがわかるかい？」薫が首を振るのを見て、湯川は続けた。「当然のことだが、どちらも種がある。だが、それの処理の仕方が全く違う。手品の場合、演技終了と共に、客が種を見抜くチャンスもなくなる。ところが犯罪トリックの場合、捜査陣は犯行現場を納得いくまで調べることが可能だ。何かを仕掛ければ必ず痕跡が残る。それを完璧に消さねばならないところが、犯罪トリックの最も難しい点だといっていい」

「今回の犯行でも、その痕跡が巧妙に消されているとは考えられませんか」

「君の話を聞いたかぎりでは、その可能性は低いといわざるをえない。何といったっけ、その愛人の名前」

「若山宏美です」

「その女性は、被害者と一緒にコーヒーを飲んだと証言しているわけだろう？　コーヒーを入れたのも、その女性らしい。事前に何か仕込んでおいたのなら、なぜその時には何も起きなかったのか。それが最大の謎だ。君はさっき、面白い推理を話していたね。コーヒーがおいしくなる粉だといって、被害者に予め毒物を渡しておくという手だ。推理ドラマのネタとしてなら悪くないが、現実の犯人が選ぶ方法ではない」

「そうでしょうか」

「犯人の身になって考えるといい。そんなことをいって毒物を渡して、彼がもし自宅以外のどこかで、それを使用したらどうなるだろう？　たとえば誰かと一緒にいて、これは妻から貰ったものだといって、コーヒーに入れてしまったらどうだ？」

薫は唇を嚙んだ。いわれてみれば、たしかにそのとおりだった。じつは彼女はこの推理を、ずっと捨てきれないでいたのだ。

「夫人が犯人だと考えた場合、少なくとも三つのハードルをクリアした仕掛けを用意していたことなる」湯川は指を三本立てた。「一つめは、毒を事前に仕掛けてあったことが発覚しないこと。そうでなければ、アリバイを作った意味がない。二つめは、毒を口にするのは必ず真柴氏だということ。仮に愛人を巻き込んだとしても、必ず真柴氏も殺害できなければ意味がない。そして三つめは、その仕掛けは短時間で用意できるものでなければならないことだ。北海道に行く前夜、その家ではパーティが行われたんだろ？　その時点で何かに毒を仕込んであったのなら、誰かが被害に遭う危険性がある。仕掛けたのは、その後だと思う」

すらすらと淀みなく語った後、彼は両手を広げた。

「お手上げだ。そんなトリックは考えつかない。少なくとも僕にはね」

「そのハードルは、そんなに困難なものでしょうか」

「僕には困難に思える。特に一つめのハードルを越えるのは容易ではない。夫人は犯人ではない、と考えたほうが合理的だ」

薫は吐息をついた。この人物がここまで断言するからには、やはり無理なのかもしれない、という気がしてきた。

その時、携帯電話が鳴りだした。湯川がコーヒーのおかわりを入れに行くのを横目で見ながら電話に出た。

「どこにいるんだ？」草薙の声が聞こえてきた。やや、語気が荒い。

「薬局の聞き込みです。亜ヒ酸の入手経路を調べろといわれたものですから。何かあったんですか」

「鑑識さんがやってくれた。コーヒー以外から毒が検出されたんだ」

薫は電話を握りしめた。「どこから見つかったんですか」

「ケトルだ。水を沸かす薬缶《やかん》だよ」

「あんなものから？」

「ごく微量だが、間違いないらしい。これから若山宏美に任意同行を求める」

「彼女に？」

「ケトルに彼女の指紋が付いていたからだ」

「それは当然じゃないですか。日曜の朝、コーヒーを入れたといってるんですから」

「わかっている。だから彼女には毒を仕込むチャンスがあったわけだ」

「見つかったのは、彼女の指紋だけですか」

「もちろん、被害者の指紋も付いていたさ」

「夫人はどうですか。指紋は見つかってないんですか」

草薙が大きくため息をつく音が聞こえた。

「あの家の主婦なんだから、指紋の一つや二つはついていたさ。だけど、最後に触れたのは夫人ではない。指紋の重なり具合から判明している。ついでにいえば、手袋を嵌《は》めた手で触った形跡もないらしい」

「手袋痕は必ず残るものではないと習いました」

「わかってるよ、そんなことは。とにかく状況から考えて、若山宏美以外に毒を入れられる人間はいないんだ。本庁で事情聴取するから、おまえも早く帰ってこい」

わかりました、と薫が答え終える前に電話は切られた。

「進展があったようだね」そういって湯川は、立ったままでコーヒーを飲んだ。

薫は電話の内容を話した。彼はコーヒーを飲みながら、頷くこともなく聞いていた。

「ケトルから検出されたか。それはかなり意外だな」

「やっぱり、私の考えすぎだったのかもしれません。日曜の朝、同じケトルを使って若山宏美はコーヒーを入れ、被害者と共に飲んでいます。つまりその時点では、ケトルに毒は仕込まれてなかったということです。真柴綾音に犯行は不可能ですね」

「さらにいえば、ケトルに仕込むという方法では、夫人には何のメリットもない。何のトリックにもならない」

どういう意味かわからず、薫は首を傾げた。

「君は今、夫人に犯行は不可能だと断言したが、それは事件が起きる前にケトルを使った人間がいるからだ。もしそういう人間がいなかったらどうだろう。夫人にも毒を仕込むチャンスがあったと警察は考えるんじゃないだろうか。つまり彼女としては、わざわざアリバイを作る意味がないことになる」

「あ……それはたしかに」薫は腕組みをし、項垂れた。「いずれにせよ、真柴綾音は容疑の対象から外れるということですね」

しかし湯川は、この問いかけに対しては答えず、じっと薫を見つめてきた。

「それで君は、今後どういうふうに方向転換するつもりだ？　夫人は犯人でないとするなら、草薙と同様に今度は愛人を疑うことになるのかな」

　薫は首を振った。

「それはないと思います」

「自信ありげだね。その根拠を聞かせてもらおうか。まさか、愛する男を殺すわけがない、というような理由じゃないだろうね」湯川は椅子に腰掛け、足を組んだ。

　薫は内心焦った。まさに今いわれたことを口にしようとしていたからだ。それ以外には、はっきりとした根拠などなかった。

　だが湯川の様子を見ているうちに、彼もまた若山宏美は犯人ではないと考えており、しかもはっきりとした根拠があるのかもしれないという気がしてきた。彼は事件について、彼女から聞いたことしか知らない。どこに、若山宏美がケトルに毒を仕込んだのではない、と確信するヒントがあったのか。

　あっ、と彼女は顔を上げた。

「どうした？」

「ケトルを洗います」

「何だって？」

「もし彼女がケトルに毒を仕込んだのだとしたら、警察が来る前にケトルを洗っておくと思います。死体を発見したのは彼女です。いくらでも時間はありました」

湯川は満足そうに頷いた。

「そういうことだ。付け加えれば、もしその女性が犯人なら、ケトルを洗うだけでなく、使ったコーヒーの粉やペーパーフィルターなども処分しておくだろう。そして死体のそばに、毒物を入れてあった袋か何かを残しておく。自殺に見せかけられるからね」

「ありがとうございます」薫は頭を下げた。「来てよかったです。どうもお邪魔いたしました」

ドアに向かいかけた彼女に、「ちょっと」と湯川が声をかけてきた。

「現場を見るのは難しいだろうから、写真があるといいな」

「何の写真ですか」

「毒入りコーヒーを入れたキッチンの写真だ。それから、押収したという食器やケトルの写真も見たい」

薫は目を見張った。「協力していただけるんですか」

湯川は顔をしかめ、頭を掻いた。

「暇な時、ちょっと考えてみてもいい。北海道にいる人間が東京にいる人間を毒殺することが可能かどうか」

「どうぞ」

薫は思わず相好を崩していた。ショルダーバッグを開け、中からファイルを取り出した。

「これは？」

「御注文の品です。今朝、自分で撮影したものです」

ファイルを開いた湯川は、小さくのけぞった。

「もし謎が解けたら、そのトリックを使って、君の爪の垢を煎じて飲ませたいものだね」彼は、おどけた顔でいった。「もちろん、草薙にだ」

10

草薙が若山宏美に電話をかけると、彼女は代官山にいるということだった。真柴綾音のパッチワーク教室があるらしい。

岸谷が運転する車に乗り、代官山に向かった。洒落た建物が並ぶ中に、タイル張りの白いマンションがあった。今時珍しく、オートロックではない。二人でエレベータに乗り、三階で降りた。三〇五号室のドアに、『アンズハウス』と書かれた札が出ていた。

インターホンのチャイムを鳴らすと、ドアが開けられた。若山宏美の不安そうな顔が覗いた。

「お忙しいところ、申し訳ありません」草薙は足を踏み入れた。じつは、と用件を切り出しかけたところで言葉を止めた。部屋の奥に真柴綾音の姿があったからだ。

「何かわかったんでしょうか?」綾音が近づいてきた。

「あなたもこちらにいらっしゃったのですか」

「これからのことなどを相談してたんです。それより、宏美ちゃんに何の用でしょうか。彼女から訊くことは、もう何もないと思うんですけど」

低く、落ち着いた声ではあったが、明らかに草薙を非難する響きがあった。憂いのある目で睨まれ、彼は萎縮しそうになった。

「状況に若干の進展がありまして」草薙は若山宏美のほうを向いた。「これから警視庁まで同行していただきたいのですが」

若山宏美は大きく目を見開いた。さらに、瞬きを繰り返した。

「どういうことですか」訊いたのは綾音だった。「どうして彼女が警察に行かなきゃいけないんですか」

「それは、今ここでは申し上げられません。——若山さん、同行していただけますね。大丈夫です。パトカーなんかで来ているわけじゃありませんから」

若山宏美は気弱そうな目で綾音を見た後、草薙のほうを向いて頷いた。

「わかりました。でも、すぐに帰していただけますよね」

「用件が済めば」

「じゃあ、支度します」

若山宏美は一旦奥に消えたが、間もなく上着とバッグを手にして戻ってきた。その間、草薙は綾音のほうを見ることが出来なかった。相変わらず睨まれているような気がしたからだった。

岸谷に促されるように、若山宏美は部屋を出ていった。草薙も続こうとしたが、「待ってください」と綾音に腕を摑まれた。意外に強い力だった。

「宏美ちゃんが疑われてるんですか。まさか、そんなことはないでしょう?」

草薙は困惑した。ドアの外では岸谷たちが待っている。

「先に行っててくれ」そういってから草薙は一旦ドアを閉め、綾音のほうを向いた。

「あ……ごめんなさい」彼女は摑んでいた手を離した。「でも、彼女が犯人だなんてこと、絶対にあり得ません。もし彼女を疑っているのだとしたら、とんでもない間違いです」

「我々は、あらゆる可能性を検討する必要があるんです」

綾音は強く首を横に振った。

「そんな可能性はゼロです。彼女が主人を殺すはずがありません。そんなこと、警察だってわかってるんじゃないんですか」

「どうしてですか」

「だって、あなただって御存じなんでしょう？　あの子と主人の関係については」

意表を突かれ、草薙は狼狽した。

「やはり、知っていたんですか」

「先日、そのことについて宏美ちゃんと話しました。私が主人との仲を問い詰めたんです。彼女は正直に認めました」

その時のやりとりを綾音は細かく話し始めた。その内容に草薙は息を吞む思いだったが、それよりも彼を驚かせたのは、そんなことがあったにもかかわらず、今日はこの部屋で二人が仕事について打ち合わせていたという事実だった。夫が死亡しているという事実があるからだろうが、草薙には彼女たちの心理が理解できなかった。

「札幌に帰ったのは、別れを切りだされたにもかかわらず、あの家に居続けるのが辛かったからです。嘘をついていて、申し訳ありませんでした」綾音は頭を下げた。「そういうことですから、あの子が主人を殺す理由なんて何ひとつないんです。どうか、疑わないでやってください」

懇願する彼女を見て、草薙は戸惑っていた。夫を寝取った女を、これほどまで真剣に庇えるものだろうかと思った。

「あなたのいっていることはよくわかります。ただ、我々は心情だけで判断するわけにはいかないんです。物的証拠に基づいて、客観的に取り組まねばならないんです」

「物的証拠？　宏美ちゃんが犯人だという証拠があるというんですか」綾音の目が険しくなった。

草薙は吐息をつき、しばし黙考した。若山宏美を疑う根拠を話しても、今後の捜査に支障はきたさないと判断した。

「毒の混入経路が明らかになったんです」草薙は、真柴家のケトルから毒物が検出されたこと、事件が起きた日に真柴家を訪ねた者が若山宏美以外には確認されていないことを綾音に話した。

「あのケトルから……。そうなんですか」

「絶対的な証拠というわけではありません。しかし、混入できるのが若山さんだけである以上、彼女を疑わないわけにはいかないんです」

「でも――」そういったきり、綾音は言葉を続けられない様子だった。

「急ぎますので、これで」草薙は頭を下げ、部屋を出た。

彼等が若山宏美を連れて警視庁に戻ると、早速間宮が取調室で事情聴取を始めた。通常ならば、捜査本部の置かれている目黒署で行うところだが、間宮は警視庁でやるといいだしたのだ。どうやら彼は、若山宏美が自供する可能性が高いと踏んでいるようだった。自供した場合は逮捕状を取り、そこで初めて目黒署へ連れていくわけだ。そうすれば犯人を逮捕して連行するというシーンを、マスコミに提供できるからだった。

草薙が自分の席で取り調べの結果を待っていると、内海薫が出先から戻ってきた。彼女は開口一番、若山宏美は犯人ではないといった。

その根拠を聞き、草薙はげんなりした。聞くに値しない話だったからではない。その逆だ。若山宏美が毒を入れたのであれば、死体発見後にケトルをそのままにはしておかないだろう、という説には説得力があった。

「じゃあ、彼女以外の誰がケトルに毒を仕込めたというんだ？　いっておくが、真柴綾音には不可能だぜ」

「どこの誰なのかはわかりません。日曜日の朝、若山宏美が出ていった後で真柴家に入った人間、としかいえません」

草薙は首を振った。

「そんな人間は一人もいないんだよ。あの日、真柴義孝は、ずっと一人きりだった」

「私たちが見つけられないだけかもしれません。とにかく、若山宏美の取り調べは無意味です。無意味なだけじゃなく、下手をすれば人権侵害になります」

いつも以上の強い語気に、草薙は一瞬たじろいだ。その時、彼の懐で携帯電話が鳴った。

何となく救われた思いで電話機を見て、はっとした。真柴綾音からの電話だった。

「お仕事中、どうもすみません。どうしてもお話ししておきたいことがあって……」

「何でしょうか」草薙は電話機を握りしめた。

「ケトルから毒が見つかった件ですけど、誰かがケトルに毒を入れたとはかぎらないと思います」

てっきり若山宏美を早く帰してやってほしいという頼みの電話だと思っていただけに、草薙は当惑した。

「どうしてですか」

「これは、もっと早くにお話しすべきだったのかもしれませんが、主人は非常に健康意識が強く、水道の水などはめったに口にしなかったのです。料理にはいつも、浄水器を通した水を使っていました。そのまま飲むのはペットボトルの水だけです。コーヒーを入れる時も、ペットボトルの水を使うようにいわれました。だから彼が自分でコーヒーを入れた際も、必ずそうしたと思うんです」

彼女のいいたいことがわかってきた。

「ペットボトルの水に毒を入れてあったと？」

草薙の声が聞こえたらしく、隣で内海薫が片方の眉を動かした。

「そういうことも考えられると思うんです。だから、宏美ちゃんだけを疑うのはおかしいです。だって、ペットボトルに毒を混ぜるんなら、ほかの人間にもチャンスがあったと思いますから」

「それはそうですが……」
「たとえば」真柴綾音は続けた。「私にだって可能でした」

11

若山宏美を自宅に送り届けるため、薫が車で警視庁を出たのは、午後八時を少し過ぎた頃だった。宏美が取調室にいたのは、約二時間だった。取り調べに当たった間宮としては、予定よりもはるかに短い時間だったはずだ。

早めに打ち切られた理由としては、やはり真柴綾音からの電話の影響が大きい。彼女によれば、夫の真柴義孝は、コーヒーを入れる時には必ずペットボトル入りの水を使用するように命じていたという。その話が本当ならば、たしかに毒を仕掛けられるのが若山宏美だけとはかぎらない。事前に水のほうに混入させておけばいいわけだ。

間宮も、自分がやったのではないと泣きながら主張するだけの宏美に対して、有効な攻め手が思いつかなかったらしく、今日のところは帰したらどうかという薫の進言に、渋々ながらも首肯《しゅこう》したのだった。

助手席の宏美は、ずっと押し黙ったままだった。彼女の精神が疲れ果てていることは、薫にも容易に想像できた。強面の刑事に詰問されれば、男でも恐怖と焦燥感で混乱することがある。泣くほどに昂ぶった感情がおさまるには、もう少し時間が必要かもしれなかった。いや仮に気持ちが落ち着いたところで、彼女のほうから話しかけてくることはないだろうと薫は思った。警察が自分のことを疑っていると知ったことで、自宅まで送ってくれる女性刑事に対しても、良い感情を持っていないに違いなかった。

突然、宏美が携帯電話を取り出した。どこからかかかってきたようだ。

はい、と小声で彼女は応答した。

「……ついさっき終わりました。今は車で帰っている途中です。……いえ、女性の刑事さんが送ってくださってるんです。……いえ、目黒警察署じゃなくて、警視庁からなので、もう少しかかるかもしれません。……はい、どうもありがとうございます」細い声でしゃべった後、宏美は電話を切った。

薫は息を整えてから口を開いた。

「真柴綾音さんからですか」

話しかけられたことで、宏美が身体を硬くする気配があった。

「そうですけど、それが何か？」

「さっき、草薙のところに電話があったんです。あなたのことを大層心配しておられたそうです」

「そうですか」

「あなたと真柴義孝氏とのことで、二人で話し合われたそうですね」

「どうしてそれを？」

「草薙が綾音さんから聞いたそうです。あなたを警視庁に連れていく時に」

宏美が何もいわないので、薫は素早く横目を走らせた。彼女は悄然としたように目を伏せていた。他人に知られて嬉しい話ではないだろう。

「こういう言い方は失礼かもしれませんが、とても不思議に思います。ふつうなら、いがみ合って当然なのに、あなた方は以前と変わらず接しておられるようです」

「それは……真柴さんが亡くなったからだと思いますけど」

「それにしても、というのが率直な感想です」

少し間を置いた後、そうでしょうね、と宏美はいった。現在の微妙な関係については、彼女自身にも説明ができない、というふうに受け取れた。

「二、三、伺いたいことがあるんですけど、構いませんか」

宏美が吐息をつく音が聞こえた。

「まだ何かあるんですか」げんなりしたような口調だ。

「お疲れのところを申し訳ありません。でも、簡単な質問です。あなたを傷つけるようなことではないと思います」

「何でしょうか」

「日曜日の朝、あなたと真柴さんはコーヒーを飲まれましたよね。そのコーヒーは、あなたが入れたということでした」

「またその話ですか」宏美の声が涙まじりになった。「あたし、何にもしてません。毒なんか、知りません」

「そうではなく、コーヒーの入れ方についてお尋ねしたいんです。その時あなたは、どこの水を使ったんですか」

「水？」

「ペットボトルの水を使ったか、水道の水を使ったか、という意味です」

ああ、と脱力したような声を彼女は漏らした。

「あの時は、水道の水を使いました」

「たしかですか」

「ええ。それが何か？」

「なぜ水道の水を使ったんですか」

「なぜって、特に深い理由はありません。温水から沸かしたほうが早いからです」

「その時、真柴さんは、その場にいらっしゃったのですか」

「いました。何度もいったじゃないですか。彼にコーヒーの入れ方を教えたって」涙声に苛立ちの響きが加わった。

「よく思い出してくださいね。コーヒーを入れる時ではありません。あなたがケトルに水道の水を入れる時、本当に真柴さんはそばにいましたか」

宏美が沈黙した。間宮から、さんざんいろいろなことを詰問されただろうが、このような質問はなかったに違いない。

「そうだ……」彼女は呟いた。「たしかにそうでした。お湯を沸かす時、彼はまだいませんでした。ケトルを火にかけていたら、キッチンにやってきて、手本を見せてくれっていわれたんです」

「間違いないですね」

「ええ、今、思い出しました」

薫は車を道路脇に寄せて止めた。ハザードランプを点けた後、身体を助手席のほうに捻り、宏美の顔を直視した。

「何ですか」宏美が臆したように身を引いた。

「コーヒーの入れ方は綾音さんから教わった、と前におっしゃってましたよね」

ええ、と宏美は頷いた。

「真柴綾音さんが草薙に、こういう話をされました。真柴義孝さんは健康志向で、水道の水は飲まない。調理の際は浄水器の水を使い、コーヒーを入れる時にはペットボトルの水を使うようにいわれていた——御存じでしたか」

宏美は一旦目を見開いた後、ぱちぱちと瞬きした。

「そういえば、以前、先生からそういう話を聞いたことはあります。でも、気にしなくていいともいわれました」

「そうなんですか」

「ペットボトルの水なんかを使ってたら不経済だし、沸かすのにも時間がかかるからって。でも、真柴さんに訊かれたら、ペットボトルの水を使っていると答えればいいと」宏美は自分の頰に手を当てた。「すっかり忘れてた……」

「つまり綾音さんも、じつは水道水を使っていたのですね」

「そうです。だからあの朝、あたしが真柴さんにコーヒーを入れる時も、特に迷うことはなかったんです」薫の目を見つめたまま、宏美はいった。

薫は頷き、口元を緩めた。

「よくわかりました。ありがとうございます」ハザードランプを消し、サイドブレーキを外した。

「あの……それがどうかしたんでしょうか。あたしが水道の水を使ったことが、何か問題なんですか」

「問題というわけではありません。御存じの通り、真柴義孝さんは毒物によって殺害された疑いが持たれています。だから真柴さんが口にしたものすべてについて、細かくチェックしておく必要があるんです」

「そうなんですか……。内海さん、信じてください。あたし、本当に何もしてないんです」

前を向いたまま、薫は唾を飲み込んだ。信じています、という言葉を思わず口にしそうになったからだ。刑事として、それは禁句だ。

「警察が疑っているのは、あなただけではありません。この世のすべての人間を疑っているといえます。いやな職業です」

期待していた返答とはまるで違っていたからか、宏美は再び黙り込んだ。

学芸大学駅のそばにあるマンションの前で車を止めた。車を降り、正面玄関に向かって歩いていく宏美を見送っていた薫は、その先に目をやり、あわててエンジンを切った。ガラスドアの向こうに真柴綾音が立っていたからだ。

宏美も綾音を見て、少し驚いた様子だ。そんな彼女に、綾音は労《いたわ》るような視線を向けていたが、薫が駆け寄ってきたことに気づき、目元を険しくした。それで宏美も振り返り、困惑の色を見せた。

「まだ何か？」そう訊いたのは宏美だ。

「真柴さんのお姿が見えたものですから、御挨拶をと思いまして」薫はいった。「遅くまで若山さんをお引き留めしてしまい、申し訳ありませんでした」頭を下げた。

「宏美ちゃんへの疑いは晴れたんですね」

「いろいろとお話を聞かせていただきました。真柴さんも、草薙に貴重な情報をくださったそうで、感謝いたします」

「お役に立てたのなら何よりです。でも、もうこんなことはこれっきりにしてくださいね。宏美ちゃんは無実です。彼女を問い詰めたって、何の意味もありません」

「意味があるかどうかは、こちらで判断いたします。どうか今後も御協力を御願いいたします」

「私は協力いたします。でも、宏美ちゃんを連れていくようなことはやめてください」

これまでの綾音のイメージに反したきつい口調だったので、薫は驚いて彼女を見返した。綾音は宏美のほうを向いた。

「宏美ちゃん、あなた、本当のことをいわないとだめよ。黙っていたら、誰もあなたのことを守ってくれないんだから。私のいっている意味、わかるわね？　警察なんかに何時間もいたら、身体に障るでしょ？」

その言葉に、宏美の表情がさっと強張った。秘めていた何かをいい当てられたような表情だった。それを見て薫は、閃《ひらめ》いたことがあった。

「もしかするとあなたは……」薫は宏美を見つめた。

「今ここで打ち明けたらどう？　幸い女性の刑事さんだし、私だってわかっていることだから」

綾音がいった。

「先生は……真柴さんからお聞きになったんですか」

「聞いてない。でもわかる。私だって女なのよ」

もはや彼女たちが何のことを話しているのか、薫には明白だった。だが確認はしておかねばならない。

「若山さん、あなたは妊娠しておられるんですか」単刀直入に訊いた。

宏美は躊躇《ちゅうちょ》する様子を見せたが、やがて小さく頷いた。「二か月です」

薫の視界の端で、綾音の身体がぴくりと動いた。それで薫は、彼女が真柴義孝から聞いていたわけではないということを確信した。本人がいうように、女性特有の直感で悟っていただけなのだ。だからその直感が的中していたことを宏美の口から聞き、覚悟していたとはいえ、やはり少なからずショックを受けたのだ。

だが次の瞬間には、綾音は気丈な顔つきで薫のほうに向き直った。

「これで納得していただけたかしら。今、宏美ちゃんは自分の身体を大切にしなければならない時期なんです。あなたも女性だからわかるでしょう？　警察で何時間も取り調べをするなんて、論外なんです」

薫は頷くしかなかった。実際、妊娠している女性の取り調べについては、様々な注意事項が設けられている。

「上に報告しておきます。今後は配慮させていただくことになると思います」

「是非お願いします」綾音は宏美を見た。「これでよかったのよ。隠してたら、病院に行くこともできないでしょ」

宏美は泣きだしそうな顔を綾音に向け、唇を動かした。その声は薫には聞こえなかったが、すみません、といったように見えた。

「もう一つ、いっておきたいことがあります」綾音がいった。「彼女のおなかの子の父親は真柴義孝です。だからこそ彼は、私と別れ、彼女を選ぶ決心をしたのだと思います。そんな彼を、おなかの子の父親を、彼女が殺すはずがないでしょう？」

薫は同感だったが、黙っていた。するとそれをどう解釈したのか、綾音は首を振りながら続けていった。

「警察の人の考えていることが、私にはさっぱりわかりません。彼女には動機なんてないんです。それがあるのは、むしろ、この私です」

薫が警視庁に戻ると、草薙と間宮はまだ残っていて、自販機のコーヒーを飲んでいた。どちらも冴えない顔つきだった。

「若山宏美は、水のことをどういってた?」薫の顔を見るなり、草薙が訊いてきた。「真柴義孝にコーヒーを入れてやった時のことだ。訊いたんだろう?」

「訊きました。水道の水を使ったそうです」

薫は宏美から聞き出した内容を二人に話した。

間宮が唸った。

「だからその時には、コーヒーを飲んでも異状がなかったというわけか。ペットボトルに毒が入れられていたとしても、話の辻褄は合う」

「若山宏美が本当のことをいっているとはかぎりません」草薙がいう。

「それはそうだが、矛盾がない以上、追及する材料にはならん。鑑識さんたちが、もう少しはっきりとした答えを出してくれるのを待つしかないな」

「鑑識にペットボトルのことを問い合わせたんですか」薫は訊いた。

草薙が机の上にあった書類を手に取った。

「鑑識によれば、真柴家の冷蔵庫には、水のペットボトルが一本だけ入っていて、すでに蓋を開けられていたらしい。もちろん中身を調べたという回答だ。そして、亜ヒ酸は検出されていない」

「そうなんですか。でも今、係長は、鑑識はまだはっきりとした答えを出していないようなことを」

「話は、そう簡単じゃないんだ」間宮が口をへの字にした。

「といいますと」

「冷蔵庫に入っていたペットボトルは一リットル容器だった」書類に目を落としながら草薙がいった。「で、残っていた水の量は約九百ミリリットル。わかるだろう？　まだ開けたばかりだ。減っているのは百ミリリットル。これだけじゃあ、一杯のコーヒーを入れるにも少なすぎる。しかもドリッパーに残っていた使用済みのコーヒーの粉は、どう見ても二杯分の量があった」

草薙のいいたいことが薫にもわかった。

「その前にもう一本、水のペットボトルがあったということですね。それを使いきったので、新たにペットボトルを開けた。それが冷蔵庫に残っていた分」

「そういうことだ」草薙は頷いた。

「毒が入れられていたのは、そちらのペットボトルだったかもしれないわけですね」

「犯人としては、当然そうせざるをえないわけだ」間宮がいった。「毒を混入させる目的で冷蔵庫を開ける。中にはペットボトルが二本入っていた。そのうちの一本は新品だ。そちらに入れるには、蓋を開けなければならない。そんなことをすれば、被害者に気づかれるおそれがある。そこで、すでに蓋の開いているほうに入れる」

「じゃあ、空のペットボトルを調べればいいんじゃないですか」

「もちろんそうだ」草薙が書類をひらひらさせた。「鑑識さんたちも、一応調べたそうだ。一応、ね」

「何か問題が？」

「回答はこうだ。真柴家から見つかったすべての空きペットボトルについて検査を実施したが、亜ヒ酸は検出されなかった。しかし、犯行に使用されなかったことを保証するものではない」

「何ですか、それ」

「要するに、まだよくわからんのだ」間宮が横からいった。「ペットボトルから採取できた残留物が少なすぎるらしい。まあ、当たり前のことだ。そもそも空の容器なんだからな。科捜研に回せば、もう少し精密な分析も出来るそうだから、その結果待ちということだ」

薫にも、ようやく事情が呑み込めた。二人の表情が冴えない理由もわかった。

「仮にペットボトルから検出されたとしても、状況にあまり変わりはないと思いますがね」書類を戻しながら草薙がいった。

「そうでしょうか。容疑者の幅は広がると思いますけど」

反論する薫に、草薙は見下すような視線を向けてきた。

「係長の話を聞いてなかったのか。もし犯人がペットボトルに毒を入れたのだとしたら、すでに蓋の開いていたほうだ。で、被害者はその水を、コーヒーを入れる時まで飲まなかったんだぜ。つまり、毒物混入から被害者の死亡まで、さほど長い時間は経っていないということになる」

「被害者が水を飲まなかったからといって、時間が経っていないとはかぎらないと思います。喉が渇いても、ほかに飲むものはいくらでもあるわけですし」

するとと草薙は、勝ち誇ったように鼻の穴をわずかに膨らませた。

「忘れているようだけど、真柴氏がコーヒーを入れたのは、日曜の夜だけじゃない。土曜の夜も、自分で入れている。若山宏美がそういってただろ。その時のコーヒーが苦すぎたので、翌朝、彼女が真柴氏の前で入れて見せたんだ。つまり土曜の夜の時点では、ペットボトルに毒は入っていなかったということになる」

「土曜の夜にコーヒーを入れた時、真柴氏がペットボトルの水を使ったとはかぎりません」

薫がいうと、草薙は大きく後ろにのけぞった。さらに両手を横に広げた。

「大前提を覆す気か。真柴氏は、自分でコーヒーを入れる際には必ずペットボトルの水を使う、という話が夫人から出てきたから、こうして話し合っているんじゃないか」

「必ず、という言葉にとらわれるのは危険だと思います」薫は口調を平坦に保ちつつ続けた。「真柴氏本人が、どこまで徹底していたかは不明です。そういう習慣があった、という程度なのかもしれません。夫人にしろ、真柴氏の指示を忠実に守っていたわけではないんです。特に、真柴氏は自分でコーヒーを入れるのは久しぶりでした。うっかり水道水を使ったとしても不思議ではありません。あそこの水道には浄水器がついていますから、その水を使ったのかもしれません」

草薙は大きく舌打ちした。

「自分の考えを押し通すために、都合よく理屈をこねまわすのはやめろよ」

「私は客観的事実から判断すべきだといってるんです」彼女は先輩刑事から上司に視線を移した。「真柴家にあったペットボトルの水を、いつ誰が最後に飲んだか、それが明らかにならないかぎり、毒物混入のタイミングを特定することはできないと思います」

間宮は、にやにや笑いながら顎を擦った。

「議論というのは大事だな。俺も最初は草薙と同意見だったが、二人のやりとりを聞いているうちに、ホープの側にまわりたくなってきた」

「係長」草薙が、やや傷ついた顔をした。

「しかしだ」間宮は真顔になって薫に目を向けてきた。「タイミングについては、ある程度は特定できる。金曜の夜に真柴家で何が行われたかはわかっているな?」

「わかっています。ホームパーティです」薫は答えた。「その時には、おそらくペットボトルの水を何人かが口にしたと思います」

「つまり、混入されたとしたら、その後だ」間宮は人差し指を立てた。

「同感です。でも、猪飼夫妻には、混入のチャンスはなかったと思われます。彼等が誰にも気づかれることなくキッチンに入ることなど、おそらく不可能だったでしょうから」

「そうなると、怪しいのは二人か」

「待ってください」草薙があわてた様子で口を挟んできた。「若山宏美はともかく、真柴夫人を疑うのは変です。被害者がコーヒーを入れる際にはペットボトルの水を使うという情報は、彼女によるものなんですよ。なぜ犯人が、自分に疑いが向くようなことを、わざわざするんですか」

「どうせばれることだから、ではないでしょうか」薫はいった。「時間の問題でペットボトルの空き容器から毒物が検出されると予想したとすれば、先に自分からいっておいたほうが嫌疑を免れやすい——そう計算したと考えることは可能です」

草薙は、げんなりしたように唇の端を曲げた。

「おまえと話をしていると頭がおかしくなりそうだ。何が何でも夫人を犯人にしたいらしいな」

「いや、なかなか論理的だぞ」間宮がいった。「冷静な意見だと思う。毒物の残ったケトルを処分しなかった点など、若山宏美を犯人と考えるには、いろいろと矛盾が多い。動機の面からいっても、やはり一番怪しいのは真柴綾音だ」

しかし、と草薙が反論しようと思った時、「動機といえば」と薫が先に切りだした。

「夫人の動機を一層強める事情というのを、つい先程聞きました」

「誰からだ」間宮が尋ねる。

「若山宏美からです」

薫は、宏美の身体に起きている異変について、そんなことはおそらく想像もしていなかったであろう二人の男に、説明し始めた。

12

猪飼達彦は立ったままで左手に携帯電話を握っていた。その電話が通話中であるにもかかわらず、もう一方の手で固定電話の受話器を持っていた。その相手に話しかけている。

「だから、そういう処理はそっちでやってもらいたいということなんです。契約書の第二項に、そのことを明記したはずです。……ええ、もちろんその点に関しては、こっちで何とかします。……わかりました。よろしくお願いします」受話器を置いた後、左手の携帯電話を耳に当てた。「すまなかった。さっきの話だけど、今、先方には話をつけた。……うん、じゃあ、先日の打ち合わせ通りに頼む。……うん、了解」

電話を終えた猪飼は、腰を下ろすこともなく、机の上で何かをメモし始めた。社長用の机――少し前まで真柴義孝が使っていた机だ。

そのメモをポケットに入れた後、猪飼は顔を上げ、草薙のほうを見た。

「どうも、お待たせしました」

「お忙しそうですね」

「雑用ばかりですよ。突然社長がいなくなったものだから、各方面の指揮官が右往左往しちゃってる。真柴のワンマン体制には以前から不安を抱いていたんですが、もっと早くに改善させておけばよかった」ぼやきながら猪飼は、草薙の向かい側に腰を下ろした。

「当面は猪飼さんが社長代理を？」

草薙の問いに、とんでもない、と猪飼は顔の前で手を振った。

「経営者なんてのは柄じゃない。人間には向き不向きというのがある。僕は黒衣《くろご》役が得意でね。いずれ、誰かに任せるつもりです。だから――」猪飼は草薙を見て続けた。「僕が会社を乗っ取る目的で真柴を殺した、なんていう推測も成り立たないわけです」

草薙が目を見開いたのを見て、彼は苦笑した。

「失礼。冗談です。しかも、質の悪い冗談でした。友人を亡くしたというのに、それを実感する暇もないほど仕事に追われ、かなり苛々しているのが自分でもわかります」

「そんな時に、時間をとっていただいて申し訳ありません」

「いや、捜査の進捗状況は僕も気になっています。その後、進展はあったんですか」

「徐々に明らかになってきていることはあります。たとえば毒物が混入された経路とか」

「興味深いですね」

「真柴さんは健康意識が強く、水道水を飲まなかったということは御存じですか」

草薙の質問に、猪飼は首を傾げた。

「それは健康意識が強いというのかな。僕だって、そうですよ。生水なんて、ここ何年も飲んでない」

さらりといわれ、草薙は拍子抜けした。金持ちにとっては当然のことらしい。

「そうなんですか」

「いつの間に、こんなふうになってしまったのかと自分でも不思議に思いますがね。特に水道の水がまずいと思ったことはないんですが。メーカーに踊らされているのかもしれません。まあ、習慣というやつです」猪飼は何かに気づいたような顔で顎を上げた。「もしかすると水に毒物が？」

「まだ確認できていませんが、その可能性があります。ホームパーティの時、ミネラルウォーターはお飲みになりましたか」

「もちろん飲みましたよ。たっぷりとね。ふうん、水か」

「真柴さんは、コーヒーを入れる際にも、ペットボトルの水を使っていたという情報があります。御存じでしたか」

「そういう話を聞いたことはありますね」猪飼は頷きながらいった。「なるほど、それでコーヒーから毒物が検出されたというわけか」

「問題は、犯人がいつ毒を入れたのか、ということになります。そこでお伺いしたいのですが、休日に真柴さん宅を、密かに訪ねるような人物に心当たりはありませんか」

猪飼は、じろりと草薙を見た。言葉に込められたニュアンスを嗅ぎ取った顔だ。

「密かに、ですか」

「そうです。これまでのところ、訪問者は確認されておりません。しかし、誰にも気づかれずに訪問することは可能です。真柴さんが協力すれば」

「つまり、奥さんの留守中に、ほかの女性を連れ込んだ、とか？」

「そういう可能性も含めて、です」

猪飼は組んでいた足を下ろし、やや前のめりになった。

「腹を割って話してもらえませんか。捜査上の秘密もあるでしょうが、僕だって素人じゃない。無闇に口外したりはしませんよ。その代わりに、僕だって包み隠さずに話します」

何のことかわからずに草薙が黙っていると、猪飼は再びソファにもたれた。

「警察では、真柴に愛人がいたことは突き止めているんじゃないんですか」

草薙は当惑した。猪飼から、この話題が出ることは予期していなかった。

「あなたは何をどこまで御存じなんですか」慎重に探りを入れた。

「ひと月ほど前に真柴から打ち明けられたことがあるんです。そろそろ相手を替えることを考えている、という意味のことをね。どうやら、ほかに女が出来たらしいと睨んでいたんですが」猪飼は三白眼になった。「警察が、その程度のことを調べられないはずがない。調べたうえで、僕のところに来られている。違いますか」

草薙は眉の上を掻いた。苦笑いが出ていた。

「おっしゃる通りです。真柴さんには特別な女性がいました」

「その女性が誰かについては聞かないでおきます。心当たりはありますが」

「勘づいておられたというわけですか」

「消去法です。真柴はホステスには手を出さない。会社や仕事絡みの女性に対しても同様です。そうなると彼の周りには一人しか残らない」そういった後、猪飼は嘆息した。「しかし、やっぱりそうだったのか。女房には聞かせられない話だな」

「例の土日に、その女性が真柴さんの家を訪ねたことは、本人の供述からわかっています。我々が知りたいのは、その女性以外に、同様の関係を持っている相手はいなかったか、ということなんです」

「奥さんの留守中に、愛人二人を連れ込んだ？　それはまた豪気な話だ」猪飼は身体を揺すった。

「でもそれはありえない。真柴はチェーンスモーカーだったけど、二本の煙草を口にくわえるやつじゃなかった」

「どういう意味ですか」

「次々と相手を取り替えるけど、同時に二人と付き合うことはしなかった、という意味です。おそらく愛人が出来て以来、奥さんとはなかったんじゃないかな。所謂、夜の営みというやつが。欲望のためだけにセックスをするのは、もう少し歳をとってからにする、といってましたから」

「つまり子作りが目的だと？」

「ある意味、真っ当といえますがね」猪飼は口元を歪めた。

若山宏美が妊娠している、という話を草薙は思い出した。

「あなたのお話を伺っていると、奥さんと結婚したのも、子供を作るのが第一の目的だったように聞こえますね」

草薙がいうと、猪飼は大きくのけぞるような格好をし、そのままソファにもたれた。

「第一の目的じゃなくて、唯一の目的です。彼は独身時代から、一日でも早く子供がほしいとよくいってました。そのためのパートナーを探すことに熱心でもありました。いろいろな女性と付き合って、世間からはプレイボーイのように思われていたかもしれませんが、実際はふさわしい女性を真剣に求めていたんです。自分の子供の母親として、ふさわしい女性をね」

「自分の妻としてふさわしいかどうかは、どうでもよかったということですか」

すると猪飼は肩をすくめるしぐさをした。

「真柴は、奥さんなんかはほしくなかったんです。さっき、そろそろ相手を替えることを考えているると彼から打ち明けられた話をしましたが、その時、こんなふうにもいってました。子供を産んでくれる女が必要なのであって、家政婦や高価な置物がほしいわけじゃないと」

草薙は思わず目を見開いた。

「世の女性たちが聞いたら総攻撃を受けそうですね。家政婦というのもどうかと思いますが、置物とは……」

「それは、僕が綾音さんの献身ぶりを褒めた言葉に対するものです。彼女は主婦として完璧だった。外での仕事はすべて辞め、家事に専念していました。真柴が家にいる時は、リビングルームのソファに座り、パッチワークをしながら、いつでも夫の世話ができるように待機していたんです。ところが彼は、そういう点を評価しない。子供を産めない女がソファに座っていても、置物と同じで邪魔なだけ、という考えだったようです」

「……ひどい言い方だ。どうしてそんなに子供がほしかったんでしょうか」

「さあねえ、僕も子供がほしくなかったわけではないけれど、彼ほどではなかった。実際生まれてくると、かわいくて仕方がないんですがね」最近、父親になったばかりの猪飼は、親馬鹿の笑みを浮かべた。それを一旦消してから、続けた。「ただ、彼の育ちが影響しているのは間違いないかもしれない」

「といいますと？」

「真柴に、親戚や家族の類がいないことは、警察でも調べているでしょう？」

「それは、そのように聞いています」

猪飼は頷いた。

「真柴の両親は、彼がまだ幼かった頃に離婚したそうです。しかも彼を引き取った親父さんは、かなり仕事熱心な人で、殆ど家に帰ることがなかった。それで彼は父方の祖父母に育てられたらしいです。ところがその祖父母も相次いで亡くなり、親父さんも、彼がまだ二十代の頃にクモ膜下出血で急死しています。そのせいで彼は早くから天涯孤独の身となったわけです。祖父母や父親が残した財産のおかげで、何不自由なく暮らせたし、自分で事業を興すことも可能でしたが、家族愛というものには縁がなかった」

「それで子供を……」

「血の繋がりがほしかったんじゃないか、と僕は考えています。どんなに愛し合っていたとしても、恋人や妻は、所詮赤の他人ですからね」猪飼の口調は冷めていた。もしかすると、彼自身も似たような考えを持っているのかもしれない。そのせいか、草薙の耳にも説得力を伴って聞こえた。

「真柴さんが綾音さんと出会った場に、あなたも居合わせた、と先日お聞きしたように思うのですが。何かのパーティで、とか」

「おっしゃる通りです。各種業界の人間が集まる社交パーティという名目ですが、じつのところは、それなりの肩書きを持った人間が、それなりの相手を探すためのお見合いパーティでした。

すでに僕は結婚していましたが、真柴に誘われて付き合うことにしたんです。彼は、顧客の義理で参加せざるをえなくなった、というようなことをいってました。そのくせ、結果的にはそこで出会った女性と結婚したわけだから、人生とはわからんものです。まあ、タイミングもよかったんでしょうが」

「タイミング、といいますと？」

草薙が訊くと、猪飼は少し気まずそうな顔になった。余計なことをいってしまった、という表情に見えた。

「彼には、綾音さんの前に付き合っていた女性がいたんです。その女性と別れた直後に、今お話ししたパーティがありました。前の女性との仲がうまくいかなかったことで、真柴に焦りの気持ちがあったんじゃないかと僕は想像しているわけですが」猪飼は人差し指を自分の唇に当てた。「このことは綾音さんには黙っててください。真柴にも口止めされていたことですから」

「その女性とは、何が原因で別れたんでしょうか」

さあね、と猪飼は首を傾げた。

「そういうことには干渉しないというのが、我々の暗黙のルールでした。子供が出来なかったからじゃないか、と僕は想像していますが」

「結婚していないのに、ですか」

「何度もいってるでしょ。彼にとっては、それが一番大事だったんです。世間で流行りの出来ちゃった結婚というのが、もしかしたら彼にとっては理想だったかもしれない」

だから若山宏美を選ぶことにしたわけか――。

世の中にはいろいろな男がいる。草薙も、そんなことはよくわかっているつもりだった。それでも彼には真柴義孝の気持ちが理解できなかった。たとえ子供がいなくても、綾音のような女性と一生暮らせるなら、それもまた幸せな人生ではないのか。

「真柴さんが以前付き合っていた女性とは、どういう人ですか」

猪飼は首を捻った。

「僕は、よく知らないんです。そういう女性がいるということを真柴から聞かされていただけで、紹介はしてもらえなかった。彼は秘密主義のところがあったから、結婚を決めるまでは公表しないと決めていたのかもしれません」

「その人とは円満に別れたんでしょうか」

「だと思いますがね。そのことについて彼とじっくり話したことはないんです」そういってから猪飼は、何かに気づいたように草薙を見つめてきた。「もしかして、その女性が事件に関わっているとか考えているんですか」

「そういうわけではありませんが、被害者のことは出来るだけ調べておこうと思いまして」

猪飼は苦笑しながら手を振った。

「もし、真柴がその女性を家に招き入れたかもしれないと考えておられるのなら、とんでもない見当違いだ。あいつはそんなことはしない。絶対にね。これは断言できます」

「真柴さんは二本の煙草を口にくわえる人ではないから……ですか」

「そういうことです」猪飼は頷いた。

「わかりました。参考にします」草薙は時計を見て立ち上がった。「お忙しいところ、ありがとうございました」

彼が出口に向かいかけると、猪飼が足早に追いついてきて、先にドアを開けてくれた。

「これは……恐縮です」

「草薙さん」猪飼が真剣な眼差しを向けてきた。「捜査のやり方に口出しする気はありませんが、一つだけお願いしたいことがあります」

「何でしょうか」

「真柴だって、聖人君子のような生き方をしてきたわけじゃない。調べれば、いろいろと出てくるでしょう。だけど、今回の事件に彼の過去が関係しているとは思えない。どうか、必要以上にほじくり返すことは御遠慮願いたいんです。会社にとって、非常に大事な時期なので」

どうやら会社のイメージダウンを恐れているようだ。

「何か摑んだとしても、マスコミに漏らしたりはしませんから、どうか御安心を」そういって草薙は部屋を出た。

胸に不快感が残っていた。もちろんそれは、真柴義孝という人物に対してのものだった。女性を子供を産む道具としてしか見ていないということに、心底腹が立った。おそらく、ほかのことでも、同様の歪んだ人間観を持っているに違いない。たとえば社員のことは、会社を動かす部品ぐらいにしか考えていなかっただろうし、消費者は搾取の対象に過ぎなかったのではないか。

そうした考え方が、これまでに多くの人間を傷つけてきたことは、容易に想像がついた。となれば、彼を殺したいほど憎んでいた人間が一人や二人はいても不思議ではない。

若山宏美にしても、まだ容疑が晴れたわけではない。おなかの子の父親を殺すわけがない、というのが内海薫の意見だが、猪飼の話を聞いていると、そう決めつけるのは早計だという気がした。真柴義孝は綾音と別れて若山宏美と結ばれる気でいたようだが、それは彼女が妊娠したからであって、彼女のことを愛していたからではない。したがって、どんな利己的な提案がなされたかはわからず、それによって彼女の恨みを買ったということも十分に考えられるのだ。

とはいえ、第一発見者でありながら毒物の痕跡を消さなかったのは不自然だ、という内海薫の指摘に対しては、草薙も反論できなかった。うっかりしていた、と考えるには無理がある。

とりあえず、真柴義孝が綾音と出会う前に付き合っていた女性を突き止めてみよう、と草薙は思った。その手順について考えを巡らせながら真柴の会社を出た。

真柴綾音は虚をつかれたように目を見開いた。黒目が細かく揺れるのを草薙は認めた。やはり動揺させたようだ。

「主人の以前の恋人……ですか」

「不愉快な質問で、本当に申し訳ないです」彼は座ったまま頭を下げた。

綾音が宿泊しているホテルのラウンジに二人はいた。草薙が電話をかけ、尋ねたいことがあるので会ってほしいと頼んだのだ。

「それが事件と何か関係があるんでしょうか」

彼女からの問いに、草薙は首を振った。

「まだ何もわかりません。御主人が何者かによって殺害された可能性が高い以上、動機のある人間を見つける必要があります。そこで過去に遡って調べてみようというだけのことです」

綾音は唇をわずかに緩めて草薙を見つめてきた。寂しそうな微笑だった。

「あの人のことだから、どうせろくな別れ方をしていないだろう、と考えておられるんですね。私の場合と同様に」

「いえ……」そういうわけではない、といいかけて彼は一旦口をつぐんだ。改めて彼女を見ていった。「御主人は、自分の子供を産んでくれる女性を探していた、という情報があります。そういう考え方をする男性は、度が過ぎると相手を傷つけるおそれがあります。で、傷つけられた相手が、今度はその男性を憎むということもありえます」

「私みたいに、ですか」

「いや、あなたは」

「いいんです」彼女は頷いた。「内海さんでしたっけ。あの方からお聞きになったでしょ。宏美ちゃんはついに、真柴の望みを叶えることに成功していたんです。だから彼は彼女を選んだ。私を捨てることにした。そのことで彼を全く恨んでいないといえば、やっぱり嘘になります」

「あなたに犯行は不可能です」

「そうでしょうか」

「今のところ、ペットボトルからは何も検出されていません。やはりケトルに仕込んであったと考えるのが一番妥当です。あなたにはできない」草薙は一気に話した後、一呼吸置いてから再び口を開いた。「日曜日に、何者かが真柴家を訪れて毒を仕込んだ。それしか考えられないのです。無断で侵入したとは思えませんので、御主人が招き入れるような相手ということになる。ところが仕事関係では、そういう人物の名は上がってこない。極めて個人的な間柄にあり、あなたの留守中に、こっそりと招いたとなれば、自ずから人物像は限られてくるように思います」

「つまり愛人とか元恋人、ということになるわけですか」彼女は前髪をかきあげた。「でも困りましたね。私、そういうことについては、真柴からは一切聞いておりませんので」

「どんな些細なことでもいいんです。会話の中に、ちらっと出てくるようなことはありませんでしたか」

さあ、と彼女は首を傾げた。

「昔のことは、殆ど話さない人だったんです。そういう意味では慎重派だったのかもしれません。レストランやバーなんかも、別れた相手と行った店には二度と行かなかったみたいです」

「そうなんですか」草薙は落胆した。デートに使った店を当たることも考えていたからだ。

真柴義孝が慎重派だったというのは事実かもしれない。自宅やオフィスの所持品からは、若山宏美以外の女性の存在を匂わせるものは見つかっていなかった。携帯電話に登録してあったのも、仕事関係を除けば、すべて男性の番号だった。じつは若山宏美の番号さえも登録されてはいなかったのだ。

「すみません、お役に立てなくて」

「いや、あなたに謝っていただくことではありません」

でも、と綾音がいいかけた時、傍らに置いたバッグから着信音が聞こえてきた。彼女はあわてて取り出し、「出てもいいですか」と訊いてきた。もちろん、と草薙は答えた。

「はい、真柴ですけど」

落ち着いた表情で電話に出た綾音だったが、次の瞬間、ぴくりと睫を動かしていた。やや緊張の面持ちで草薙を見つめてきた。

「ええ、それは構いませんけど、まだ何か……。あ、そうなんですか。はい、わかりました。よろしくお願いいたします」彼女は電話を切った後、しまったというように口元を覆った。「草薙さんがここにいらっしゃること、いったほうがよかったのかしら」

「どこからの電話だったんですか」

「内海さんです」

「あいつが？　何をいってましたか」

「これからキッチンの再検証をしたいので、家の中に入っても構わないか、という問い合わせでした。大したことではない、というお話でしたけど」

「再検証……。あいつ、一体何をする気なのかな」草薙は顎の先を触り、斜め下に視線を落とした。

「やっぱり、毒がどんなふうに仕込まれていたのかを、お調べになるんでしょうね」

「そうだと思いますが」草薙は腕時計を見た後、テーブルの伝票を手にした。「自分も様子を見に行ってみますよ。構いませんよね」

「もちろんです」綾音は頷いた後、何かを思いついた顔になった。「あの……お願いしたいことがあるんですけど」

「何でしょう」

「こんなことをお頼みするのは、本当に失礼だとは思うんですけど」

「何ですか。遠慮なく、おっしゃってください」

じつは、と彼女は顔を上げた。

「花に水をやらなければと思ってるんです。最初は、ホテル暮らしも一日二日のことだと思っていたんですけど……」

ああ、と草薙は合点して頷いた。

「不自由な思いをさせてしまい、こちらこそ心苦しく思っています。でも、もう御自宅をお使いになっても構わないはずです。鑑識作業は終わっていますから。その再検証とかいうのが終わったら、お知らせしますよ」

「いえ、それはいいんです。自分の意思で、もうしばらくここにいることにしたんです。あの広い家で一人きりでいるというのは、想像しただけでも何だか辛くって」

「そうかもしれませんね」

「いつまでも逃げているわけにはいかないと思うんですけど、主人の葬儀の日程が決まるまでは、と今は考えています」

「御遺体は、間もなくお返しできると思います」

「そうですか。それなら準備を始めなきゃ……」そういってから綾音は瞬きした。「それで花のことなんですけど、明日あたり、荷物を取りに戻るついでに水をやってこようと思っていたんです。でも本当は、なるべく早くやりたいんですよね。ずっと気になっているんです」

彼女のいいたいことがわかった。草薙は自分の胸を叩いた。

「わかりました。そういうことでしたら、こちらでやっておきます。庭とベランダの花ですね」

「構いませんか？　本当に図々しいことをお願いしていると思うんですけど」

「捜査に協力していただいてるんですから、当然のことです。どうせ手の空いてる者もいるでしょう。任せてください」

草薙が腰を上げると、綾音も立ち上がった。真っ直ぐに彼の顔を見つめてくる。

「あの家の花は、枯らしたくないんです」切実な思いが込められているような口調だ。

「大事にしておられるみたいですね」札幌から帰ってきた日も、彼女が花に水をやっていたことを草薙は思い出した。

「ベランダの花は、私が独身時代から育てているものなんです。一つ一つに、いろいろな思い出があります。だから今度のことで、それさえも失いたくないんです」

一瞬遠くを見つめた綾音の瞳が、次には草薙に向けられていた。心を引き寄せられるような光を放っていて、彼は正視できなくなった。

「しっかりと水をやっておきます。どうか御心配なく」草薙はそういい、レジカウンターに向かった。

ホテルの前でタクシーを拾い、真柴家に向かった。綾音が最後に見せた表情が、脳裏に焼き付いて離れなかった。

ぼんやりと車窓の外に向けられていた草薙の目が、建物の看板を捉えた。ホームセンターの看板だった。不意に思いついたことがあった。

「すみません。ここで降ります」彼はあわてて運転手にいった。

ホームセンターで急いで買い物をした後、再びタクシーを拾った。目的のものが見つかったことで、何となく浮き浮きした気分になっていた。

真柴家の近くまで行くと、家の前にパトカーが止まっているのが見えた。物々しいな、と草薙は思った。この調子では、いつまで経っても、この家は世間から好奇の目で見られ続けるだろうと予想できた。

門のそばに一人の制服警官が立っていた。事件発生直後にも見張り役をしていた警官だ。向こうも覚えていたらしく、草薙を見て、黙って頭を下げてきた。

屋敷に入ると、靴脱ぎに三足の靴が並んでいた。内海薫のスニーカーには見覚えがある。あとの二足は男物だが、一方がくたびれた安物なのに対して、もう一方は新しく、しかもアルマーニの文字が見えた。

草薙はリビングルームに向かって廊下を進んだ。ドアが開いていたので中に入ったが、人影はない。やがてキッチンから男の声が聞こえてきた。

「たしかに手を触れた形跡はないな」

「そうでしょう？　鑑識の見解も、少なくとも一年以上は触られていない、というものでした」

応じているのは内海薫の声だった。

草薙はキッチンを覗いた。流し台の前で、内海薫と一人の男がしゃがみこんでいる。下の扉を開けているので、男の顔は見えない。二人のそばには岸谷が立っていた。

その岸谷が気づいた。「あっ、草薙さん」

内海薫が振り向いた。狼狽の色が浮かんでいた。

「何をしてるんだ？」草薙は訊いた。

彼女は瞬きした。「どうしてここに……」

「俺の質問に答えろよ。ここで何をしてるんだと訊いてるんだ」

「仕事に熱心な後輩に向かって、そういう言い方はないんじゃないか」声が聞こえた。流し台の下を覗き込んでいた男が、扉の上から顔を出した。

草薙は驚き、一瞬たじろいだ。相手は、彼のよく知っている人物だった。

「湯川、なんでおまえが……」そう尋ねてから、内海薫に目を移した。「俺に内緒で、こいつに相談したのか」

彼女は黙って唇を噛んでいる。

「おかしなことをいうじゃないか。内海君が誰かと会うのに、いちいち君の承諾を得なきゃいけないのかい？」湯川は立ち上がり、草薙を見て、にっこりと笑った。「久しぶりだな。元気そうで何よりだ」

「警察の捜査には協力しないんじゃなかったのか」

「基本的に、その考えに変わりはない。ただし、時には例外というのがある。科学者として興味が湧く謎を示された時などだ。まあ、今回に限れば、ほかにも理由がないわけじゃないが、君に話す必要はないだろう」湯川は意味ありげな視線を内海薫に送った。

草薙も彼女のほうを見た。

「再検証というのは、このことだったのか」

内海薫は、はっとしたように口を半開きにした。「夫人から聞いたんですか」

「ちょうど俺が夫人と話している時、おまえから電話がかかってきたんだ。そうだ、大事なことを忘れるところだった。——岸谷、おまえ、手が空いてるみたいだな」

急に名前を呼ばれ、後輩刑事は、びんと背筋を伸ばした。

「湯川先生の検証に立ち会うよういわれているんです。内海一人だと、話を聞き漏らすこともありますから」

「それは俺が代わりに聞いておくよ。おまえは、庭の花に水をやってくれ」

岸谷は瞬きを数回繰り返した。「水撒き、ですか」

「捜査をやりやすいよう、夫人の好意で屋敷を空けてもらっている。それぐらいのことはしたって罰は当たらないだろ？　庭だけでいいよ。二階のベランダは俺がやるから」

岸谷は不満そうに眉根を少し寄せながらも、わかりました、といってキッチンを出ていった。

「さてと、じゃあ悪いけど、再検証の内容を最初から話してもらおうか」草薙は提げていた紙袋を床に置いた。

「それ、何ですか」内海薫が訊いてきた。

「この件には関係ないから気にするな。それより、説明してくれ」湯川を見つめながら草薙は腕を組んだ。

湯川は、これまたアルマーニと思われるパンツの両ポケットに親指を引っかけ、流し台にもたれかかった。その手には手袋がはめられている。

「僕が、この若き女性刑事から出された問題は次のようなものだ。離れた場所にいて、ある特定の人物が口にする飲み物に毒物を混入させることは可能か。しかも予め施された仕掛けについては、その痕跡が残ってはならない。いやはや、これほどの難問は、物理学の世界でもなかなかない」彼は肩をすくめた。

「離れた場所にいて……か」草薙は内海薫を睨んだ。「相変わらず、夫人を疑っているわけか。夫人を犯人と決めつけて、どんな魔法を使えば可能かを湯川に相談したということだな」

「疑っているのは夫人だけではありません。土曜と日曜のアリバイがある人間には本当に犯行が不可能なのかどうかを確認したかっただけです」

「同じことじゃないか。狙いは夫人だろ」草薙は湯川に目を戻す。「で、何のために流し台の下を覗いてたんだ」

「内海君の話によれば、問題の毒物は三箇所から見つかっている」湯川は手袋をはめたまま、指を三本立てた。「まず被害者が飲んだコーヒー。次に、そのコーヒーを入れるのに使用したコーヒーの粉やフィルター。最後に、湯を沸かすために使ったケトルだ。ところが、その先がわからない。可能性は二つだ。毒をケトルに直接入れたか、水に混入させてあったかだ。水だとすれば、どこの水か。ここでも可能性は二つ。ペットボトルの水か、水道水か」

「水道水？　水道管にでも仕掛けたというのか」草薙は、ふんと鼻を鳴らした。

湯川は表情を変えずに続けた。

「可能性が複数ある場合、消去法を用いるのが最も合理的だ。水道や浄水器に異状がないことは鑑識でも確認されているらしいが、自分の目で見てみないことには納得できないたちでね。そこで流し台の下を調べていた。水道に仕掛けを施すとすれば、ここしかないからね」

「それで、どうだった？」

湯川は、ゆっくりと首を横に振った。

「水道管、浄水器の分岐パイプ、フィルター、いずれにも仕掛けを施した痕跡はない。一応、すべて取り外して調べてみてもいいかもしれないが、おそらく何も出てこないだろう。そうなると、毒が水に混入されていたとすれば、その水はペットボトルに入っていたものだと断定できる」

「ペットボトルから、毒は検出されていない」

「科捜研からの報告はまだです」内海薫がいった。

「出ないよ。うちの鑑識だって能無しじゃない」草薙は組んでいた腕をほどき、腰に手を当てて湯川を見た。「それがおまえの結論なのか。わざわざ乗り出してきたわりには、しょぼい内容じゃないか」

「水については以上だよ。でもケトルについての検証はこれからだ。今もいっただろ。毒がケトルに直接入れられた可能性もある」

「それは俺の主張していることだ。だけどいっておくが、日曜の朝の時点では、何も仕込まれてなかった。若山宏美の言い分を信じれば、だけどな」

だが湯川はそれには答えず、流し台の横に置いてあったケトルを手にした。

「それは？」草薙は訊いた。

「今回の事件で使われたものと同じケトルだ。内海君が用意してくれた」湯川は水道の蛇口を開き、温水をケトルに注いだ。続いて、流し台に中の水を捨て始めた。「種も仕掛けもない、ふつうのケトルだ」

それから彼は改めてケトルに水を足し、隣のガスレンジで火にかけた。

「一体、何が始まるんだ？」

「まあ、見ていればわかる」湯川は再び流し台にもたれかかった。「君は、日曜日に犯人がこの家に上がり込み、ケトルに毒を仕込んだと考えているわけか？」

「それしか考えられないだろ」

「もしそうだとすると、犯人は極めてリスキーな方法を選んだことになる。犯人の訪問を、真柴氏が誰かに漏らすとは考えなかったのだろうか。それとも、真柴氏がちょっと外出した隙に忍び込んだという考えかな」

「侵入したとは考えにくい。犯人は、真柴氏がその訪問を人には話せないような人物だった、というのが俺の推理だ」

「なるほど。人に知られたくない相手というわけか」湯川は頷き、そのまま内海薫のほうを向いた。「君の先輩は、まだまだ理性的だ。安心した」

「どういう意味だ」草薙は、湯川と内海薫の顔を交互に見た。

「深い意味はない。お互いが理性的なら、意見の対立は決して悪いことではないといいたいだけだ」

相変わらず人をくったような口調で話す湯川を、草薙は睨みつけた。だが湯川のほうは、そんな視線など少しも気にならないとばかりに、にやにやしている。

やがてケトルの水が沸き始めた。湯川は火を止め、蓋を外して中を覗き込んだ。

「なかなかいい結果が出たようだ」彼は流し台の上でケトルを傾けた。

ケトルの口から出てきた液体を見て、草薙はぎくりとした。ただの水だったはずなのに、真っ赤に染まっているからだ。

「どういうことだ？」

湯川は流し台にケトルを置き、笑顔を草薙に向けた。

「種も仕掛けもないといったのは嘘だ。じつは赤い粉をゼラチンで覆って、ケトルの内側に張りつけておいた。水を沸かせばゼラチンが徐々に溶けて、おしまいには粉が水に混じりだすというわけだ」彼は真顔に戻り、内海薫に頷きかけた。「今回のケースでは、被害者が死ぬまでに、最低二回はケトルが使われたという話だったね」

「そうです。土曜の夜と日曜の朝に使われています」内海薫が答えた。

「ゼラチンの質や量によっては、二度の使用では毒物は溶け出さず、三度目に溶ける、ということも起こりうるかもしれない。鑑識で確認してもらったらどうかな。ケトルのどこに張りつけておくかも考える必要がある。また場合によってはゼラチン以外の材料も検討すべきだ」

わかりました、といって彼女は湯川の指示を手帳にメモし始めた。

「どうした、草薙君。なぜそんなに悄然としているのかな」湯川が揶揄《やゆ》する口調でいった。

「別に悄然となんてしていない。それより、そんな特殊な毒殺方法、ふつうの人間が思いつくかな」

「特殊な方法？　とんでもない。ゼラチンを使い慣れた人間なら、さほど難しいことじゃない。たとえば、料理自慢の奥さんとかね」

湯川の言葉に、草薙は思わず奥歯を噛みしめた。この物理学者は、明らかに、真柴綾音を犯人としてイメージしている。おそらく内海薫から何かを吹き込まれているのだろう。

その内海薫の携帯電話が鳴った。彼女は電話に出て、二言三言話した後、草薙の顔を見ていった。

「科捜研から報告が届いたみたいです。やはりペットボトルからは、何も検出されなかったそうです」

13

「黙禱してください」

司会者の指示に従い、若山宏美は目を閉じた。その直後、場内に音楽が流れ始めた。それを聞き、宏美は、はっとした。ビートルズの、『ザ・ロング・アンド・ワインディング・ロード』という曲だった。訳せば、「長くて曲がりくねった道」ということになるのだろうか。真柴義孝はビートルズが好きで、車の中でもよくCDをかけていた。中でも特にお気に入りだったのがこの曲だ。ゆったりとしたリズムで、どこか物悲しい響きがある。選曲したのは綾音だろうが、彼女のことを宏美は恨めしく思った。曲の持つ雰囲気は、この場に合いすぎていた。義孝とのことを思い出さずにはいられない。胸が熱くなり、もう枯れたと思っていた涙が、またしても閉じた瞼の間から滲みそうになる。

もちろんこの場で泣くわけにいかないことは、宏美にもわかっていた。故人と直接関わりのない女が号泣していたら、周囲が変に思うだろう。いやそれ以上に、綾音に涙を見せてはならないという思いが強かった。

黙禱が終わると、献花式が始まった。参列者が順番に、祭壇に花を供えていく。義孝が無宗教だったことから、こうした形式を綾音が選択したらしい。彼女は祭壇の下手に立ち、献花を終えた人々に頭を下げている。

義孝の遺体が警察から斎場に運ばれたのは昨日のことだ。それに合わせて、猪飼達彦が今日の献花式を段取りしたらしい。通夜に相当するそうで、明日はもう少し豪華な社葬になる予定だという。

宏美の順番がきた。係の女性から花を受け取り、祭壇に並べた。遺影を見上げ、手を合わせた。よく日焼けした義孝が笑っている写真だった。

涙を堪えねば、と思った直後のことだ。胸からこみ上げてくるものがあった。悪阻《つわり》だ。彼女は合わせていた手で、思わず口元を押さえた。

不快感に耐えながら、その場を離れた。だが顔を上げた瞬間、ぎくりとした。すぐ前で綾音が待っていた。感情を押し殺した顔で、じっと宏美を見つめている。

宏美は会釈し、通り過ぎようとした。

「宏美ちゃん」綾音が呼びかけてきた。「大丈夫？」

「ええ、大丈夫です」

そう、と頷き、綾音は祭壇に顔を戻した。

宏美は会場を出た。一刻も早く、この場を立ち去りたい気分だった。

出口に向かいかけた時、後ろから肩を叩かれた。振り返ると、猪飼由希子が立っていた。

「あ……どうも、こんにちは」あわてて挨拶した。

「あなたも大変だったわね。警察から、いろいろと訊かれたんでしょう」気の毒そうな顔をしていながらも、その目には好奇の光が浮かんでいる。

「ええ、まあ」

「警察は何をしているのかしらね。犯人の目星が全然ついてないっていうじゃない」

「そうみたいですね」

「早く解決してくれないと会社のほうにも影響するんだって、うちの人がいってた。綾音さんも、真相がはっきりするまでは家には帰らないそうだけど、無理ないと思うわ。気味悪いものねえ」

そうですね、と宏美は曖昧に頷くしかない。

おい、と声がした。猪飼達彦が近づいてくるところだった。

「何やってるんだ。隣の部屋に、食事や飲み物が用意してあるそうだぞ」

「あらそうなの。じゃあ、宏美ちゃんも行きましょうよ」

「すみません。あたしは結構です」

「どうして？　綾音さんのことを待ってるんでしょ。あの人数だから、まだまだ終わらないわよ」

「いえ、今日はこれで失礼させていただくことになっています」

「そうなの。でも、少しぐらいいいじゃないの。付き合いなさいよ」

おい、と猪飼が眉をひそめていった。

「あんまりしつこくするのは迷惑だぞ。人にはいろいろと事情ってものがあるんだから」

その言い方に、宏美はどきりとした。猪飼を見ると、彼は冷徹そうな目を、さっとそむけた。

「すみません。今度また、ゆっくりと……。失礼します」宏美は夫妻に向かって頭を下げ、俯いたままでその場を離れた。

猪飼達彦は、義孝と宏美の関係を知っているに違いなかった。綾音が話したとは思えないから、警察の人間から聞いたのかもしれない。由希子には話していないようだが、宏美のことを快く思っているはずがなかった。

一体自分はどうなるのだろう、と改めて不安に襲われた。義孝との関係は、今後も周囲の人間たちに知れ渡っていくと思われる。そうなれば、宏美がいつまでも綾音のそばにいるわけにはいかない。

宏美としても、もうこれ以上真柴家に近づくのはやめたほうがいいのではないか、という気持ちになりつつあった。綾音が心底許してくれているとはとても思えない。

先程の綾音の目が脳裏に焼き付いていた。献花の時、口元を押さえてしまったことを後悔した。彼女は悪阻によるものだと見抜いたのだ。だからこそ、「大丈夫?」と尋ねてきたのだ。

死んだ夫の浮気相手だった、ということだけなら、もしかしたら綾音ならば水に流せるのかもしれない。だがその女が妊娠していたらどうだろう。

たしかに綾音は、宏美が妊娠していることを以前から察していたようだ。だが単に察しているのと、事実として受け止めるのとは全く違う。

内海という女性刑事に妊娠を告白したのは数日前だ。あれ以来、綾音は宏美に対して、妊娠のことを一切尋ねてこない。宏美からは、もちろん話題に出せない。だから現在綾音がどう考えているのか、宏美にはまるでわからないのだった。

どうすればいいのか。そのことを考えると目の前が暗くなるようだった。

中絶すべきであることはわかっている。このまま産んだところで、子供を幸せに育てる自信などなかった。すでに父親は死んでいる。それどころか、宏美自身が職業を失ってしまう危機に立たされていた。いや、産んだりすれば、さすがに綾音から仕事を回してもらうことなどできない。

どう考えても、ほかに選択肢はなかった。それにもかかわらず、宏美は決断できないでいる。義孝への愛情が残っていて、彼の唯一の遺産を手放したくないからなのか、子供を産みたいという女の本能のせいなのか、自分でもわからなかった。

だがいずれにせよ、時間はあまり残されていない。遅くとも、二週間以内には心を決めなければ、と思っていた。

斎場を出て、タクシーを拾おうとした時だった。若山さん、と声をかけられた。

相手を見て、宏美は一層憂鬱な気分になった。草薙という刑事が駆け寄ってくるところだった。

「探してたんですよ。もうお帰りですか」

「ええ。少し疲れましたから」

この刑事は、宏美が妊娠していることを知っているはずだった。それならば、身体に負担をかけたくないという意思表示をしておいたほうがいいと彼女は計算した。

「お疲れのところ申し訳ないのですが、お話を伺わせていただけませんか。ほんの短い時間で結構です」

宏美は不快感を顔に出さないよう努力するのはよした。

「これからですか」

「すみません。お願いします」

「警察に行かなきゃいけないんでしょうか」

「いえ、どこかゆっくりできるところにしましょう」そういうと彼は宏美の返事を待たず、手を上げてタクシーを止めた。

草薙が運転手に命じた先は、宏美のマンションの近くだった。どうやら本当に短時間で済ませてくれそうだとわかり、彼女はほっとした。

ファミリーレストランがあったので、その前でタクシーを降りた。店はすいていた。一番奥のテーブルを挟んで、二人は向かい合った。

宏美はミルクを注文した。紅茶やコーヒーは、セルフサービスのメニューに入っているからだ。草薙がココアを注文したのも、同様の理由だと思われた。

「こういう場所は、殆どが禁煙席になりましたね。あなたのような方にとっては、いい環境が整ってきたといえるんじゃないですか」草薙は愛想笑いを浮かべていった。

妊娠のことは承知している、と示したくてそんなことをいったのだろうが、中絶を決心しきれないでいる宏美には、無神経な言葉としか感じられなかった。

「あの……お話というのは?」俯いたままで訊いた。

「失礼、疲れておられるんでしたね。無駄話はやめておきましょう」草薙は身を乗り出してきた。

「話というのはほかでもありません。真柴義孝さんの女性関係についてです」

宏美は思わず顔を上げていた。

「それ、どういう意味ですか」

「言葉通りに受け取ってくださって結構です。真柴さんには、あなた以外に付き合っていた女性はいませんでしたか、という意味です」

宏美は背筋を伸ばし、瞬きした。軽く混乱していた。あまりにも予想外の質問だった。

「どうしてそんなことをお訊きになるんですか」

「といいますと？」

「そういう女性がいたっていう話が出てきてるんですか」思わず声が尖った。

草薙は苦笑を浮かべ、小さく手を振った。

「根拠があるわけではありません。ただ、そういうことも考えられるんじゃないかということで、こうしてお訊きしているわけです」

「わかりません。どうしてそうなるんですか」

すると草薙は真顔に戻り、テーブルの上で指を組んだ。

「あなたも御存じのように、真柴さんは毒物によって亡くなりました。状況から考えて、その当日に真柴邸に入った人間でなければ毒物は仕込めません。それで、あなたが真っ先に疑われたわけです」

「だからあたしは何も……」

「あなたの言い分はわかりました。では、あなたが犯人でないとすれば、誰があの家に入ったのか。今のところ、仕事関係でもプライベートでも、それらしき人物は見つかっていません。そこで、真柴さん自身が関係を秘密にしていた人物ではないか、という考えが出てくるわけです」

刑事のいわんとすることがようやく宏美にも理解できた。だが首肯する気にはなれなかった。あまりにも馬鹿馬鹿しい考えだからだ。

「刑事さんは、あの人を誤解しています。たしかに言動は派手だし、あたしという者と交際していたのだから、そんなふうに思われるのも無理ないと思いますけど、彼は決して女たらしじゃありません。あたしのことだって、遊びではなかったんです」

かなり強い口調でいったつもりだったが、草薙の表情は微動だにしなかった。

「ほかの女性の影を感じたことはない、ということですね」

「そうです」

「では過去の女性についてはどうですか。何か御存じのことはありますか」

「過去って、彼が昔付き合っていた女性のことですか。そりゃあ、何人かはいたようですけど、詳しい話は聞いたことがありません」

「どんな些細なことでも結構です。何か覚えていることはありませんか。職業とか、どこで知り合ったかとか」

草薙にいわれ、宏美は仕方なく記憶を辿ってみた。たしかに義孝が、過去に付き合っていた女性について漏らしたこともあった。それらの言葉のいくつかは印象に残っている。

「出版関係の人と付き合っていたという話なら、聞いたことがありますけど」

「出版関係？　編集者とかですか」

「いえそうじゃなくて、書くほうの人だと思います」

「じゃあ、小説家とか」

宏美は首を傾げた。

「わかりません。付き合っている相手が本を出したりすると、感想をいわなきゃいけないから面倒臭い、というような話を聞いたことがあるんです。どういう本なのって訊いたんですけど、言葉を濁されました。過去の女性のことをあれこれ訊くのも嫌だったので、それ以上は何も尋ねませんでした」

「ほかにはどんな話を」

「水商売の女性とか芸能人には興味がない、といっていました。だからお見合いパーティに行ったりもしたけど、主催者側が仕込んだモデルとかが多いから白けるんだっていってたこともあります」

「でも夫人とは、お見合いパーティで知り合われたんでしょ」

「そうらしいですね」宏美は目を伏せた。

「真柴さんが昔の交際相手と連絡を取っていた、という様子はありませんでしたか」

「なかったと思います。あたしの知っている範囲では、ですけど」宏美は上目遣いに刑事を見た。

「そういう女性が彼を殺したと考えておられるんですか」

「十分にあり得ることだと考えています。だからあなたにも、がんばって思い出してもらいたいのです。男というのは、恋愛に関しては女性よりも隙だらけですからね、何かの拍子に過去の交際相手のことを漏らしたりするものなんですが」

「そういわれても……」

宏美はミルクの入ったカップを引き寄せた。一口飲んだ後、やはり紅茶にすればよかったと後悔した。口元が白くなるのを気にしなければならないからだ。

不意に思い出したことがあった。彼女は顔を上げた。何か、と草薙が訊いてくる。

「彼はコーヒー党でしたけど、紅茶についてもすごく詳しかったんです。それについて尋ねてみたところ、以前の恋人の影響だといってました。その女性は紅茶好きで、買う店なんかも決まっていたそうです。たしか、日本橋にある紅茶専門店だとか」

草薙がメモを取る格好をした。「何という店ですか」

「ごめんなさい。そこまでは覚えていません。元々、聞いてなかったのかも」

「紅茶専門店ねえ」草薙は手帳を閉じ、口元をへの字にした。

「覚えていることといえば、それぐらいです。お役に立てなくて、申し訳ありません」

「いや、これだけ教えていただけただけでも大収穫です。じつは夫人にも同様の質問をしたのですが、その手のことは真柴さんからは一切聞いていないということでした。もしかしたら真柴さんは、夫人よりもあなたのほうに、より心を許しておられたのかもしれませんね」

刑事の言葉に宏美は軽い苛立ちを覚えた。慰めのつもりか、気休めでいったのかは不明だが、こんな台詞でほんの少しでも気分をよくすると思われたのだとしたら心外だった。

「あのう、もういいでしょうか。そろそろ、帰りたいんですけど」

「お疲れのところ、本当にありがとうございました。もし、何か思い出されたことがあれば、是非とも連絡をいただきたいのですが」

「わかりました。そういう時には電話をします」

「お宅までお送りします」

「結構です。歩ける距離ですから」

伝票をテーブルに残し、宏美は立ち上がった。ごちそうさまでした、という気にはなれなかった。

14

ケトルの口から蒸気が噴き出した。湯川は、むっつりと黙り込んだままでケトルを持ち上げ、湯を流し台に捨てた。その後、蓋を取り、眼鏡を外してから中を覗き込んだ。眼鏡をかけたままだとレンズが曇るからだろう。

「どうですか」薫は訊いた。

湯川はケトルをコンロに置き、ゆっくりと首を振った。

「だめだ。さっきと同じだ」

「やっぱりゼラチンが……」

「うん。残っている」

湯川はそばのパイプ椅子を引き寄せ、腰を下ろした。両手を頭の後ろで組み、天井を見上げている。白衣を着ておらず、半袖の黒いカットソー姿だった。細身だが、二の腕の筋肉はなかなかのものだ。

薫は、湯川の研究室に来ていた。先日彼が着想した、ケトルに毒物を混入させるトリックの確認実験をすると聞いたからだった。

だが結果は芳しくないようだった。トリックを成立させるためには、ケトルを二度使用した段階では、まだゼラチンは溶けきらず、内部の毒物も水には混じらないようにしなければならない。つまりゼラチンに、かなりの厚みが必要となる。だがそこまで厚くした場合、今度はゼラチンが溶けきらず、ケトル内に残ってしまうのだ。いうまでもなく鑑識からの報告では、ケトル内からそんなものは見つかっていない。

「やっぱりゼラチンでは無理か」湯川は両手で頭を掻いた。

「うちの鑑識も同じ見解です」薫はいった。「仮にゼラチンが完全に溶けたとしても、ケトルの内側に少しは付着して残るのではないか、という意見です。それに、さっきもいいましたけど、使用済みのコーヒーの粉からもゼラチンは見つからなかったそうです。面白いアイデアだったので、鑑識でも張りきって、ほかの材料ならどうかとか、いろいろと試したそうですが」

「オブラートも試したということだったね」

「はい。その場合、デンプンがコーヒーの粉に残ってしまうということでした」

「はずれか」湯川は膝を叩き、立ち上がった。「残念ながら、このアイデアは捨てたほうがよさそうだな」

「素晴らしい発想だと思ったんですけど」

「草薙刑事を、少しばかり青ざめさせただけだったな」湯川は椅子の背もたれにかけてあった白衣を羽織った。「彼は何をしているんだ」

「真柴氏の過去の女性関係を調べているようです」

「なるほど。彼は彼なりに、自分の信念を貫いているということか。ケトルのトリックが実行不可能となった今は、彼の説に乗ったほうがいいかもしれない」

「過去の恋人が真柴氏を殺したというんですか」

「恋人かどうかはわからないが、犯人は日曜日の朝に若山宏美が出ていった後、何らかの方法で真柴家に潜入し、ケトルに毒物を放り込んだ——そう考えるのが最も合理的だ」

「ギブアップされるわけですか」

「こういうのはギブアップとはいわない。消去法に則る、というんだ。草薙は真柴夫人に特別な感情を抱いているそうだが、彼の着眼点は決して的外れではない。じつに妥当な捜査をしていると思うよ」湯川は改めて椅子に座り、足を組んだ。「毒物は亜ヒ酸だったな。流通経路から犯人を特定できないのか」

「案外、難しいんです。亜ヒ酸を使った農薬は五十年ほど前に製造や販売が中止されているんですけど、意外なところで使われていたりして」

「たとえば？」

薫は手帳を開いた。

「木材防腐処理剤、害虫駆除、歯科治療薬、半導体材料——そんなところです」

「いろいろなところで使われてるんだな。歯医者とはね」

「歯の神経を殺すのに使うそうです。ただしこの薬の場合、ペースト状になっていて水に溶けにくいうえに、肝心の亜ヒ酸の含有率は四十パーセントしかないんです。今回の犯行で使われた可能性は低いとみられています」

「有力なのは？」

「やっぱり害虫駆除業者です。主にシロアリの駆除に使うんだそうです。購入時に住所氏名を記録することになっているので、それを調べているところです。でも、その記録の保存義務は五年間ですから、それ以前に購入されていたらお手上げです。正規の入手ルートを使わなかった場合も、追いかけようがありません」

「今回の犯人が、そんなところでボロを出すとは思えないな」湯川は首を振った。「警察としては、草薙刑事の成果に期待したほうがいいかもしれないぜ」

「私は、犯人が直接ケトルに毒を入れたとは、どうしても思えないんです」

「どうして？　その方法は夫人には不可能だからか？　君が夫人を疑うのはいいが、それを前提に推理を進めるのは合理的とはいえないな」

「それを前提にしているわけではありません。あの日、第三者が真柴邸を訪れたとは、どうしても思えないんです。その痕跡が何ひとつありませんでした。たとえば草薙さんが考えているように、かつての恋人が来たのだとしたら、真柴氏でも、それこそコーヒーの一杯ぐらいは出したんじゃないでしょうか」

「出さない人間もいる。相手が歓迎できない人間ならば、なおのことだ」

「ではそういう人間に、どうやってケトルに毒を仕込めますか。真柴氏の目があるんですよ」

「真柴氏だって、トイレぐらいは行くだろう。その隙を突く程度のことは難しくない」

「だとしたら犯人は、ずいぶんと不確定な計画を立てていたことになりますね。真柴氏がトイレに立たなければ、どうする気だったのでしょうか」

「ほかのプランがあったのかもしれないし、チャンスがなければ計画を断念することも考えていたのかもしれない。そうなったとしても、犯人にリスクはないからね」

「先生は」薫は顎を引き、物理学者の顔を見つめた。「どっちの味方なんですか」

「変なことをいうね。僕はどっちの味方でもない。情報を分析し、時には実験をし、最も合理的な答えを見つけだそうとしているだけだ。で、現時点では、君のほうが少々分が悪い」

　薫は唇を噛んだ。

「さっきの言葉は訂正します。正直いって、真柴夫人を疑っています。少なくとも、彼女は真柴氏の死に関与していると確信しています。ほかの人からは、意固地になっていると思われるかもしれませんけど」

「居直りかい？　君らしくないな」湯川は、おかしそうに肩をすくめた。「たしか君が夫人を疑う根拠は、シャンパングラスだったな。その食器をカップボードに戻しておかなかったのが不自然だとか」

「それ以外にもあります。事件のことを真柴夫人が知ったのは、当日の夜です。警察から留守番電話が入っていたそうです。その内容について、電話をかけた警官から話を聞きました。その警官は、御主人のことで至急知らせたいことがあるので、連絡がほしいというメッセージを残しておいたそうです。すると夜中の十二時頃になって夫人から電話があったので、大体の事情を話したということでした。もちろん、その時点では、殺された可能性があるということまではいわなかったようです」

「ふん、それで？」

「事件翌日、朝一番の飛行機で夫人は帰京しました。私と草薙さんとで迎えに行ったのですが、車中で彼女は若山宏美に電話をかけました。そこで、『宏美ちゃん、大変だったわね』と言葉をかけています」薫は、その時のことを頭に思い浮かべながら続けた。「その瞬間、変だなと思いました」

「大変だったわね、か」湯川は指先で細かく膝頭を叩いた。「その言葉から想像すると、警察から事件のことを聞かされた後は、その朝まで夫人は若山宏美とは話をしていなかったようだな」

「さすがですね。私がいいたいのは、まさにそこなんです」湯川も自分と同じ疑問を抱いたらしいと確信し、薫は思わず頰を緩めた。「真柴夫人は若山宏美に家の鍵を預けています。それ以前に、若山宏美と真柴氏の関係に気づいていました。夫が不審な死に方をしたと聞かされたら、すぐに若山宏美に電話をかけるのがふつうですよね。それだけではありません。真柴夫妻には、猪飼夫妻という友人がいるのですが、彼等のところにも連絡をしていません。これはどうにも解せない話です」

「それについての内海刑事の推理は？」

「夫人が若山宏美にも猪飼夫妻にも電話をかけなかったのは、その必要がなかったからだと思います。夫の不審な死の真相を知っているから、詳しい事情を誰かから訊くまでもなかったんです」

湯川は、にやりと笑い、鼻の下をこすった。

「その推理を誰かに話したかい？」

「間宮係長には話しました」

「草薙には話してないわけだ」

「草薙さんに話しても、感覚的なことだと一蹴されるに決まってますから」

湯川は渋面を作って立ち上がり、流し台に近づいた。

「そういう思い込みには、何の意味もない。僕がいうのも変だが、あの男は刑事としてなかなか優秀だよ。容疑者に多少特別な感情を持っていたとしても、理性を失ったりはしない。たしかに今の君の話を聞いても、すぐに考えを変えることはないだろう。まずは反論してくると予想される。だけど、他人の意見を無視するようなやつじゃない。その問題について彼なりに考えるはずだ。その結果、導き出された結論が自分の望まないものだとしても、彼はそれから目をそらしたりはしない」

「信頼しておられるんですね」

「でなきゃ、何度も捜査に協力しないさ」湯川は白い歯を見せ、コーヒーメーカーに粉をセットし始めた。

「先生はどうですか。私の考え方はおかしいと思われますか」

「いや、非常に論理的考察だと思う。夫が死んだと聞けば、何とか情報を集めようとするのがふつうだろう。誰にも連絡をとらなかったという夫人の行為は不自然だ」

「よかった」

「だけど僕は科学者だからね。心理的に不自然な説と物理的に不可能な説では、どっちを選ぶかと訊かれれば、多少抵抗はあっても前者を選ばざるをえない。ケトルに毒物を仕込む時限装置が、僕が考えたもの以外にあるのなら話は別だが」湯川はコーヒーメーカーに水道水を注いだ。「被害者はコーヒーを入れるのにもミネラルウォーターしか使わなかったそうだが、味がどの程度違うものなのかな」

「味がどうこうではなく、健康のためだったみたいです。じつは夫人も、真柴氏の見ていないところでは水道水を使っていたそうです。お話ししたかもしれませんが、若山宏美も、日曜の朝にコーヒーを入れた際には水道水を使ったと供述しています」

「つまり、実際にミネラルウォーターを使っていたのは、被害者だけだったというわけか」

「だからこそ、ペットボトルに毒を入れたというセンが有力になったんですけど」

「科捜研でも検出できなかったというんじゃ、その説は諦めるしかないな」

「でも、検出できなかったからといって、ペットボトルに仕込まれた可能性がゼロというわけではありません。世の中には、ペットボトルを廃棄する時に、中を奇麗に洗う人もいます。その場合、検出できないこともあり得るというのが科捜研の見解です」

「洗うのは、ウーロン茶とかジュースのボトルだろ。水のボトルを洗うかな」

「人間には習慣というものがあります」

「それはまあ、たしかにね。だとすると、犯人は恐ろしく幸運だったことになる。被害者の習慣によって、毒物混入の経路が不明になったわけだからね」

「これは夫人が犯人だと仮定した場合の話ですけど」そういってから薫は湯川の表情を窺った。「こういう推理の進め方は、お気に召しませんか?」

湯川は苦笑を浮かべた。

「かまわんよ。僕たちだって、しょっちゅう仮説を立てている。すぐに根底から覆されることが殆どだがね。夫人が犯人だと仮定すると、何かいいことがあるのかな」

「そもそも、真柴氏がペットボトルの水しか使わないといいだしたのは夫人なんです。草薙さんは、彼女が水に毒を混ぜたのなら、わざわざ自分からそんなことはいわないといいましたけど、私は逆だと思いました。いずれペットボトルから毒が検出されるだろうから、先にいいだすことによって、少しでも嫌疑を薄めようという狙いがあったんじゃないかと考えたわけです。ところが毒は検出されなかった。そこで、正直私は混乱しました。彼女が犯人で、何らかの方法でケトルに毒を仕込んだのであれば、真柴氏がペットボトルの水しか使わないなんてことを、わざわざ警察に教える理由がないんです。そこでこう考えました。毒がペットボトルから検出されなかったのは、彼女にとっても予想外だったのではないか、と」

薫が話す間に、湯川の顔つきは険しいものに変わっていた。コーヒーメーカーから漏れる蒸気を、じっと見つめている。

「夫人は、真柴氏がペットボトルを洗うとは思わなかった、というわけか」

「私が夫人だとしても、そうは思いません。毒の残ったペットボトルが現場から見つかる、と考えるのがふつうでしょう。ところが真柴氏は、毒入りの水をコーヒーを入れるのに使いきりました。そしてお湯が沸くのを待つ間に、ペットボトルを洗ったわけです。夫人はそんなことを知らなかったから、先手を打つつもりで、犯人はペットボトルに毒を入れたのではないかと警察に進言した――そう考えれば、すべて辻褄が合います」

湯川は頷き、眼鏡の中心を指先で押し上げた。

「論理的には成立しているようだな」

「不自然な点が多いのは、自分でもわかっています。でも、可能性はあります」

「たしかにね。しかしその仮説を証明する方法があるかな」

「ありません。残念ながら」薫は唇を噛んだ。

湯川はコーヒーメーカーからサーバーを外した。溜まったコーヒーを二つのカップに入れ、片方を薫のほうに差し出した。

ありがとうございます、と彼女は受け取った。

「君たちはまさか、グルじゃないだろうね」湯川がいった。

「はあ？」

「草薙と一緒になって、僕を引っかけようとしているんじゃないだろうね、と訊いているんだよ」

「先生を引っかける？　どうしてですか」

「警察には協力しないと決めた僕の知的探求心を、じつに見事にくすぐってくれるからだよ。草薙の恋の行方という、危険な香りのするスパイスまで効かせてね」湯川は片頬で笑い、うまそうにコーヒーを啜った。

15

紅茶専門店の『クーゼ』は、日本橋大伝馬町《おおでんまちよう》にあった。オフィスビルの一階に入っていて、すぐ近くには多くの銀行が並ぶ水天宮通りがあり、昼休みなどはＯＬたちで賑わうであろうと想像できた。

草薙がガラスドアをくぐると、まず茶葉売り場があった。五十種類以上の紅茶を揃えている、ということは事前に調べてあった。その奥がティールームになっていた。午後四時という中途半端な時間帯だが、女性客の姿がちらほらとある。明らかに会社の制服とわかる姿で雑誌を読んでいる者もいた。男性客の姿はなかった。

白い服を着た小柄なウェイトレスが近づいてきた。

「いらっしゃいませ。お一人様でしょうか」笑顔だが、どことなく胡散《うさん》臭げだ。紅茶専門店に一人で来るタイプには見えないのかもしれなかった。

一人です、と草薙が答えると、ウェイトレスは笑顔を維持したまま、彼を席に案内してくれた。壁際の席だった。

メニューには、昨日まで草薙には馴染みのなかった紅茶名がずらりと並んでいた。しかし今の彼は、それらのいくつかについては知っていたし、飲んでもいた。紅茶専門店を当たるのは、この店で四軒目だった。

さっきのウェイトレスを手招きし、チャイを注文した。アッサム紅茶をミルクと共に煮込んだものだということは前の店で聞いた。気に入ったので、あれならもう一杯飲んでもいいかなと思ったのだ。

「ええとそれから、私はこういう者なのですが」名刺を彼女のほうに示した。「ちょっとお話を伺いたいので、店長さんを呼んでいただけませんか」

名刺の内容を見た途端に、ウェイトレスの笑顔が消えた。草薙はあわてて手を振った。

「別に大したことではないので心配なく。お客さんについて訊きたいだけだから」

「はい。じゃあ、ちょっと訊いてきます」

よろしく、と草薙はいった。ついでに煙草を吸ってもいいかどうかを尋ねようとしてやめた。

全席禁煙とさせていただいております、という壁の表示が目に入った。

改めて店内を見回した。静かで落ち着いた雰囲気のある店だ。席の配置がゆったりとしているので、カップルで入っても、隣の客を意識する必要はないだろう。真柴義孝が通っていたとしても不思議ではない。

もっとも、草薙は過度の期待は慎むことにした。これまでに当たった三軒の店でも、似たような印象を受けていたからだ。

間もなく、白いシャツの上に黒いベストを着た女性が、神妙な顔つきで草薙の前に立った。化粧気は少なく、髪を後ろで束ねている。三十代半ばと思われた。

「どういった御用件でしょうか」

「店長さんですか」

「はい。ハマダといいます」

「お仕事中、申し訳ありません。どうぞおかけになってください」向かいの席を勧めた後、草薙は内ポケットから一枚の写真を出した。真柴義孝が写っている。「ある事件の捜査をしているのですが、この人物がこちらに来たことはありませんか。今から、おそらく二年ほど前になると思うんですが」

ハマダ店長は写真を受け取った後、じっと見つめていたが、最後には首を傾げた。

「見たことがあるような気もするんですけど、はっきりとしたことは申し上げられません。毎日たくさんの御客様がいらっしゃいますし、お顔をじろじろ見るのも失礼ですから」

彼女の回答は、ほかの三軒で尋ねた時に聞いた答えと、ほぼ同じようなものだった。

「そうですか。たぶん、カップルで来ていたと思うのですが」

念のためにいい添えたが、彼女は微笑みながら首を傾げた。

「当店は、カップルで来られる御客様も、大変多いですから」写真をテーブルに置いた。

草薙は頷き、薄い笑みを返した。覚悟していた反応なので、落胆したというほどでもない。だが徒労感が積もりつつあるのはたしかだった。

「お話というのは、それだけでしょうか」

「ええ、もう結構です」

草薙の言葉にハマダ店長が腰を上げた時、先程のウェイトレスが紅茶を運んできた。彼女はティーカップをテーブルに置こうとしたが、そこに写真があるのを見て手を止めた。

「あっと、失礼」草薙が写真をつまみ上げた。

だが彼女はカップを置こうとはせず、彼を見て、ぱちぱちと瞬きした。

何か、と彼は訊いた。

「そのお客さんが、どうかされたんですか」おずおずと尋ねてきた。

草薙は目を見張り、改めて写真を彼女のほうに向けた。

「君、この人を知っているわけ？」

「知ってるというか……お客さんですけど」

彼女の声が耳に入ったらしく、ハマダ店長が戻ってきた。

「それ、本当？」

「はい、たぶん間違いないと思います。何度か、お見かけしてますから」

口調は頼りないが、記憶に自信はあるように見えた。

「この人をちょっとお借りしてもいいですか」草薙はハマダ店長に訊いた。

「あ、はい、どうぞ」

ちょうど新たな客が入ってきたところだった。ハマダ店長は、そちらのほうに向かった。

草薙はウェイトレスを向かいの席に座らせた。

「見かけたのは、いつ頃のことですか」草薙は質問を始めた。

「一番最初は三年前だと思います。あたしが働き始めた時で、紅茶の名前とかもよくわからなくて、御迷惑をおかけしちゃったんです。それで覚えてるんです」

「この人は一人だった？」

「いえ、いつも奥さんと一緒でした」

「奥さん？　どういう女性だった？」

「髪の長い、奇麗な人でした。ハーフみたいな顔立ちで」

真柴綾音ではなさそうだ、と草薙は思った。綾音は明らかに和風の美人だ。

「年齢は？」

「三十代前半か、もしかするともう少し上だったかも……」

「二人は夫婦だといってたわけ？」

それは、といってウェイトレスは首を傾げた。

「あたしがそういうふうに思い込んでただけかもしれません。でも、夫婦みたいに見えました。すごく仲が良さそうで、買い物帰りっていう感じの時もあったし」

「相手の女性について、ほかに何か覚えていることはないかな。どんな些細なことでもいいんだけど」

ウェイトレスは目に困惑の色を浮かべた。写真の人物を知っていると漏らしたことを後悔しているのかな、と草薙は思った。

「もしかしたら、これも、あたしの思い込みかもしれないんですけど」彼女は訥々《とつとつ》としゃべり始めた。「絵描きさんなのかなあ、と思ったりしたんです」

「絵描き……画家ってこと？」

彼女は頷き、上目遣いをした。

「スケッチブックとか、このぐらいの四角くて大きなケースを持っておられたことがあるんです」両手を六十センチほど広げた。「平たいケースです」

「そのケースの中を見たわけではないんだね」

「それは見てませんけど」彼女は俯いた。

草薙は若山宏美から聞いた話を思い出していた。真柴義孝が以前付き合っていた女性は出版関連の仕事をしていて、本を出したこともあるという。

画家が本を出すとすれば画集ということになる。だが若山宏美によれば、本の感想を述べねばならないことを真柴義孝は億劫がっていたということだった。画集ならば、それほど面倒でもないのではないか、という気がした。

「ほかに印象に残っていることは？」草薙は訊いた。

ウェイトレスは首を傾げた後、窺うような目を向けてきた。

「あのお二人、御夫婦じゃなかったんですか」

「違うはずだけど、どうして？」

「いえ、大したことじゃないんですけど」彼女は自分の頬に手を当てた。「子供の話をしていたような気がするんです。早く子供がほしいっていうような話です。でも、あんまり自信はありません。ほかのカップルと混同しちゃってるのかも」

相変わらず頼りない口調だが、この娘の記憶力は確かだ、と草薙は確信した。混同などしていない。彼女は間違いなく、真柴義孝と当時の恋人の話をしているのだ。ついに手がかりを見つけた。彼は軽く興奮していた。

礼を述べ、ウェイトレスを解放した。チャイの入ったカップに手を伸ばした。少し冷めていたが、香りとミルクの甘さが絶妙に融合していた。

紅茶を半分ほど飲み、画家らしき女性の身元をどのように突き止めようかと考え始めた時、携帯電話が着信を告げた。表示を見れば、驚いたことに湯川からだった。草薙は周りの客を意識しながら電話に出た。「草薙だ」

「湯川だ。今、話して大丈夫か」

「大声では話しにくい場所にいるが大丈夫だ。珍しいじゃないか、おまえのほうから連絡してくるなんて。何の用だ」

「ちょっと話したいことがあってね。今日、時間を取ることは出来ないか」

「大事な用があるというのなら、出来ないことはない。どういった件だ」

「詳しいことは会ってから話したいが、そっちの仕事について、とだけいっておこうか」

草薙は吐息をついた。

「内海と二人で、また何かこそこそやっているわけか」

「こそこそやりたくないから、こうして電話をかけている。会う気があるのか？　それともないのか？」

この男はどうしていつもこう高飛車なんだろうと思いつつ、草薙は苦笑を漏らしていた。

「わかった。どこへ行けばいい？」

「場所はお任せする。ただし、出来れば禁煙のところがいいね」湯川は、しゃあしゃあといった。

結局、品川駅のそばにある喫茶店で待ち合わせた。綾音が泊まっているホテルに近い。湯川の用件がすぐに済むようなら、女性画家について彼女に尋ねてみてもいいと思ったからだ。

喫茶店に入ると、すでに湯川の姿があった。禁煙スペースの一番奥の席で雑誌のようなものを読んでいた。冬が近いというのに、半袖のカットソー姿だ。隣の椅子に、黒革のジャケットが置かれている。

草薙は近づき、向かい側に立った。しかし湯川は顔を上げようとしない。

「何を熱心に読んでるんだ」声をかけながら椅子を引いた。

湯川は驚いた様子を全く見せず、読んでいる雑誌を指差した。

「恐竜についての記事だ。化石をCTスキャンする技術についての記事が紹介されている」

どうやら草薙が来たことには気づいていたようだ。

「科学雑誌か。恐竜の骨をCTスキャンして、何の得があるんだ」

「骨じゃない。化石をCTスキャンで調べるんだ」湯川はようやく顔を上げ、眼鏡を指先で押し上げた。

「同じことだろ。恐竜の化石といえば、骨ばっかりじゃないか」

湯川は楽しそうに眼鏡の奥の目を細めた。

「君という男は、本当に期待を裏切らない。いつも僕の予想通りの答えをいってくれる」

「どうやら馬鹿にされているようだな」

ウェイターが近づいてきたので彼はトマトジュースを注文した。

「珍しいものを飲むんだな。健康志向かい？」

「気にするな。紅茶やコーヒーを飲む気にはなれないんだ。それより、用件というのは何だ。早く本題に入れよ」

「もう少し化石の話をしたいんだけど、まあいいだろう」湯川はコーヒーカップを持ち上げた。

「毒物混入のトリックに関する鑑識の見解は聞いたかい？」

「聞いたよ。おまえの考えたトリックは必ず痕跡が残る。したがって、今回の事件で使われた可能性はゼロ。ガリレオでも間違いを犯すということだな」

「必ずとか、可能性ゼロという言い方は科学的ではない。ついでにいえば、正解でない仮説を提示したからといって間違いを犯したと断じられるのも心外だ。でもまあ君は科学者ではないから許してやろう」

「おまえ、負け惜しみをいうなら、もう少しストレートな表現を使ったらどうだ」

「僕は負けたなんて、これっぽっちも思っちゃいない。仮説が崩されるのは収穫だ。可能性が絞られていくからね。毒物がコーヒーに混入された経路が、また一つ閉ざされた」

トマトジュースが運ばれてきた。草薙はストローを使わず、ごくりと飲んだ。紅茶ばかり飲んでいたので、舌に新鮮な刺激があった。

「経路は一つしかない」草薙はいった。「誰かがケトルに入れたんだ。若山宏美か、彼女でないならば、日曜日に真柴義孝が招き入れた人物だ」

「水に混入されていた可能性は否定するわけか」

湯川の言葉に、草薙は口元を曲げた。

「俺は鑑識や科捜研を信じる。彼等はペットボトルから毒物を検出できなかった。つまり、水には混ぜられていなかった、ということだ」

「内海君はペットボトルが洗浄されたかもしれないといっている」

「知ってるよ。被害者自身が洗ったというんだろ？　賭けてもいいが、水の空きペットボトルを洗う人間なんていない」

「でも可能性はゼロじゃない」

草薙は、ふんと鼻を鳴らした。

「その少ない可能性に賭けるというのか。それならそれで御自由に。俺は順当な道を行く」

「たしかに君の探っている道が順当であることは認めるよ。だけど物事には万一ということがある。それを押さえていくことも科学の世界では必要だ」湯川は真剣な眼差しを向けてきた。「君に頼みがある」

「何だ」

「もう一度、真柴邸を見てみたい。中に入れてもらえないか。君が、あの家の鍵を持ち歩いていることは知っている」

草薙は変わり者の物理学者を見返した。

「何を見るというんだ。先日、内海に案内させたんだろ」

「あの時とは視点が違っている」

「視点って？」

「ごく単純に、考え方といってもいい。僕はミスを犯していたのかもしれない。そのことを確認したい」

草薙は指先でテーブルを叩いた。

「どういうことか、きちんと話せ」

「向こうに行って、ミスが確認できたら話す。そのほうが君のためにもいい」

草薙は椅子にもたれ、ため息をついた。

「一体、何を企んでいるんだ？　内海と、どんな取引をした？」

「取引？　何のことだ」湯川は、くすくす笑った。「勘繰るなよ。前にもいっただろ。科学者として興味のある謎だから、取り組んでみようと思ったまでだ。したがって、興味をなくせば即座に手を引く。その最終判断をしたいから、もう一度あの家を見せてほしいと頼んでいるんだ」

草薙は友人の目をじっと見つめた。そんな彼に湯川は、涼しい顔で応じてくる。

彼が何を考えているのか、草薙にはまるでわからなかった。しかし、それはいつものことだった。わからないままに彼のことを信頼し、何度も助けられた覚えが草薙にはある。

「夫人に電話をしてみる。少し待っててくれ」彼は携帯電話を出しながら腰を上げた。

離れた場所へ移動し、電話をかけた。綾音が出ると、口元を手で覆いながら、これから家に入ってもいいかと尋ねてみた。

「何度も申し訳ありませんが、どうしても検証すべきことがありまして」

綾音が、ふっと息を小さく吐く音が聞こえた。

「そんなに気を遣わないでください。捜査なんですから、当然だと思っています。よろしくお願いいたします」

「すみません。ついでに花に水をやっておきます」

「ありがとうございます。助かります」

電話を終えると席に戻った。湯川が観察するような顔で見上げている。

「何かいいたそうだな」

「電話をかけるのに、どうして席を外すんだ？　僕に聞かれたくない話をしたのか」

「そんなことあるわけないだろ。家に入る許可を取った。それだけだ」

「ふうん」

「何だよ。まだ何かあるのか」

「いや、何もないよ。ただ、君が電話をかけている姿は、お得意様と話しているセールスマンのようだと思ってね。そんなに神経を遣う相手なのか」

「相手の留守宅に上がり込むんだ。気を遣うのが当然だろ」草薙はテーブルの伝票を手にした。「行こう。遅くなる」

駅前からタクシーに乗った。湯川は、さっきの科学雑誌を広げた。

「恐竜の化石といえば骨だろうと君はいったが、その思い込みにこそ重大な落とし穴が潜んでいる。それにより多くの古生物学者たちは、貴重な資料を大量に無駄にしてしまったんだ」

またその話かと思いながらも、草薙は付き合うことにした。

「博物館で見る恐竜の化石は、全部骨だったぞ」

「そう。かつては骨しか残さなかった。残りは捨ててしまっていた」

「どういう意味だ」

「穴を掘っていったら恐竜の骨が見つかった。学者たちは喜び勇んで掘り出す。骨についた土をすべて奇麗に取り除き、巨大な恐竜の骸骨を作り上げる。なるほどティラノサウルスは、こんな顎を持っていたのか、こんなに腕は短かったのか、という考察を始める。だけど彼等は大きな過ちを犯していた。二〇〇〇年、ある研究グループが、掘り出した化石の土を取り除かず、そのままCTスキャンし、内部構造を三次元画像にするということを試みた。するとそこに現れたのは、心臓そのものだった。それまで捨てていた骨格内部の土は、生きていた時の形をそっくり残した臓器などの組織にほかならなかったというわけだ。今では恐竜の化石をCTスキャンするのは、古生物学者たちのスタンダードな技術となっている」

ふうん、と草薙は鈍く反応した。

「それはたしかに面白い話だな。だけど、それが今回のことと何か関係があるのか。それとも単なる雑談か」

「この話を初めて知った時、これは数千万年という時間が作りだした巧妙なトリックだと思った。恐竜の骨を見つけた時、内部の土を取り除いた学者たちを非難することはできない。残っているのは骨だけだと考えるのがふつうだし、その骨を露わにし、見事な標本を作ろうとするのは研究者として当然のことだ。ところが、無駄なものだと思って取り除かれた土にこそ、もっと重要な意味があった」湯川は雑誌を閉じた。「僕は時々、消去法の話をするだろ。考えられる仮説を一つ一つ潰していくことで、たった一つの真実を突き止めることができる。だけど仮説の立て方に根本的な誤りがあった場合、極めて危険な結果を招くことになる。恐竜の骨を手に入れることに夢中で、肝心なものを排除している場合も、時にはあるということだ」

どうやら湯川は事件に無関係な話をしているわけではない、ということが、草薙にもわかってきた。

「毒物混入経路の考え方に、何か間違いがあるというのか」

「それをこれから確かめる。もしかすると犯人は、なかなかの科学者かもしれないな」湯川は独り言のようにいった。

真柴邸は、ひっそりとしていた。草薙はポケットから鍵を取り出した。二つある家の鍵は、すでに綾音に返却されることになり、草薙がホテルまで届けたのだが、その際に彼女から一つだけ預けられたのだ。まだこれから警察が必要とすることがあるかもしれないし、自分は当分の間、自宅に帰る予定がないから、というのが理由だった。

「葬儀は終わってるんだろ？　自宅で供養はしないのかな」靴を脱ぎながら湯川がいった。

「いわなかったかな。真柴義孝は無宗教で、葬儀も献花式で代用された。火葬は行われたけど、初七日なんてものもしないそうだ」

「なるほど、それは合理的だ。僕が死んだ時にもそうしてもらおうかな」

「いいんじゃないか。俺が葬儀委員長をやってやる」

家に上がると、湯川はすぐに廊下を進んだ。それを見ながら草薙は階段を上がり、夫妻の寝室のドアを開けた。奥のベランダのガラス戸を開け、手前に置いてある大きな如雨露を手にした。この如雨露は、先日綾音から花に水をやってほしいと頼まれた際、草薙がホームセンターで買ったものだ。

如雨露を持って、一階に下りた。リビングに入り、キッチンの様子を窺うと、湯川が流し台の下を覗き込んでいるところだった。

「そこは前も見てたじゃないか」後ろから声をかけた。

「刑事の世界には、現場百回という言葉があるんだろ？」湯川はペンライトで中を照らしている。持参してきたらしい。「やっぱり、触れた形跡はないな」

「一体、何を調べてるんだ」

「原点に立ち返っているわけだよ。恐竜の化石を見つけても、今度は迂闊に土を取り除いたりしてはいけないと――」湯川は草薙のほうを振り返ると、怪訝そうな目をした。「何だい、それは？」

「見てわからないか。如雨露だ」

「そういえばこの前も、岸谷君に水を撒かせてたな。これからは警察官もサービスに努めよ、というおふれでも出たのかい」

「何とでもいえ」草薙は湯川を押しのけ、水道の蛇口を開いた。勢いよく出てくる水を、如雨露に溜め始めた。

「でかい如雨露だな。庭にホースはないのか」

「これは二階の花にやる水だ。ベランダにプランターがいっぱいある」

「それは御苦労様」

皮肉めいた湯川の言葉を背に、草薙は部屋を出た。二階に上がり、ベランダの花に水をやった。

彼は花の名前を殆ど知らなかったが、どの花も少し元気がないということはわかった。これからは二日に一度は水をやりに来たほうがいいかもしれない、などと考えた。ベランダの花だけは枯らしたくない、と綾音がいっていたのを思い出していた。

花に水をやり終えると、ガラス戸を閉め、すぐに寝室を出た。許可を得ているとはいえ、他人の寝室に長居をするのは、やはり少し抵抗がある。

一階では、相変わらず湯川はキッチンにいた。立ったまま腕組みし、流し台を睨んでいる。

「いい加減に説明しろよ。何を考えているんだ。答えないなら、もう二度と、こういう便宜を図ってやらないからな」

「便宜？」湯川は片方の眉を上げた。「それは心外だな。君の後輩が来なければ、僕だって、こんな面倒な話に巻き込まれることはなかったんだぜ」

草薙は腰に手をあて、友人を見返した。

「内海が、おまえにどんなふうに相談したのかは知らないが、俺には関係のないことだ。今日だって、この家を調べたいなら、あいつにいえばよかったんだ。どうして俺のところに来た？」

「議論というのは、反対意見を持った人間同士がやってこそ意味があるからだ」

「おまえは俺のやり方に反対なのか。さっきは順当だといったじゃないか」

「君が順当な道を探ることには反対しない。だけど、順当でない道を却下するのは納得できないな。たとえわずかでも可能性が残っているかぎりは、安易に消去すべきではない。何度もいってるだろ。恐竜の骨に目がくらんで、土を捨てるのは危険だ」

苛立ちのあまり、草薙は首を横に振った。

「おまえのいう土ってのは、何なんだ？」

「水だよ」湯川は答えた。「毒物は水に混入されていた。僕はまだそう考えている」

「被害者がペットボトルを洗ったってか？」草薙は肩をすくめた。

「ペットボトルは関係ない。水はほかにもある」湯川は流し台を指差した。「あの蛇口から、いくらでも出てくる」

草薙は首を傾げ、湯川の冷めた目を見つめ返した。「正気か？」

「可能性はある」

「水道水に異状がないことは鑑識で確認済みだ」

「たしかに鑑識は、水道水の成分を分析している。だけどそれは、ケトルに残っていた水が水道水なのかミネラルウォーターなのかを判別するために行われたことだ。残念ながら、判定はできなかったそうだがね。長年使われていたせいで、ケトルの内側に水道水の成分がこびりついているせいらしい」

「だけど水道水に毒物が混じっていたなら、その時にわかるはずじゃないのか」

「毒物が水道管のどこかに仕込まれていたとしても、鑑識が調べた時には、すでに流れきっていた可能性がある」

草薙は、湯川が流し台の下をしきりに眺めていた理由を知った。水道管に毒を仕込めるかどうかを確かめていたのだ。

「被害者は、コーヒーを入れる時にはペットボトルの水しか使わない」

「そうらしいな」湯川はいった。「だけど、それは誰がいってることだ？」

「夫人だけど」そういった後、草薙は唇を嚙み、湯川をじっと見た。「おまえまで、彼女が怪しいというのか。会ったこともないくせに。内海から何を吹き込まれた」

「彼女が彼女なりの意見を持っているのはたしかだ。だけど僕は客観的事実だけを材料に、仮説を立てている」

「その仮説によれば、犯人は夫人ということになるわけか」

「なぜ彼女がペットボトルのことを君に話したのかを考えてみた。それには二つのケースに分けて考える必要がある。事実の場合と、そうでない場合だ。事実の場合は問題ない。被害者がペットボトルの水しか使わない――これが事実の場合と、夫人は純粋に捜査に協力しただけだ。内海君は、それでも夫人を疑うという姿勢のようだが、僕はそれほど偏った考え方はしない。それよりも問題は、事実でない場合だ。そんな嘘をつく以上は、当然夫人は犯行に関わっているということになるんだが、その場合彼女に嘘をつくメリットがなければならない。そこで、ペットボトルの証言から、警察の捜査がどう進んだかを考えてみた」湯川は唇を舐め、続けた。「まず警察はペットボトルを調べ、毒物が検出されないことを確認した。一方でケトルからは検出された。そこで、犯人はケトルに毒を入れた可能性が高い、と判断されることになった。必然的に、夫人には鉄壁のアリバイが出来ることになった」

草薙は大きく首を横に振った。

「それはおかしい。夫人のアドバイスがなくても、鑑識は水道水やペットボトルは調べていた。むしろペットボトルの水しか使わないという証言によって、夫人自身のアリバイが成立しなくなってしまったんだ。事実、内海はペットボトルに毒が仕込まれたという考えを捨てていない」

「そこだよ。内海君のような考え方をする人間は、決して少数派じゃない。ペットボトル証言は、彼女らを陥れるためのトラップではないか、と僕は考えた」

「トラップ？」

「夫人を疑う者たちは、ペットボトルに毒を入れたという考えを捨てきれない。それ以外に方法がないと思うからだ。だけどもし全く別の方法が使われたのだとしたら、ペットボトルに固執している彼等は、永遠に真相に辿り着けないということになる。これがトラップでなくて何だい？そこで僕は考えたわけだ。ペットボトルの水が使われたのでなければ――」そこまでしゃべったところで、湯川は突然言葉を止めた。ぎょっとしたように目を見張り、草薙の後方に視線を向けた。

草薙も振り返った。そして湯川と同様に驚いた。

リビングルームの入り口に、綾音が立っていた。

16

何か言葉を発しなければ、という思いだけで草薙は口を開いていた。

「どうも……あの、お邪魔しています」そういってから、おかしなことを口走ったものだと後悔した。「様子を見に来られたんですか」

「いえ、着替えを取りに……。あの、そちらの方は？」綾音が訊いてきた。

「湯川といいます。帝都大で物理学を教えています」湯川が自己紹介した。

「大学の先生？」

「彼は僕の友人なんですが、科学捜査などで協力を仰ぐことがあるんです。それで今回も手伝ってもらっているというわけです」

「ああ……そうなんですか」

草薙の説明に、綾音は戸惑いの色を浮かべた。しかしそれ以上湯川について質問することはなく、「もう、どこを触ってもいいんでしょうか」と尋ねてきた。

「結構です。自由にお使いください。長い間、申し訳ありませんでした」

いいえ、綾音はいった。踵を返し、廊下に向かいかけた。だが足を止めると、改めて草薙たちのほうを向いた。

「こんなことをお訊きしていいのかどうかわからないんですけど、今は何を調べておられるんですか」

「あ、いや、それはですね」草薙は唇を舐めた。「毒物の混入の経路が依然として不明なものですから、それについて検証を。本当に何度もすみません」

「それはいいんです。苦情をいいたいわけではありませんから、どうか気になさらないでください。私は上にいますから、もし何かあれば声をかけてください」

「そうします。ありがとうございます」

綾音に向かって草薙が頭を下げた直後、「ちょっとお尋ねしてもいいでしょうか」と隣から湯川がいった。

「何でしょうか」綾音が怪訝そうな顔をした。

「水道に浄水器を付けておられますね。おそらくフィルターを定期的に交換しなければならないと思うのですが、一番最近では、いつ交換されましたか」

「ああ、それですね」綾音が再び近づいてきた。流し台のほうに視線を送ってから、気まずそうな顔をした。「それ、全然交換してないんですよね」

「えっ、一度もですか」湯川が意外そうに訊く。

「そろそろお願いしなきゃいけないとは思っていたんです。今ついているフィルターは、私がこの家に来た直後に付けてもらったままですから、一年近くになると思います。たしか、一年ぐらいで交換するようにって、業者の方からいわれましたし」

「一年前に交換……そうですか」

「あの、それが何か？」

いやいや、と湯川は手を振った。

「参考までに伺っただけです。それなら、この機会に交換されたらいいと思いますよ。古いフィルターは却って有害だというデータもありますしね」

「そうします。でもその前に、流し台の下を少し掃除しないと。すごく汚いでしょう?」

「どこの家でもこんなものですよ。うちの研究室の流し台の下なんてゴキブリの巣窟ですからね。いや、研究室と一緒にしちゃ失礼でした。それより――」湯川は草薙のほうをちらりと見てから続けた。「その業者の連絡先を教えていただけましたら、今すぐにでも草薙が手配してくれると思いますよ。こういうことは早いほうがいい」

草薙は驚いて湯川の顔を見返した。だが物理学者は友人の視線を無視するかのように、綾音のほうを見たまま、「いかがですか」と訊いた。

「今すぐに、ですか」

「ええ。じつをいうと、捜査に生かせるかもしれないんです。早いほうがいい」

「そういうことでしたら、あの、別に構いませんけど」

湯川は頰を緩め、草薙のほうを見た。「だそうだ」

草薙は彼を睨みつけた。だがこの学者が安易な思いつきだけでいっているのでないことは、これまでの経験からわかっていた。彼なりに何らかの計算があるに違いなく、捜査にとって有効だという確信があるのだ。

草薙は綾音のほうに向き直った。

「では業者の連絡先を教えていただけますか」

「はい。少々お待ちください」

綾音は部屋を出ていった。それを見送った後、草薙は湯川を再び睨んだ。

「打ち合わせもなく、急におかしなことをいいだすな」

「そんな暇がなかったんだから仕方がない。それより、文句をいう前に、君にはやらなきゃいけないことがあるはずだぜ」

「何だ？」

「鑑識を呼ぶんだ。浄水器の業者に証拠を壊されたくないだろ？　古いフィルターの取り外しは鑑識にやらせたほうがいい」

「フィルターを鑑識に持ち帰らせるわけか」

「それとホースもだ」

低い声でいった湯川の目は、科学者らしい冷徹な光を放っていた。その光に気圧《けお》されて草薙が言葉を呑んだ時、綾音が戻ってきた。

約一時間後、浄水器のフィルターとホースが鑑識課員によって取り外された。その様子を草薙は、湯川と並んで眺めた。外されたフィルターとホースには埃が積もっていた。それらを鑑識課員は慎重にアクリルケースに収めていく。

「じゃあ、これを持ち帰ります」鑑識課員が草薙にいった。

よろしく、と草薙は答えた。

業者の人間も、すでに到着していた。彼が新しいフィルターとホースの交換作業に取りかかるのを見届けてから、草薙はソファに戻った。そこでは綾音が沈んだ表情で座っている。傍らに置かれたバッグの中身は、寝室から取ってきた着替えだという。当分彼女は、この家では生活しないつもりらしい。

「どうもすみません。話が大袈裟になってしまって」草薙は謝った。

「いいえ、構いません。フィルターの交換が出来てよかったです」

「費用については上の者に相談してみます」

「そんなのは結構です。うちが使うものなんですから」綾音は微笑んだが、すぐに真顔に戻った。

「あのう、フィルターに何か仕掛けがしてあったんでしょうか」

「わかりません。その可能性もあるということで調べてみるだけです」

「もしそうだとしたら、どんなふうに毒が仕込んであったんでしょうか」

「さあ、それは……」草薙は口ごもり、湯川を見た。彼はキッチンの入り口に立ち、業者の人間の作業を眺めている。

湯川、と草薙は呼びかけた。

黒いカットソーの背中が動いた。湯川は振り返ると、綾音に訊いた。

「御主人がペットボトルの水しか飲まなかったというのは本当ですか」

いきなりそれを訊くのかよ、と思いながら草薙は綾音を見た。彼女は頷いた。

「本当です。だから冷蔵庫に水のペットボトルをきらしたことはありません」

「コーヒーを飲む時も、そういう水を使うようにいわれていたとか」

「そうです」

「でも奥さんは、実際には使っておられなかったそうですね。そのように聞きましたが」

湯川の言葉に草薙は目を剝いた。彼に捜査上の秘密を話したのは内海薫に違いない。彼女の小生意気な顔が頭に浮かんだ。

「だって不経済でしょう？」綾音は頰を少し緩めた。「あの人がいうほど、水道の水が身体に悪いとは思えないんです。温水を使えば沸くのも早いし。あの人にしても、気づいてなかったと思います」

「それについては同感です。水道の水を使おうが、ミネラルウォーターを使おうが、コーヒーの味に大きな違いが出るとは思えません」

真面目な顔をしていう湯川に、揶揄を込めた視線を草薙は送った。少し前まではインスタントコーヒーしか飲まなかったくせに、という意味だ。だがそんな視線には全く気づかないのか、あるいは相手にする気がないのか、表情を変えずに湯川は続けた。

「日曜日にコーヒーを入れた女性、何といいましたっけ。助手の……」

「若山宏美さん」草薙が補った。

「そう、若山さん。その人もあなたに倣《なら》って水道水を使ったということでした。で、その時には何も起きなかった。だからペットボトルの水に毒が入っていたのではないかと疑われているわけですが、水はもう一種類あります。浄水器の水です。何らかの理由、たとえばペットボトルの水を節約するためとかで、御主人がコーヒーを入れる際に浄水器の水を使用した可能性があります。となれば、浄水器を疑う必要が出てきます」

「それはわかりますけど、浄水器に毒を仕込むなんてことが出来るんですか」

「不可能ではないと思いますよ。まあ、鑑識が答えを出してくれると思いますが」

「もしそうだとしたら、犯人はいつ仕掛けたんでしょう?」綾音は真摯な眼差しを草薙に向けてきた。「何度もお話ししましたように、その前の金曜日には、ここでホームパーティを開きました。その時には浄水器に異状はなかったんです」

「そうらしいですね」湯川がいった。「つまり、仕掛けられたのは、その後ということになります。また、犯人の目的が御主人だけを殺害することであったとすれば、御主人が一人になるタイミングを狙ったと考えられます」

「私が出かけた後、ということですね。犯人が私でなければ、ですけど」

「そういうことです」湯川は、あっさりと肯定した。

「まだ浄水器に仕掛けられていたと決まったわけではありません。ですから、そんなことを考える必要はないと思います」草薙はとりなす口調でいった後、ちょっと失礼、と腰を上げた。さらに湯川に目配せし、リビングを出た。

玄関ホールで待っていると、湯川がやってきた。

「どういうつもりだ」草薙は訊いた。口調が尖った。

「何が?」

「何がじゃないだろ。あんな言い方をしたら、夫人を疑ってるといってるようなもんじゃないか。内海から捜査への協力を頼まれたからって、あいつの肩を持つのはおかしいだろ」

湯川は心外そうに眉根を寄せた。

「それはいいがかりというものだ。いつ僕が内海君の肩を持った？　ただ論理的に話を進めているだけだ。少しは頭を冷やせよ。夫人のほうが、よっぽど冷静だぜ」

草薙は唇を嚙んだ。だが、いい返そうと口を開きかけた時、がちゃりとドアの開く音がした。リビングからフィルターの取り付け業者の男が出てくるところだった。後ろから綾音もついてくる。

「フィルターの交換が終わったそうです」綾音がいった。

「あ、どうも御苦労様」草薙は業者の男に声をかけた。「ええと、代金のほうは……」

「払っておきましたから、どうか御心配なく」

綾音の言葉に、そうですか、と草薙は小声で答えた。

業者の男が出ていくのを見て、湯川も靴を履き始めた。

「僕もこれで失礼させてもらうよ。君はどうするんだ」

「俺はもう少しここにいる。真柴さんに訊きたいこともあるから」

「そうか。――どうも、お邪魔しました」湯川は綾音に向かって頭を下げた。

お疲れ様です、という彼女の声を背に、湯川は出ていった。それを見送り、草薙は大きな吐息をついた。

「不愉快な思いをさせて申し訳ありません。悪いやつではないんですが、気遣いが出来なくて困ります。変人なんです」

あら、と綾音は意外そうな顔をした。

「どうして謝るんですか。私、別に不愉快な思いなんかしてませんけど」

「それならいいんですが」

「帝都大の先生だとおっしゃってましたよね。学者さんっていうと、物静かで、おとなしそうな人を想像してしまうんですけど、実際には全然そういう感じじゃないんですね」

「学者といっても、いろいろいますよ。中でもあいつは特別です」

「あいつって……」

「あっ、いい忘れてましたけど、大学の同級生なんです。といっても、専攻はまるっきり違いますけどね」

草薙は綾音と共にリビングに戻ってから、湯川とはバドミントン部で一緒だったことや、いくつかの事件で協力を仰いだ縁で今も付き合いがあるというようなことを話した。

「そうだったんですか。素敵ですね。若い時の友達と今も仕事を通じて付き合えるなんて」

「腐れ縁ですよ」

「そんなことないでしょ。羨ましいです」

「あなただって、実家に帰れば、一緒に温泉に行く友達がいらっしゃるじゃないですか」

ああ、と綾音は合点した顔で頷いた。

「草薙さん、うちの実家に行かれたそうですね。母から聞きました」

「あ、それはですね、何事も裏づけを取るというのが警察のやり方でして、特に深い意味はないんです」

あわてて取り繕う草薙に、綾音は微笑みかけてきた。

「わかっています。私が本当に実家に帰っていたかどうかというのは、とても大事なことですものね。それを確認するのは当然だと思います。気になさらないでください」

「そういっていただけると助かりますが」

「母がいってました。とても優しそうな刑事さんだって。そうでしょ、だから私も安心していられるのよって答えておきました」

「いやあ」草薙は耳のあたりに手をやった。首筋が少し熱くなっていた。

「その時、元岡さんにもお会いになったんですね」綾音が訊いてきた。元岡佐貴子は、彼女が一緒に温泉に行ったという友人だ。

「元岡さんのところへは内海が行きました。内海によれば、元岡さんは事件のことを知る前から、あなたのことを少し心配しておられたようです。結婚前に比べて元気がなくなったようだと」

思い当たるふしがあるのか、綾音は寂しげな笑みを浮かべたまま、ふっと息を吐いた。

「やっぱりそんなふうにいってました？　うまく演じていたつもりなんですけど、付き合いの長い友人にはわかってしまうんですね」

「御主人から別れをきりだされたことについて、元岡さんに相談しようとは思わなかったのですか」

彼女は首を振った。

「そんなことは考えませんでした。とにかく気持ちを切り替えようと必死で……。それに相談するようなことでもないと思ったんです。子供が出来なければ別れる、というのは結婚前に二人で約束していたことでしたし。もちろん、両親には内緒にしていましたけど」

「御主人が子供をほしがっていて、結婚もそのための手段にすぎないと考えておられたことは、猪飼さんからも聞きました。そういう男性もいるんだなあと僕なんかは不思議に感じるのですが」

「私も子供を作るつもりでしたし、すぐに出来ると思っていたものですから、その約束について、それほど深刻には考えていなかったんです。だけどまさか、一年近く経っても出来ないなんて……。神様って残酷ですよね」綾音は一旦視線を落としたが、すぐに顔を上げた。「草薙さん、お子さんは？」

草薙は薄く笑い、綾音を見つめ返した。「独身です」

あっ、と彼女は小さく口を開いた。「ごめんなさい」

「いえ、構いません。周りからは急かされるんですが、相手がいなくて。さっきの湯川も独り者です」

「あの方は、そういう感じですよね。家庭的な雰囲気が全然なくて」

「あいつは御主人とは逆で子供嫌いなんです。行動が論理的でないからストレスを感じるとか、妙なことをいっています」

「面白い人」

「伝えておきます。それはともかく、御主人のことで一つ質問があるんですが」

「何でしょうか」

「御主人のお知り合いの中に、絵を描くお仕事をしている方はいらっしゃいませんか」

「絵……画家ということでしょうか」

「そうです。最近の話でなくても結構です。かつて御主人が、そういう人の話をしていたことはありませんか」

綾音は考え込むように首を傾げたが、何かに気づいたように草薙を見た。

「そういう人が事件に関係しているんですか」

「いや、それはまだわかりません。先日もお話ししましたが、御主人の以前の交際相手について調べているんです。で、画家らしき女性と付き合っていたらしいと判明しまして」

「そうなんですか。でも申し訳ないんですけど、私には心当たりがありません。いつ頃のことなんでしょうか」

「正確なところは不明ですが、おそらく二、三年前だと思います」

綾音は頷いた後、小さく顔を傾けた。

「ごめんなさい。主人から、そういう話を聞いたことはないと思います」

「そうですか。それなら仕方ないですね」草薙は腕時計を見て、腰を浮かせた。「長々とすみませんでした。これで失礼します」

「私もホテルに戻ります」バッグを抱え、綾音も立ち上がった。

二人で真柴邸を出た。施錠は綾音が行った。

「荷物をお持ちします。タクシーを拾えるところまで歩きましょう」草薙は右手を出した。

ありがとうございます、といって綾音はバッグを差し出した。それから邸宅を振り返り、呟いた。「私がこの家に帰ってくる日なんて、本当に来るのかしら」

草薙は、かけるべき言葉が思いつかなかった。彼女と並んで歩き始めた。

17

行き先表示板によれば、在室しているのは湯川だけのようだった。無論たまたまではなく、そういう時間帯を狙ったのだ。

薫はドアをノックした。どうぞ、とぶっきらぼうな声が返ってきた。ドアを開けると湯川がコーヒーを入れているところだった。しかもドリッパーとフィルターを使ったやり方だ。

「いいタイミングだ」湯川は二つのカップにコーヒーを注いだ。

「珍しいですね、コーヒーメーカーは使わないんですか」

「こだわり派の気持ちになろうと思ったわけだ。水はミネラルウォーターを使った」湯川が一方のカップを差し出した。

いただきます、といって薫は啜った。コーヒーの粉は、いつもと同じものを使っているらしい。

「どうだ？」湯川が訊いてきた。

「おいしいです」

「いつもより？」

薫は一瞬躊躇した後、「正直に答えていいですか」といった。

湯川はげんなりした顔を見せ、カップを持ったまま椅子に座った。

「答えなくていい。どうやら僕と同じ感想のようだ」カップの中を覗き込んだ。「じつはさっき、水道水を使ってコーヒーを入れてみた。はっきりいって同じ味だ。少なくとも僕には違いがわからない」

「わからないと思いますよ、ふつう」

「しかし、味に違いが出るというのは料理人たちの共通意見ではあるんだ」湯川は机の上から一枚の書類を取った。「水には硬度というものがある。一リットル当たりのカルシウムイオンとマグネシウムイオンの合計を炭酸カルシウムの量に換算したものらしい。その量の低いほうから順に、軟水、中硬水、硬水と分けられているそうだ」

「聞いたことがあります」

「一般に料理には軟水が向いているらしい。ポイントはカルシウムの含有量で、飯を炊く時にカルシウムの多い水を使うと、米の植物繊維とカルシウムが結合して、ぱさぱさした感じの炊きあがりになる」

薫は眉をひそめた。「それはうれしくないですね」

「一方、牛肉のダシをとる時なんかは硬水がいいそうだ。肉や骨に含まれている血液なんかがカルシウムと結合して、アクとして抽出しやすくなるから、とある。コンソメスープを作る時の参考になるな」

「料理、されるんですか」

「たまにね」湯川は書類を机に戻した。

薫は彼がキッチンに立つ姿を想像した。眉間に皺を寄せ、水の量や火加減を調節している様子は、科学実験をしているようにしか見えないだろうと思った。

「ところで、例の件についてはどうなった？」

「鑑識の見解が出ました。今日は、それについての御報告を」薫はショルダーバッグからファイルを取り出した。

聞こうか、といって湯川はコーヒーを飲んだ。

「フィルターやホースから亜ヒ酸は検出されなかったそうです。ただ、仮に仕込まれていたとしても、何度か水が流れることで、検出不能になってしまうことも確認されています。問題は、ここから先です」薫は一呼吸置いて、再び書類に目を落とした。「フィルターやホースには埃などの長年の汚れが付着したままであり、その状態から見て、最近触れられた可能性は極めて低い、とあります。つまり、取り外されたのなら、必ず痕跡が残るはずだというわけです。それからこれは補足資料ですが、事件発生直後に鑑識は流し台の下も調査しているそうです。そもそもは毒物を見つけるのが目的だったらしいです。その時に、フィルターの手前にある古い洗剤や容器類を動かしたそうですけど、それらがあったところだけ底板に埃がかぶっていなかった、とのことです」

「要するにフィルターどころか、ここしばらくは流し台の下が触られたことさえなかった、ということか」

「鑑識の見解は、そういうものです」

「それはまあ、予想通りだ。僕が初めてあの家の流し台の下を覗いた時も、同様の印象を受けた。で、もう一つ確認すべきことがあったはずだが」

「わかっています。蛇口側から浄水器に毒物を仕込めないか、という質問ですよね」

「そちらのほうが肝心だ。回答は？」

「理論的には可能かもしれないが現実的には不可能、ということです」

湯川はコーヒーを飲み、口元を歪めた。コーヒーが苦いせいではないだろう。

「湯川先生のアイデアは、胃カメラのようにして長いストロー状のものを蛇口から通し、浄水器側のホースまで達したら、ストローの中に毒物を流し込む、というものでしたが、どのようにやってもうまくいかなかったらしいです。具体的には、浄水器側への分岐点がほぼ直角で、ストローを送り込むことができなかったそうです。先端部を動かせる特殊な専用器具を作れば、あるいは可能かもしれませんが――」

「わかった。もういい」湯川は頭を掻きむしった。「今回の犯人が、そんな大がかりなことをしているはずがない。浄水器説も諦めたほうがよさそうだ。いいセンだと思ったんだがな。もう一度発想を転換しなきゃいけない。どこかに盲点があるはずだ」

湯川はサーバーに残っていたコーヒーを自分のカップに注いだ。だが手元が狂ったのか、少しこぼれた。彼が舌打ちをするのが、薫の耳に届いた。

この人でも苛立つことがあるんだな、と彼女は思った。毒は一体どこに仕掛けられていたか——こんな単純な謎を解けない自分に腹をたてているのかもしれない。

「名刑事は何をしている？」湯川が尋ねてきた。

「真柴氏の会社に行かれました。聞き込みだそうです」

「ふうん」

「草薙さんが何か？」

いや、と首を振り、湯川はコーヒーを啜った。

「先日、草薙といる時、真柴夫人に会ったよ」

「そうらしいですね。聞きました」

「少し話をしたが、たしかに美人だし魅力的な女性だった」

「先生も美人には弱いんですか」

「客観的な評価を述べているだけだ。それはともかく、草薙のことが気になった」

「何かあったんですか」

「学生時代、彼が猫を拾ってきたことがある。生まれたばかりの子猫が二匹だ。二匹ともかなり弱っていて、生き延びることが難しいってことは誰の目にも明らかだった。それでも彼は部室に運び込み、講義をサボって世話を始めた。目薬の容器を使い、何とかしてミルクを飲ませようとしていた。そのうちに友人の一人が彼にいった。そんなことをしても、どうせすぐに死んじまうぜってね。その時の彼の答えは、それがどうした、というものだった」湯川は瞬きし、視線を宙に向けた。「夫人を見つめる草薙の目は、猫を世話していた時と同じものだった。彼は夫人から何かを感じ取っている。だけど同時に、こうも思っているんじゃないかな。それがどうしたってね」

18

受付カウンターの前に置かれたソファに座り、草薙は壁の絵を見つめていた。闇に赤い薔薇が浮かんでいる。こういう絵柄をどこかで見たことがある、と思った。たしか何かの洋酒のラベルだったはずだ。

「何をそんなに真剣に見てるんですか」向かい側に座った岸谷が訊いてきた。「あの絵は関係ないですよ。よく見てください。左下にサインが入っている。外国人の名前です」

「わかってるよ、そんなことは」草薙は絵から目をそらした。じつのところ、サインには気づいてなかった。

岸谷は首を捻った。

「しかし、昔の恋人が描いた絵なんか保管しておきますかねえ。自分なら、とっとと捨てちまいますけど」

「それはおまえだからだろ。真柴義孝は違うかもしれない」

「それにしても、自宅には置いとけないからって、社長室に持ち込んだりしますか？　そんな絵を飾ってたら、ふつうは落ち着かないものですよ」

「飾るとは限らない」

「飾りもしない絵を持ち込むわけですか。それもまた不自然だと思いますけど。社員に見られたら説明が面倒だ」

「人から貰ったとでもいえばいい」

「そんなことをしたら余計に不自然です。絵をプレゼントされれば、とりあえず飾るのが礼儀です。くれた客が、今度いつ来るかわかりませんからね」

「うるさいな。真柴義孝はそういうタイプの男じゃなかったんだよ」

草薙が声を尖らせた時、受付カウンターの横にある出入口から、白いスーツを着た女性が現れた。髪をショートにし、縁の細い眼鏡をかけている。

「お待たせしました。ええと、草薙さんというのは……」

「自分です」草薙は立ち上がった。「お忙しいところ、申し訳ありません」

「いえ、御苦労様です」

彼女が出した名刺には、山本恵子とあった。肩書きは広報室長となっていた。

「前社長の私物を御覧になりたいということでしたね」

「そうです。お願いできますか」

「かしこまりました。こちらへどうぞ」

山本恵子に案内された先は、小会議室と書いたプレートが貼られた部屋だった。

「社長室ではないんですか」草薙は訊いた。

「すでに新しい社長が就任しています。本日は外出しておりまして、御挨拶できず、申し訳ございません」

「すると社長室も一新されたわけですか」

「前社長の社葬終了後、整理いたしました。仕事に関連したものはそのままですが、私物についてはこちらに移させていただきました。折を見て、御自宅にお送りする予定です。こちらで勝手に処分したものはございません。顧問弁護士の猪飼先生に相談し、適切に処理したつもりです」

山本恵子は、にこりともせずに話した。その口調は何かを警戒するように固い。真柴義孝の死に会社は無関係であり、証拠隠滅を疑われるのは心外だ、というふうに草薙には聞こえた。

小会議室内には、大小の段ボール箱が十個ほど積まれていた。そのほかにゴルフクラブ、トロフィー、足のマッサージ機などが見えた。一瞥したところでは、絵画の類は見当たらない。

「見させてもらって構いませんね」草薙はいった。

「もちろんです。ごゆっくりどうぞ。お飲み物をお持ちしようと思いますが、何か御希望はございますか」

「いや、結構です。お気持ちだけちょうだいしておきます」

「そうですか。わかりました」山本恵子は冷たい無表情のままで部屋を出ていった。

ばたんと閉じられたドアを見つめ、岸谷は肩をすくめた。

「あまり歓迎されてはいないようですね」

「この稼業をやってて、人に歓迎されたことなんてあるのか。こっちの要求が通っただけ、ありがたいと思わないとな」

「それにしても、一刻も早く事件が解決したほうが会社のためにもなるんだから、もう少し愛想良くしてくれてもよさそうなものだ。あれじゃあまるで鉄仮面だ」

「会社としては、事件のことが風化してくれるなら、解決しようがしまいがどっちでもいいんだよ。刑事に出入りされること自体が迷惑なんだ。社長を替えて気分一新って時に、また刑事が来たんじゃ、愛想笑いを浮かべる気にもならんだろうよ。さあ、無駄話をしてないで、始めようぜ」草薙は手袋を嵌めた。

今日ここへきた目的はほかでもない。真柴義孝の以前の恋人を突き止めることにある。手がかりは、相手の女性が画家らしいということだけだ。どういう絵を描いていたのかはわからない。

「スケッチブックを持っていたからといって、画家とはかぎらないんじゃないですか。デザイナーとかマンガ家ってこともありうると思うんですが」そばの段ボール箱を調べながら岸谷がいう。

「それはある」草薙はあっさりと認めた。「だから、そういうことも念頭に置いて探してくれ。建築や家具関係の人間にも使う者がいるらしいから注意しろよ」

岸谷はため息まじりに、わかりました、と答えた。

「おまえ、あまりやる気がないみたいだな」

すると後輩刑事は作業の手を止め、浮かない顔つきで口を開いた。

「やる気がないわけじゃないです。ただ、何となく釈然としないんです。これまでの捜査では、事件当日に若山宏美以外の人間が真柴家を出入りしたという形跡は、どこからも出てきてません」

「そんなことはわかっている。じゃあ訊くが、誰も出入りしなかったと断言できるのか」

「それは……」

「その場合、犯人はどうやってケトルに毒を仕込んだ？　いってみろ」

黙り込んだ岸谷を睨んで草薙は続けた。

「おまえには答えられないよな。そりゃあそうだ。あの湯川でさえ、お手上げなんだ。答えは単純かつ明快。トリックなんかはない。犯人は真柴邸に乗り込み、ケトルに毒を入れて立ち去った。それだけのことだ。で、どうしていくら捜査しても、それらしき人物が出てこないかについては説明したよな」

「真柴氏自身が、会ったことを隠さねばならないような相手だったから……」

「よくわかってるじゃないか。男が人間関係を隠したがった時には女性関係を調べる。捜査の基本だ。俺のいっていることはおかしいか」

いえ、と岸谷は小さく首を振った。

「納得したなら作業を続けろ。そんなに時間はないんだからな」

岸谷は無言で頷き、段ボール箱に向き直った。その様子を見ながら、草薙は小さく吐息をついた。

何をむきになっているんだ、と自分自身に問うた。後輩の疑問に答える程度のことでいらいらしてどうする、と。しかし同時に彼は、自分の苛立ちの理由にも気づいていた。

この捜査に意味があるのかどうか、草薙自身が半信半疑なのだ。真柴義孝の過去の女性関係を調べたところで何も出てこないのではないか、という不安が頭から離れない。

無論、捜査とはそういうものだ。無駄に終わることを恐れていては刑事は務まらない。だが彼が抱える不安は、それとは違っている。

もしその捜査で何も出てこなければ、今度こそ疑惑の矛先が真柴綾音に向くのではないか、と恐れているのだ。内海薫らのことをいっているのではない。草薙は、このままでは自分もまた綾音を疑う時がくることを予感していた。

草薙は、彼女と会うたびに感じるものがある。それは、自ら喉元にナイフを向けているような、ぎりぎりの緊迫感だ。何かを覚悟し、今この瞬間だけを懸命に生きようとしているように彼には思えてならない。その気配に圧倒され、心を引きつけられる。

だがその正体が何なのかを考えた時、ある想像が頭に浮かび、息苦しくなるような不安感に駆られる。

草薙はこれまでに何度か、人間性には素晴らしいものを持ちながら、やむにやまれず人を殺《あや》めてしまった容疑者と接してきた。彼等からは、共通した霊気ともいえるものが感じられた。生に固執せず、すべてを達観したような気配だ。ただしそれは狂気と紙一重で、禁断の境地ともいえる。

草薙は、それと同じ気配を綾音からも感じるのだ。懸命に否定しようとしているが、刑事としての嗅覚が、そのことを片時たりとも忘れさせてくれない。

つまり彼は自らの疑惑を解消するために捜査をしているのだった。だが予断を持って捜査に当たることは禁物だ。そのことは十分にわかっているから、自分自身に苛立ってしまうのだった。

作業開始から約一時間が経過した。だが画家、あるいはスケッチブックを仕事で使いそうな職業に繋がりそうなものは見つからなかった。段ボール箱の中身は、殆どが贈答品や何かの記念品といったものだった。

「草薙さん、これ何だと思いますか」岸谷が小さなぬいぐるみを手に取った。一見したところでは野菜のカブだった。緑色の葉っぱがついている。

「カブだろ」

「そうなんですけどね、宇宙人でもあるんです」

「宇宙人？」

「ほら、こうすれば」そういって岸谷は葉っぱを下にして机に置いた。たしかに白い頭部には顔が描かれており、葉っぱの部分を足だと思えば、マンガによく出てくるクラゲ形の宇宙人に見えなくもない。

「なるほど」

「説明書きによれば、カブ星からやってきたカブ坊やというキャラクターのようです。この会社で作ったみたいですね」

「わかったけど、それがどうかしたのか」

「草薙さん、こういうものを考えるデザイナーも、スケッチブックを使うんじゃないでしょうか」

草薙は瞬きし、ぬいぐるみを凝視した。

「それは、あり得るな」

「山本さんを呼んできましょう」岸谷が腰を上げた。

小会議室にやってきた山本恵子は、ぬいぐるみを見て頷いた。

「たしかに、うちの会社で作ったものです。ネットアニメのキャラクターなんです」

「ネットアニメ？」草薙は首を傾げた。

「三年ほど前まで、うちのホームページで流していたものです。御覧になられますか」

是非、と草薙は立ち上がった。

オフィスに行くと、山本恵子は一台のパソコンを操作した。ネットアニメ『カブ坊や』という画面がモニターに現れた。再生という文字をクリックすると、一分ほどのアニメが流れた。ぬいぐるみと同じキャラクターが登場し、動きだす。ストーリー自体は他愛のないものだった。

「今はもう配信していないんですか」岸谷が訊いた。

「一時話題になったこともあって、先程のぬいぐるみなど、いくつか関連グッズを作ったりしたんですけど、売上げが思ったよりも伸びず、結局打ち切りになりました」

「このキャラクターをデザインしたのは、おたくの社員ですか」草薙は山本恵子に訊いた。

「いえ、そうじゃありません。この作者は、元々自分のブログで、『カブ坊や』というイラストを発表していたんです。それがネット上で人気が出てきたので、うちでアニメ化する契約を交わしたというわけです」

「するとプロの絵描きではないんですか」

「違います。学校の先生です。ただし美術の先生ではありません」

「へえ」

それなら可能性がある、と草薙は思った。猪飼達彦によれば、真柴義孝は社員や仕事で繋がりのある人間とは恋愛関係にならないようにしていたらしい。だが相手がプロではないのなら、話が違ってくるかもしれない。

「あっ、だめですよ、草薙さん」パソコンを操作していた岸谷がいった。「この人は違います」

「何がだめなんだ」

「原作者のプロフィールが書かれてるんですけど、男性です。男の先生です」

「なんだと？」草薙も画面を覗き込んだ。たしかにプロフィールには、そう書かれていた。

「先に訊いておけばよかったですね。ああいうかわいいデザインだから、てっきり女性だと思ってました」

「俺もだ。迂闊だった」草薙は顔をしかめ、頭を掻いた。

あの、と山本恵子が口を挟んできた。

「作者が男性だと、何か都合が悪いんでしょうか」

「いや、こっちの話です。事件解決の糸口になりそうな人物を捜しているんですが、一番の条件は女性だということだったんです」

「事件……というと、真柴社長が殺された事件ですよね」

「もちろんそうです」

「あの事件に、このネットアニメが関係しているんでしょうか」

「詳しいことは、お話し出来ませんが、もし作者が女性なら、その可能性があったというだけです」草薙は吐息をつき、岸谷を見た。「今日のところは引き上げよう」

「そうですね」岸谷も肩を落とした。

山本恵子は会社の玄関まで見送ってくれた。草薙は彼女に向かって頭を下げた。

「お仕事の邪魔をして申し訳ありませんでした。捜査のため、また伺うことがあるかもしれませんが、どうかよろしくお願いいたします」

「ええ、それはいつでも……」彼女は、どこか浮かない表情に見えた。最初に会った時に見せた冷徹な無表情とは明らかに違う。

ではこれで、と二人が踵を返した時だった。ちょっと、と彼女が声をかけてきた。草薙は振り返った。

「何か？」

すると彼女は二人に駆け寄ってきて、声をひそめていった。

「このビルの一階にラウンジがあります。そこで待っていていただけませんか。お話ししたいことがあるんです」

「事件に関することですか」

「それは私にはわかりません。さっきのキャラクターに関することなんです。キャラクターの作者に」

草薙は岸谷と顔を見合わせた後、山本恵子に頷きかけた。「わかりました」

では後ほど、といって彼女は会社に戻った。

一階のラウンジはオープンスペースになっていた。禁煙の表示を恨めしく思いながら、草薙はコーヒーを飲んだ。

「何でしょうね、話というのは」岸谷がいう。

「さあね。男のアマチュア絵描きのことなんか、どうでもいいんだけどな」

間もなく山本恵子がやってきた。周囲を気にしている気配がある。手にA4判ほどの封筒を持っていた。

「お待たせしてすみません」そういって向かい側の席についた。すぐにウェイトレスがやってきたが、彼女は手を振って断った。長話をする気はないようだ。

「で、話というのは？」草薙は促した。

山本恵子は周囲を見回した後、少し前屈みになった。

「このことはどうか公表しないでいただきたいんです。仮に公表する場合でも、私から聞いたことは絶対に秘密にしてもらわないと困るんです」

「ははあ」草薙は上目遣いをする山本恵子を見つめた。

本来ならば、内容による、といいたいところだった。だがそんなことをいっていては、重要な話など聞き出せない。場合によっては約束を反故《ほご》にする無神経さも刑事には必要だった。

彼は頷いた。「わかりました。お約束しましょう」

山本恵子は唇を舐めた。

「先程のネットアニメのキャラクターですけど、じつは作者は女性なんです」

「えっ」草薙は目を剝いた。「本当ですか」

背筋を伸ばした。それならば話を聞く価値がある。

「本当です。諸事情で、ああいうことにしてあるんです」

岸谷がメモを取る準備をしながら頷いた。「ネットの住人というのは、名前だけでなく、年齢や性別も偽っていることが多いですからね」

「じゃあ、教師というのも嘘なんですか」草薙は訊いた。

「いえ、あそこに書かれた男性教師は実在します。ブログを書いていたのは、その人です。でもキャラクターを作ったのは別人です。男性教師とは全く関係のない女性なんです」

草薙は眉間に皺を寄せ、テーブルに両肘を載せた。「一体どういうことなんですか」

山本恵子は逡巡の表情を見せながらも口を開いた。

「じつはすべて最初から段取りされたことだったんです」

「段取り？」

「さっきは、男性教師がブログで発表していたキャラクターに人気が出てきたので、うちの社がアニメ化に乗り出したといいましたけど、実際には逆なんです。あのキャラクターを使ったネットアニメを配信する計画が先にあり、それを売り出す戦略として、まずは個人のブログにキャラクターを登場させたんです。次には、そのブログに注目が集まるよう、ネット上に様々な働きかけを行いました。で、現実に少し人気が出てきたと思われた頃、うちの社と契約してアニメ化されることになった、という形にしたわけです」

草薙は腕組みし、唸った。

「それはまたずいぶんと面倒臭い手順を踏んだものですね」

「そのほうがネット愛好家たちが親近感を覚えて、応援してくれるだろうというのが、社長の考えでした」

岸谷が草薙のほうを向き、頷いた。

「ありそうな話です。ネット愛好家たちは、無名の個人から発信された情報が次第に大きく広がっていくことを歓迎しますからね」

「するとキャラクターをデザインしたのは、やはりおたくの社員なんですか」草薙は山本恵子に訊いた。

「いえ、無名のマンガ家、イラストレーターなどから適任者を探しました。キャラクターのアイデアを出させて、これはと思うものを選出したんです。その結果選ばれたのが、あのカブのキャラクターでした。作者とは、自分が描いたことは極秘にするという契約を交わしました。その上で、男性教師のブログに載せるイラストを描いてもらったんです。もっとも、ずっと描いてもらっていたわけではなく、途中からは別のデザイナーが引き継いだんですけどね。ここまで話せばおわかりだと思いますが、その男性教師にも、うちがお金を払ってブログを書いてもらっていたんです」

やれやれ、という言葉が思わず草薙の口から漏れた。

「たしかに、すべて段取りされていたわけですね」

「新たなキャラクターを世に広めようとするには、いろいろと作戦が必要なんです」山本恵子は苦笑した。「うまくいきませんでしたけど」

「で、その絵描きさんはどういう人なんですか」

「本来は絵本作家でした。実際に何冊か出されているんです」彼女は脇に置いてあった封筒を膝に置いた。中から出してきたのは、一冊の絵本だった。

ちょっと拝見、といって草薙は絵本を受け取った。『あした雨降りになあれ』という題名だ。ぱらぱらとめくってみると、どうやらてるてる坊主が活躍する物語らしい。作者名は、胡蝶スミレとなっている。

「今も御社と繋がりがあるんですか」

「いえ、初期のイラストを描いてもらった後は、全く関係がなくなりました。キャラクターに関する権利は、すべてうちの社が持っていますから」

「あなたはこの女性に会ったことがありますか」

「いえ、ありません。今もいいましたように、彼女の存在は秘密にしておかなくてはならなかったんです。彼女に会ったのは、社長をはじめ、ごく一部の者だけです。契約なんかは、社長が直々に交わしたという話を聞いたことがあります」

「真柴社長が？　直々に？」

「カブのキャラクターを一番気に入っていたのが社長だったそうです」そういって山本恵子は、じっと草薙を見つめてきた。

草薙は頷き、絵本に目を落とした。作者の紹介欄があったが、本名も生年月日も記されていなかった。

だが絵本作家なら、絵を描く仕事で本を出したこともある、という条件に合致する。

「これ、お借りしていいですか？」絵本を手に取った。

どうぞ、といってから彼女は腕時計を見た。

「そろそろ戻らなきゃいけません。私からの話は以上です。捜査の参考になればいいのですけど」

「大変参考になりました。ありがとうございます」草薙は頭を下げた。

山本恵子が立ち去った後、草薙は絵本を岸谷に渡した。

「この出版社に問い合わせてみてくれ」

「当たりですかね」

「可能性は高いとみた。少なくとも、この絵本作家と真柴義孝との間には何かある」

「自信満々ですね」

「さっきの山本恵子の顔を見て、確信した。彼女は以前から、二人の間を疑ってたんだ」

「それならどうして今まで黙っていたんでしょう。ここへ聞き込みに来た刑事たちも、真柴氏の女性関係については尋ねたはずなんですが」

「確証のないことはいえないと思ったんだろう。俺たちにも、はっきりといったわけじゃない。俺たちが、あのキャラクターの作者に興味を示したものだから、じつは男性ではなく女性だということだけは伝えておいたほうがいいと思ったんじゃないかな。その絵本作家が真柴氏にとって特別な存在だと知っていたから、黙って見過ごせなかったんだよ」

「なるほどねえ。鉄仮面だなんて陰口を叩いて申し訳なかった」

「彼女の好意を無駄にしたくないんなら、さっさと出版社に電話をかけろ」

岸谷は携帯電話を取り出すと、絵本を手にして店を出た。彼が電話をかけるのを眺めながら草薙は残りのコーヒーを飲んだ。コーヒーはすっかり冷めていた。

岸谷が戻ってきた。しかしその顔色は冴えない。

「担当者が捕まらなかったのか」

「いえ、いました。この胡蝶スミレという作者についても教えてもらえました」

「だったら、どうしてそんなしけた面をしてるんだ?」

だが岸谷はこの問いには答えず、手帳を広げた。

「本名はツクイジュンコというそうです。津久井湖の津久井に、潤沢の潤です。この絵本は、四年前に出版されたらしいです。現在は絶版状態だということですが」

「連絡先はわかったのか」

「いえ、それが……」岸谷が手帳から顔を上げた。「亡くなってるんです」

「何？　いつのことだ」

「二年ほど前だそうです。自宅で自殺したということでした」

19

目黒署の会議室で薫が報告書を書いていると、草薙と岸谷が戻ってきた。どちらも浮かない顔つきだった。

「おやじは？　もう帰ったのか」草薙が、ぞんざいな口調で訊いてきた。

「係長なら、刑事部屋だと思います」

草薙は返事もせず、部屋を出ていった。岸谷が、お手上げのポーズを作った。

「機嫌、悪そうですね」薫はいってみた。

「見つけたんだよ、ついに。真柴義孝の昔の女を」

「えっ、そうなんですか。それなのにどうして……」

「それが、意外な展開でさ」岸谷はパイプ椅子に腰を下ろした。

彼の話を聞き、薫も驚いた。元恋人と目された女性は、すでに死んでいたという。

「出版社へ行って、その女性の写真を借りてきたんだ。で、真柴義孝がデートをしていたという紅茶専門店に行って、ウェイトレスに見せてみた。そうしたら、間違いなくこの女性だったってさ。これで一巻の終わり。草薙さんの、元恋人による犯行説は沈没した」

「それで機嫌が悪いんですね」

「俺もがっくりだよ。一日中、付き合わされて、結果がこれだもんなあ。ああ、疲れた」

岸谷が大きく伸びをした時、薫の携帯電話が鳴った。見てみると湯川からだった。彼とは昼間に会ったばかりだ。

「はい。先程はどうも」

「今、どこにいる？」湯川はいきなり訊いてきた。

「目黒署ですけど」

「あれからいろいろと考えてね。その結果、君に用が出来た。これから会えないかな」

「えっ……私は構いませんけど、どういったことでしょうか」

「それは会ってから話す。場所を指定してくれ」湯川の声は、珍しく興奮しているように聞こえた。

「いえ、それなら私が大学に……」

「もう大学を出た。すでに目黒署に向かっている。早く、場所の指定を」

薫が近くのファミリーレストランを指定すると、わかったといって湯川は電話を切った。

書きかけの報告書をバッグに入れ、薫は上着を取った。

「湯川先生かい？」岸谷が訊いてきた。

「はい。何か話があるとかで」

「いいねえ。毒殺のトリックを解決してもらえたら、こっちとしては大助かりだ。しっかりと話を聞いておいてくれ。あの先生の説明は難しいから、メモを忘れるなよ」

わかってます、といって薫は会議室を出た。

待ち合わせをしたファミリーレストランで紅茶を飲んでいると、すぐに湯川が入ってきた。薫の前に腰を下ろすと、ウェイトレスにココアを注文した。

「コーヒーじゃないんですか」

「さすがに飽きた。君といる時も二杯飲んだしね」湯川は口をへの字にした。「急に呼び出して悪かった」

「構いません。それより話というのは？」

うん、と彼は一旦目を伏せた後、薫を見つめてきた。

「確認しておきたいんだが、真柴夫人を疑う気持ちに変わりはないのかな」

「それは……そうですね。疑っています、やっぱり」

「そうか」湯川は上着の内側に手を入れ、折り畳んだ紙を出してきた。それをテーブルに置いた。

「読んでみてくれ」

薫は手に取り、広げてみた。そこに書かれている内容を一読し、眉をひそめた。

「何ですか、これは」

「君に調べてもらいたい内容だ。大雑把にではなく、正確さが必要だ」

「これを調べれば、謎が解けるんですか」

するると湯川は瞬きし、ふっと息を吐いた。

「いや、たぶん解けないだろう。解けないことを確認するための調査だ。君たちの言葉を使えば、裏づけ捜査ということになるのかな」

「どういうことですか」

「今日、君が帰った後も、あれこれと考えてみた。真柴夫人が毒を入れたと仮定して、どういう方法を用いたのかをね。だけどどうしてもわからない。僕が出した結論は、この方程式に解はない、というものだった。ただ一つを除いてね」

「ただ一つ？　じゃあ、あるんじゃないですか」

「ただし、虚数解だ」

「虚数解？」

「理論的には考えられるが、現実的にはありえない、という意味だ。北海道にいる夫人が東京にいる夫に毒を飲ませる方法が一つだけある。だけどそれを実行した可能性は、限りなくゼロに近い。わかるかい？　トリックは可能だが、実行することは不可能だということなんだ」

薫は首を振った。

「おっしゃってることがよくわかりません。だったら結局、不可能だってことじゃないですか。それを証明するために、私にこんな調査をしろっていうんですか」

「答えがないことを証明することも大切だ」

「私は答えを探しているんです。理論なんかどうでもいいから、事件の真相を突き止めたいんです。それが私たちの仕事です」

湯川は口をつぐんだ。ちょうどその時、ココアが運ばれてきた。彼はゆっくりとした動作でそれを飲んだ。

そうだな、と彼は呟いた。「たしかに君のいう通りだ」

「先生……」

湯川は手を伸ばし、テーブルに置いた紙を取った。

「科学者の習性でね、たとえ虚数解であっても、答えがあるというだけで落ち着かなくなる。しかし君たちは科学者ではない。そんなものの存在証明に貴重な時間を使わせるわけにはいかない」きちんと畳んだ紙を懐にしまい、湯川は口の端に笑みを浮かべた。「この話は忘れてくれ」

「先生、そのトリックを話してください。それを聞いてから、私が判断します。そうしてそれだけの価値があると思えば、先程の内容を調べてみます」

「それはできない」

「どうしてですか」

「トリックを知れば、君は先入観を持ってしまう。それでは客観的な調査はできない。逆に君が調査をしないということであれば、トリックを知る必要もない。いずれにせよ、今ここで話すわけにはいかない」

湯川の手が伝票に伸びた。だが一瞬早く、薫が奪い取っていた。「ここは私が」

「そういうわけにはいかない。無駄足を踏ませた」

薫は空いたほうの手を彼に差し出した。

「さっきのメモをください。調べてみます」

「虚数解だぞ」

「それでも知りたいんです。先生が見つけた、たった一つの答えを」

湯川はため息をつき、再びメモを取り出した。薫はそれを受け取り、もう一度内容を確認してからバッグにしまった。

「もしそのトリックが先生のいう虚数解でなければ、謎は解けるということですね」

だが湯川は頷かない。眼鏡を指先で押し上げ、それはどうかな、と呟いた。

「違うんですか」

「もし虚数解でなければ」彼は目に鋭い光を宿らせて続けた。「おそらく君たちは負ける。僕も勝てないだろう。これは完全犯罪だ」

20

若山宏美は、壁に飾られたタペストリーに目を向けた。

紺色とグレーの小片が、連なって一本の帯を形成している。その帯は長く、途中で曲がりくねり、交差したり絡んだりしながら、最終的に元の地点に繋がる。つまり帯はループになっているのだ。かなり複雑な構図だが、遠目からだと単純な幾何学模様に見える。真柴義孝は、「ＤＮＡのらせん模様みたいだな」と悪口をいっていたが、宏美はこの作品が気に入っていた。綾音の個展が銀座で開かれた時、入り口のそばに飾られたものだ。来場者が最初に目にするわけだから、綾音にしても自信作だったのだろう。たしかにデザインをしたのは彼女だ。しかし実際に作ったのは宏美だった。作家が個展で発表する作品が、じつは弟子の手によるものだというのは、芸術の世界ではさほど珍しいことではない。ましてやパッチワークは、大きな作品になれば一点を仕上げるのに何か月もかかる。手分けして作らなければ、個展を開くほどには作品が揃わない。それでも綾音は、かなり自分で作っているほうだ。その時の個展で発表した作品の八割は、綾音自身の手によるものだった。それにもかかわらず綾音は、入り口に飾る作品に、宏美の手によるものを選んだ。そのことは宏美を感激させた。出来映えに納得してもらえたのだと嬉しかった。

ずっとこの人の下で仕事をしたい――その時は、そう考えた。

ことり、と物音がした。綾音がマグカップを作業台に置いたのだ。彼女たちは向き合って座っていた。パッチワーク教室の『アンズハウス』にいた。本来なら、教室が開かれていて、数名の生徒が布を切り刻んだり繋いだりしている時間だった。しかし今は二人しかいない。教室は、休みが続いている。

そう、といって綾音はマグカップを両手で包んだ。

「宏美ちゃんが、そう決めたんなら仕方ないわね」

「勝手なことをいって、申し訳ありません」宏美は頭を下げた。

「別に謝ることはないわよ。私もね、これからはちょっとやりにくくなるかなって思ってたの。だから、こうするしかないのかもしれないわね」

「全部あたしのせいです。本当に、何といっていいかわかんなくて」

「もうやめましょ。私、宏美ちゃんが謝るところなんて、もう見たくないの」

「あ、はい。すみません……」

宏美は項垂れた。涙がこぼれそうだったが懸命に堪えた。泣けば、さらに綾音を不愉快にさせると思ったからだ。

話したいことがあるので会ってほしい、と電話をかけたのは宏美のほうだ。綾音は詳しいことを訊くことなく、では『アンズハウス』で会いましょう、といった。わざわざ教室を指定してきたのは、どういう用件なのか見当がついたからではないか、と宏美は思った。

綾音が紅茶を入れるのを待ち、宏美は切りだした。教室を辞めさせてもらいたい、という内容だった。無論それは綾音の助手を辞める、という意味だった。

「でも宏美ちゃん、あなた、大丈夫なの？」綾音が訊いてきた。

宏美が顔を上げると、これからのことよ、と彼女は続けた。

「生活費、どうするの？　仕事なんて、簡単には見つからないんじゃない？　それとも、御実家から援助してもらえるのかしら」

「まだ何も決めてないんです。実家には迷惑をかけたくないと思っていますけど、そういうわけにはいかないかもしれません。でも少しは貯金とかもありますから、出来るかぎり自分の力でやっていこうとは思っています」

「何だか頼りないわね。そんなんでやっていけるのかしら」綾音は横の髪を耳にかけるしぐさを繰り返した。苛立った時に見せる癖だった。「まあ、私が心配するのは大きなお世話なのかもしれないけど」

「心配してくださってありがとうございます。あたしなんかのために」

「だから、もうそういうことはいわないで」

綾音の厳しい口調に、宏美は思わず全身を強張らせていた。再び深く首を折った。

ごめんなさい、と綾音が小声でいった。

「きつい言い方しちゃったわね。でも、ほんとにもう、宏美ちゃんにそういう態度はとってほしくないの。これから一緒に仕事が出来なくなるのは仕方がないと思うけど、あなたには幸せになってほしいと願ってる。これは本心よ」

胸の内を何とか伝えようとする気配に、宏美はおそるおそる顔を上げた。綾音は微笑を浮かべていた。寂しげな笑みではあったが、作りものには見えなかった。

先生、と宏美は呟いた。

「それに、私たちにこんな思いをさせる原因になった人物は、もうこの世にいないじゃない。だったらもう、後ろを振り返るのはやめましょうよ」

柔らかく語りかけられ、宏美は頷くしかなかった。内心では、そんなことは不可能だと思っていた。真柴義孝との恋も、彼を失った悲しみも、綾音を裏切った自責の念も、すべて深く胸に刻み込まれている。

「宏美ちゃん、うちに来て何年だっけ？」綾音が明るい声で訊いてきた。

「三年ちょっとです」

「そうか、もう三年になるのね。中学や高校なら卒業ね。じゃあ、宏美ちゃんも私の下から卒業したと思えばいいのかな」

この言葉には頷けなかった。そんな呑気な言葉に甘えられるほど間抜けではない、と宏美は思った。

「宏美ちゃん、この部屋の鍵は持ってるわね」

「あ、はい。お返しします」宏美は傍らに置いてあったバッグを取った。

「いいの、持っていて」

「でも」

「この部屋には、あなたのものがたくさん置いてあるでしょ？　荷物を整理するのに、少し時間がかかるんじゃないかしら。ほかにも、もし欲しいものがあるなら、遠慮なく持っていってちょうだい。そのタペストリーなんかも、欲しいんじゃない？」そういって綾音が視線を送ったのは、つい先程まで宏美が見ていたものだった。

「それ、いいんですか」

「もちろんよ。だって、あなたが作ったものじゃない。それ、個展の時も好評だったわよね。いずれは宏美ちゃんに渡そうと思ってたから、売らなかったのよ」

その時のことは宏美も覚えている。殆どの作品には値段がつけられていたのだが、このタペストリーは非売品扱いになっていた。

「荷物を片づけるのに、何日ぐらいかかりそう？」綾音が訊いた。

「たぶん今日と明日ぐらいで終えられると思います」

「そう。じゃあ、終わったら電話をちょうだい。鍵は……そうね、ドアの郵便受けに入れといてくれればいいわ。くれぐれも忘れ物のないようにね。その後すぐに、業者の人に頼んで、この部屋の片づけを本格的にするつもりだから」

その意図がわからず宏美が瞬きすると、綾音は唇を緩めた。

「いつまでもホテル生活は出来ないでしょ。何かと不便だし、不経済だしね。だから、次の住まいが見つかるまで、ここで生活しようと思ってるの」

「自宅にはお帰りにならないんですか」

すると綾音は、ふっと息を吐き、肩を落とした。

「それも考えたんだけど、やっぱり無理。楽しい思い出が、全部辛いものに変わっちゃったから。それに何より、私が一人で住むには広すぎるわ。あの人、たった一人で、よく住んでたなと思っちゃう」

「手放すんですか」

「事件のあった家だから、買い手がつくかどうかはわからないけどね。猪飼さんに相談してみようと思うの。あの方なら、何かコネクションがあるかもしれないし」

宏美は、かけるべき言葉が見つからず、じっと作業台のマグカップを見つめた。綾音が入れてくれた紅茶は、たぶん冷めているだろう。

「じゃあ、私、行くわね」綾音が、自分の飲み終えたマグカップを手にし、立ち上がった。

「それ、置いといてください。あたし、洗いますから」

「そう？　悪いけど、お願いしようかな」綾音はマグカップを作業台に戻した後、しげしげと眺めた。「このカップ、宏美ちゃんが持ってきてくれたものよね。友達の結婚式で貰ったとかいってなかった？」

「そうです。ペアで貰ったんです」

その二つのカップが作業台に載っている。二人で打ち合わせる時など、いつも使った。

「だったら、それも持って帰らないとね」

はい、と宏美は小声で答えた。マグカップを持ち帰ることなど、まるで考えていなかった。だがこういうものの存在自体が、もしかすると綾音を不快にするのかもしれないと思い、心が一層暗くなった。

綾音はショルダーバッグを肩にかけ、玄関に向かった。宏美は、後を追った。

靴を履いた後、綾音は宏美のほうを向いた。

「変な感じね。教室を辞めるのは宏美ちゃんのほうなのに、私が部屋を出ていくなんて」

「片づけは、なるべく早く終わらせます。今日中にでも」

「急がなくていいの。そういう意味でいったんじゃないんだから」綾音は真っ直ぐに宏美を見つめてきた。「じゃあ、元気でね」

「先生も、お元気で」

綾音は頷き、ドアを開けた。外に出て、にっこりと笑ってからドアを閉めた。

宏美は、その場に座り込んだ。深いため息が出た。

パッチワーク教室を辞めるのは辛いし、収入がなくなるのも不安だが、こうするしかないと思った。義孝との関係を綾音に告白したにもかかわらず、これまでと同じようにやっていこうとしたこと自体、間違いだったのだ。いくら綾音が解雇をいいださないからといって、彼女が心から宏美を許しているとは思えない。

それに——宏美は腹部に手を当てた。

おなかの子供のことがある。綾音から、どうするつもりなのか、と尋ねられることを宏美は恐れていた。じつはまだ気持ちが固まっていないからだ。

綾音が子供のことを訊いてこなかったのは、当然堕胎するものだと思い込んでいるからかもしれなかった。宏美が産む気かもしれないとは、露ほども考えていないに違いない。

だが宏美は迷っている。いや、もっと心の奥底を探ってみれば、そこにあるのは産みたいという気持ちだけだった。そのことに自分で気づいている。

だが産んだとして、その後にはどんな人生が待っているだろう。実家の世話になどなれない。

宏美の両親は健在だが、特にゆとりのある生活を送っているわけではない。それに二人ともいたって平凡な感性の持ち主で、娘が不倫の末に未婚の母になったと知っただけで、混乱し、途方に暮れることだろう。

やはり堕ろすしかないのだろうか——この問題について考えた時、いつも同じところに行き着いてしまう。その結論を避けたくて、何か手はないものだろうかと思考を巡らせる。義孝の死後は、そういったことの繰り返しだ。

小さく頭を振った時、携帯電話が鳴りだした。宏美はゆっくりと立ち上がり、作業台に戻った。椅子に置いたバッグから電話機を取り出した。着信の番号には見覚えがある。出ないでおこうかとも思ったが、結局通話ボタンを押していた。今ここで無視したところで、諦めるような相手ではない。

はい、と答えた。わざとではなかったが、暗く沈んだ声になった。

「もしもし、警視庁の内海です。今、お話ししてもよろしいでしょうか」

「どうぞ」

「申し訳ないんですが、また何点か、お訊きしたいことが出てきたんです。どこかでお会い出来ませんか」

「いつですか」

「出来るだけ早いほうがいいんです。すみません」

宏美は、大きくため息をついた。相手に聞こえても構わないと思った。

「だったら、こちらに来ていただけませんか。今、パッチワーク教室にいるんですけど」

「代官山ですね。そちらに真柴さんもいらっしゃるんでしょうか」

「いえ、今日はもう来られないはずです。あたし一人です」

「わかりました。では、これから伺います」電話が切れた。

宏美は電話機をバッグにしまい、額に手を当てた。

パッチワーク教室を辞めたぐらいでは、何ひとつ終わらないのだと思った。事件が解決するまで、警察は宏美を解放してはくれないだろう。ひっそりと子供を産むことなど、到底出来ない。

マグカップに残っていた紅茶を口に含んだ。予想した通り、すっかりぬるくなっている。

ここに通った三年間の出来事が頭に浮かんだ。元々は我流だったパッチワークの技術が、たった三か月で自分でも驚くほどに向上した。綾音から助手をしてくれないかと誘われた時には、即座にオーケーした。派遣会社から回ってくる、やり甲斐のない仕事を機械的にこなす毎日には飽き飽きしていた。

宏美は、部屋の隅に置いてあるパソコンに目を向けた。綾音と二人でデザインを考える時、大いに活躍したのがパソコンの描画ソフトだった。配色を決めるだけで一晩中かかったこともある。しかし辛いと思ったことは一度もなかった。デザインが決まれば、布の買い付けに出かける。散々議論して配色を決めたはずなのに、店で見つけた布の色に二人とも一目惚れし、その場で急遽方針を転換したこともあった。その時は顔を見合わせ、苦笑いしたものだ。

この上なく充実した日々だった。それがどうして、こんなことになってしまったのか。

宏美は小さく頭を振った。その理由は十分すぎるほどわかっていた。すべて自分が悪いのだと思った。他人の、しかも恩義ある女性の夫を奪ってしまったことが原因だ。

宏美は真柴義孝と初めて会った時のことを明確に覚えている。この部屋で教室の準備をしていると、綾音から連絡があり、男性が訪ねてくると思うから部屋で待つように伝えてほしい、というのだった。その男性との関係については、そこでは話してくれなかった。

間もなく男性がやってきた。宏美は彼を部屋に上げ、日本茶を出した。彼は興味深そうに室内を見回しながら、あれこれと尋ねてきた。大人の男性だけが持つ落ち着きを備えていながら、好奇心を抑えきれない少年のような気配を漂わせた人物だった。とびきり頭がいいということも、少し会話を交わしただけで感じられた。

その後、綾音が現れて、彼のことを紹介した。パーティで知り合ったという話に、宏美は意外な感じがした。綾音がそういう場所に出かけていくことがあるとは知らなかった。

今から振り返ると、あの時すでに自分は義孝に好意を抱いていた、と宏美は思うのだった。恋人だと紹介された瞬間、嫉妬に近い気持ちが生じたのを、ありありと覚えている。

もしああいう形ではなく、最初から綾音が一緒にいたならば、自分の気持ちも違っていたのではないだろうかと思う。相手が何者かわからず、なまじ二人だけで過ごす時間があったばかりに、特別な感情が芽生えたような気がするのだ。

一度胸に生まれた恋心は、淡いながらも決して消えることはなかった。綾音が結婚したことで、宏美も真柴家に出入りするようになり、一層義孝を身近に感じるようになった。当然、二人きりになることもある。

もちろん宏美のほうから自分の気持ちを打ち明けたことなどはない。そんなことをしても義孝に迷惑なだけだと思ったし、それ以前に、彼と特別な関係になりたいとは思わなかった。家族のように接していられるだけで満足だった。

だが伏せているつもりでも、宏美の思いは義孝に伝わっていたのだろう。彼の彼女に対する態度は、少しずつ変わっていった。妹を見るように優しい眼差しに、何かが微妙に混じり始めた。そのことに気づき、宏美の胸がときめいたのも事実だ。

そして三か月ほど前のある夜、彼女がこの部屋で夜遅くまで仕事をしていたら、義孝から電話がかかってきた。

「綾音から聞いたんだ。宏美ちゃんは、このところずっと夜鍋してるって。教室のほう、かなり忙しいみたいだね」

もしよければ、これからラーメンを食べに行かないか、というのだった。義孝も残業で遅くなったらしい。前々から行ってみたいと思っていたラーメン屋があるという。

空腹を覚えていたので、即座に承知した。すぐに義孝が車で迎えに来た。

ラーメンの味は特に印象に残るほどではなかった。だがそれは、義孝と二人きりだったせいかもしれない。彼が箸を動かすたび、その肘が彼女の身体に触れた。その感触ばかりが記憶に焼き付いた。

その後、義孝は宏美を部屋まで送ってくれた。車をマンションの前で止めてから、彼は微笑みながらいった。

「たまには、こんなふうにラーメンぐらいなら付き合ってもらえるかな」

「いいですよ、いつでも」宏美は答えた。

「ありがとう。宏美ちゃんといると心が癒されるんだ」

「そうなんですか」

「俺も、こことここが疲れてるんでね」彼は自分の胸と頭を順番に指差した後、真顔になって宏美を見つめてきた。「今夜は本当にありがとう。楽しかった」

「あたしもです」

宏美がそう答えた直後、義孝の手が伸びてきて、彼女の肩を抱いた。ぐいと引き寄せられるまに彼女は身体を預けた。ごく自然な流れでキスを交わした。

おやすみ、と彼はいった。おやすみなさい、と彼女は答えた。

その夜は胸が高鳴り、なかなか寝付けなかった。だが大きな過ちを犯したという意識はなかった。二人だけの小さな秘密を作った、という程度に考えていた。

それが大きな間違いだと気づくのに時間はかからなかった。義孝の存在は、宏美の中でみるみる膨らんでいった。何をしている時でも、彼のことが頭から離れなかった。

それでも二人で会ったりしなければ、そんな熱病のような状態も長くは続かなかったかもしれない。ところが義孝は、その後も頻繁に宏美を誘うようになった。彼女にしても、彼からの電話を待つために、特に用もないのに教室に残っていることが多くなった。

糸の切れた風船のように、宏美の心は制御不能のまま舞い上がり続けた。ついに男女の一線を越えた時、大変なことをしてしまったと初めて思った。だがその夜に義孝から聞かされた言葉は、宏美の不安を吹き飛ばす力を持っていた。

綾音とは、おそらく別れることになるだろう、というのだった。

「結婚の目的は子供を持つことだといってある。一年以内に出来なければ夫婦関係は解消するという約束だ。あとまだ三か月あるけど、たぶん無理だろう。俺にはわかるんだ」

じつに冷徹な台詞だったが、その時の宏美には頼もしく聞こえた。それだけ身勝手になっていたということだろう。

様々なことを振り返り、自分たちは何というひどい裏切りをしたのだろうと宏美は改めて思った。綾音から、どれだけ恨まれても仕方がない。

やはり――。

義孝を殺したのは綾音なのかもしれない。宏美に対して優しく振る舞ってくれるのも、殺意を隠すためのカムフラージュと考えることもできる。

ただ、彼女にはアリバイがある。警察が彼女を疑っている様子はないから、犯行自体が不可能だという事実には変わりがないのだろう。

しかし綾音以外に、義孝を殺す動機を持つ人間などいるのだろうか。それを考えた時、宏美は別の憂鬱さを感じた。子供を産みたがっていながらも、自分はその子の父親について殆ど何も知らないのだと思い知った。

内海薫は黒っぽいスーツ姿で現れた。三十分ほど前まで綾音が座っていた椅子に腰掛け、無理をいって申し訳ありません、と改めて頭を下げた。

「あたしなんかのところに何度も来られても、事件は解決しないと思います。だってあたし、真柴さんのことを、すごくよく知っているわけじゃないんですから」

「よく知らないのに、そういう関係になったんですか」

女性刑事の言葉に、宏美は口元を引き締めた。

「人間性についてはわかってたつもりです。でも捜査に必要なのは、そういうことじゃないんでしょ？　過去のこととか、仕事上のトラブルとかは知らないといってるんです」

「被害者の人間性というのも、捜査を進めるためには知っておかなきゃいけないことです。でも今日はそんな難しいことじゃなくて、もっと日常的なことをお尋ねしたくてやって来たんです」

「日常的なことって？」

「真柴夫妻の日常です。それについては、あなたが一番よく御存じのはずですから」

「だったら、先生にお訊きになったらいいじゃないですか」

内海薫は、首を傾げ、笑いかけてきた。

「当人の口からは、なかなか客観的な意見は出てこないと思いますから」

「……何が訊きたいんですか」

「若山さんは、真柴夫妻が結婚された直後から、あの家に出入りされるようになったんですよね。

「頻度は、どの程度でしたか」

「それはいろいろですけど、平均すれば月に一度か二度だったと思います」

「曜日は決まってましたか」

「特には決まってませんでした。でも、日曜が多かったです。教室が休みですから」

「日曜なら、真柴義孝さんも自宅にいらっしゃったんじゃないですか」

「そうですね」

「すると三人で話をされたりしていたわけですか」

「そういうこともありましたけど、真柴さんは大抵書斎に入っておられました。休日でも、家で仕事をされてたみたいです。それにあたしがお宅にお邪魔していたのは、先生と打ち合わせることがあったからで、おしゃべりが目的ではありませんから」宏美は抗議口調になった。義孝に会いたくて真柴家に行っていたと思われるのは心外だった。

「夫人とは、どの部屋で打ち合わせを？」

「リビングルームですけど」

「いつも？」

「そうです。それがどうかしたんですか」

「打ち合わせ中に紅茶やコーヒーを飲むことはありましたか」

「いつも、出していただきました」

「あなたが入れたことは？」

「たまにあります。先生が別の料理で手を離せない時なんか」

「コーヒーを入れる手順は夫人から教わったとおっしゃってましたよね。だから事件があった朝も、同様の手順を踏んだと」

「そうです。またコーヒーの話ですか。もう何度も話したじゃないですか」口元が歪んだ。

だが聞き込みの相手から不快感を示されることには慣れているのか、若い女性刑事の表情は微動だにしなかった。

「猪飼さんたちとホームパーティをされた時ですが、あなたは真柴さんのお宅の冷蔵庫を開けましたか」

「冷蔵庫？」

「冷蔵庫にはミネラルウォーターのペットボトルが入っていたはずです。それを見たかどうかを知りたいんです」

「それなら見ました。一度、あたしが水を取りに行ったことがありますから」

「その時、ペットボトルは何本残っていましたか」

「そんなの覚えてません。何本か並んでたのはたしかですけど」

「一、二本ですか」

「だから覚えてないといってるでしょ。ずらっと並んでたから、四、五本じゃないんですか」つい声が大きくなった。

わかりました、と女性刑事は能面のような顔で頷く。

「事件の直前、あなたは真柴さんに呼ばれて真柴家に行かれたということですが、そういうことは何度かあったんでしょうか」

「ありません。あの日が初めてです」

「なぜ、その日にかぎって真柴さんはあなたを呼んだんでしょうか」

「それは……だって先生が実家に帰られてたから」

「それまではチャンスがなかったということでしょうか」

「それもあると思いますけど、先生が離婚を承諾したということを、一刻も早くあたしに伝えたかったんじゃないですか」

なるほど、と内海薫は頷いた。

「趣味について何か御存じですか」

「趣味？」宏美は眉をひそめた。

「真柴夫妻の趣味です。スポーツとか旅行とか、あるいはドライブとか」

宏美は首を傾げた。

「真柴さんはテニスとかゴルフをしておられましたけど、先生のほうは特に何も。パッチワークとお料理ぐらいじゃないでしょうか」

「では、休日などは夫婦でどのように過ごしておられたのでしょう」

「そんなことは、よく知りません」

「御存じの範囲で結構です」

「先生は、大抵パッチワーク作りをしておられるという話でした。真柴さんはＤＶＤなんかを見て過ごすことが多かったみたいです」

「夫人が自宅でパッチワークをするのは、どの部屋ですか」

「リビングルームだと思います」

答えながら宏美は当惑していた。質問の方向性が全く定まっていないように思えた。

「二人で旅行に出かけられることはありましたか」

「結婚直後にパリとロンドンに行かれたはずです。その後は、旅行らしい旅行はしておられないと思います。真柴さんのほうは、仕事であちこち出かけられることが多かったみたいですけど」

「買い物なんかはどうですか。たとえば若山さんと夫人とで、街にショッピングに出かけるということはなかったんですか」

「パッチワーク用の布地を買いに行くことはありました」

「それはやはり日曜日に？」

「いえ、教室が始まる前ですから平日です。布の量が多いので、買ったらそのままここまで持ってきていたんです」

内海薫は頷き、手帳に何事か書き込んだ。

「質問は以上です。お忙しいところ、ありがとうございました」

「あの、今の質問に、一体どういう意味があるんですか。あたしには意図がさっぱりわからないんですけど」

「どの質問ですか」

「全部です。趣味とか買い物とか、事件に関係しているとは思えません」

するとと内海薫は一瞬戸惑った表情を浮かべた後、すぐに微笑みかけてきた。

「おわかりにならなくていいんです。警察には警察なりの考えがありますから」

「それを教えてはもらえないんですか」

「すみません。それがルールなんです」女性刑事は素早く立ち上がった。お邪魔しましたといって頭を下げると、足早に玄関へと向かった。

21

「質問の意図を訊かれた時には困りました。だって、私自身が意図を理解していないんですから。聞き込みの際には、しっかりと目的を意識した上で質問するようにと、ふだんからいわれていますし」コーヒーカップを持ち上げながら薫はいった。

湯川の研究室に来ている。先日彼から頼まれた調査の結果を持ってきたのだ。

「君のいっていることは正論だが、時と場合による」正面に座った湯川が、レポート用紙から顔を上げた。「過去に例のない、極めて特殊な犯罪があったのか、それともなかったのかを調べようとしている。こうした、存在の有無を確認するという作業は曲者でね、携わった人間の先入観に左右される場合がしばしばある。ルネ・ブロンドロという物理学者を……いや、君が知っているわけがないな」

「聞いたこともありません」

「十九世紀後半に数々の業績をあげたフランスの研究者だ。二十世紀に入って間もなく、ブロンドロは新たな放射線を見つけたと発表した。Ｎ線と名付けられたその放射線には、電気スパークの輝きを増す効果があるということだった。画期的な発見ともてはやされ、物理学界は大騒ぎになった。しかし、結局Ｎ線の存在は否定された。ほかの国の科学者が何度やっても、電気スパークの輝きが増すことはなかった」

「じゃあ、インチキだったんですか」

「インチキというのとは違う。ブロンドロ本人はＮ線の存在を信じていたのだからね」

「どういうことですか」

「そもそもブロンドロは、電気スパークの明るさを自分の目だけで確かめていた。それが間違いのもとだった。Ｎ線を当てると輝きが増したというのは、彼の願望による錯覚だったと証明されたんだ」

「へえ、偉い物理学の先生でも、そんな単純な間違いを犯すんですね」

「先入観というのは、それほど危険なものだということだ。だから君にも、何の予備知識も与えなかった。おかげでこうして、極めて客観的な情報を得ることができた」湯川はレポート用紙に目を戻した。それは薫が書いたものだった。

「で、どうなんですか。やっぱり虚数解ですか」

だが湯川は即答せず、レポート用紙を睨んだままだ。その眉間には深い皺が入っていた。

「やはり冷蔵庫にはペットボトルが何本か残ってたんだな」独り言のように彼は呟いた。

「その点については、私も妙だと思いました。綾音夫人がいってたんです。水のペットボトルを切らさないようにしてたって。それなのに夫人が帰省した翌日には、残りが一本になっていたわけですよね。どういうことでしょうか」

湯川は腕組みをし、目を閉じた。

「先生」

「ありえない」

「えっ？」

「そんなこと、絶対にありえない。しかし――」湯川は眼鏡を外し、指先で両目の瞼を押さえた。

そのまま動かなくなった。

22

飯田橋の駅から神楽坂通りを上がっていき、毘沙門天を過ぎて間もなく左に曲がった。再び急な坂を上がると、右側に目的のビルが見えてきた。

草薙は正面玄関から中に入った。左側の壁にオフィス名を記したプレートが並んでいる。『クヌギ出版』は二階にあった。

エレベータがあったが、草薙は階段で上がった。段ボール箱が積まれているので、ひどく歩きにくい。消防法違反だが、今日のところは指摘しないでおこうと思った。

事務所のドアは開け放たれていた。中を覗くと、数名の社員が机に向かっていた。一番手前にいた女子社員が草薙に気づき、近づいてきた。

「何か？」

「笹岡さんはいらっしゃいますか。先程お電話したんですが」

すると、「ああ、どうも」と横から声が聞こえた。小太りの男がキャビネットの向こうから顔を出した。今までしゃがんでいたらしい。

「笹岡さんですか」

「そうです。ええと……」彼はそばの机の引き出しを開け、名刺を出してきた。「どうも、御苦労様です」

草薙も名刺を出し、交換した。相手の名刺には、『クヌギ出版　代表取締役　笹岡邦夫』とあった。

「警察の人から名刺を貰うのは初めてですよ。いい記念になります」笹岡は名刺を裏返し、おっと声を漏らした。「笹岡さんへ、と書いてありますね。それと今日の日付も。はは あ、悪用防止ですな」

「お気を悪くなさらないでください。単なる習慣なんです」

「いや、それぐらいの用心は必要でしょう。ええと、こちらで話をされますか。それとも喫茶店かどこかで?」

「こちらで結構です」

「そうですか」

笹岡は、事務所の隅に作られた簡単な応接スペースに草薙を案内した。

「お忙しいところをすみません」草薙は合皮の黒いソファに腰掛けながらいった。

「大丈夫です。大手と違って、うちはのんびりやってますから」笹岡は大口を開けて笑った。悪い人物ではなさそうだった。

「電話でもいいましたが、津久井潤子さんについてお伺いしたいんです」

笹岡の顔から笑いが消えた。

「あの方は、私が直接担当したんです。才能のある人だっただけに、じつに残念なことでした」

「津久井さんとは長い付き合いだったんですか」

「長いといえるのかな。二年ちょっとです。うちで二冊作らせていただきました」

笹岡は立ち上がり、自分の席から二冊の絵本を取ってきた。

「これです」

拝見します、といって草薙は手に取った。絵本のタイトルは、『雪だるまころがった』と『こまいぬタローの冒険』というものだった。

「あの人は、雪だるまとか狛犬とか、昔から存在するキャラクターを主人公に据えるのが好きでしたね。てるてる坊主を使った作品もあった」

「それなら知っています。『あした雨降りになあれ』ですね」

その作品を見た真柴義孝が、ネットアニメのキャラクター作りに津久井潤子を抜擢することになったのだ。

笹岡は頷き、両眉の端を下げた。

「津久井さんの手にかかると、見慣れたキャラクターでも新鮮な輝きを放つようになる。本当に惜しい方です」

「津久井さんが亡くなった時のことを覚えておられますか」

「もちろん覚えています。何しろ、私宛ての手紙が残ってたんですから」

「そうですか。何人かの方に宛てた遺書が残っていたということは、御家族から聞きました」

津久井潤子の実家は広島だった。草薙は電話で、母親と話をした。彼女によれば、津久井潤子は自室で睡眠薬自殺を図ったのだが、現場には三通の遺書が残っていたということだった。それらはすべて仕事で関わりのある人間たちに宛てたものだった。そのうちの一通が笹岡宛てだったらしい。

「突然こんな形で仕事を放り出してしまい申し訳ない、という内容でした。当時、私は彼女に次の作品をお願いしていたものですから、気がかりだったんでしょうなあ」その頃のことを思い出したのか、笹岡は辛そうに顔をしかめた。

「自殺の動機については、何も書かれてなかったんですね」

「ええ。申し訳ないという詫びの言葉だけでした」

津久井潤子が書いた遺書はそれだけではなかった。自殺する直前、彼女は母親に宛てて手紙を出している。それを見た母親は、驚いて娘に電話をかけた。だが繋がらないので、急いで警察に知らせた。連絡を受けた地元の警察官がマンションへ駆けつけ、遺体を発見したというわけだった。

母親に宛てた手紙にも、自殺の動機については書かれていなかった。そこには、産んでくれたことと育ててくれたことに対する感謝の思いと、大事な命をこんなふうにしてしまってごめんなさいという謝罪の念を込めた言葉が並んでいたという。

何がなんだかわからないままなんですよ、と母親は電話の向こうで泣いていた。二年が経ったとはいえ、娘を失った悲しみは少しも薄れてはいないようだった。

「笹岡さんは、津久井さんの自殺について何か心当たりは？」

草薙の問いに笹岡は口をへの字にして首を振った。

「あの時も警察の人から訊かれましたが、全くわかりません。彼女が自殺する二週間ほど前に会ったのですが、そんな気配は微塵も感じられませんでした。私が鈍感なだけかもしれませんが」

笹岡が鈍感だったせいとは思えない。草薙はすでに、残り二通の遺書を受け取った人間にも会っているが、誰もが同じようなことをいっている。

「津久井さんに交際していた男性がいたことは御存じですか」草薙は質問を変えた。

「それらしき話は聞きました。でも、どこの誰かは知りません。今の時代、あまり迂闊にそういったことを訊くと、セクハラで訴えられますから」笹岡は真面目な顔でいった。

「ではそういった人ではなく、親しくしていた人物に心当たりはありませんか。女性の知人や友達のことでも結構です」

笹岡は太くて短い腕を組み、首を捻った。

「あの頃も、そういう質問を受けたんですが、思いつくことがないんですよねえ。孤独を愛する人とでもいえばいいのかな。自分の部屋でコツコツと絵を描いていれば幸せというタイプでね、人と接するのはあまり好きではなかったんじゃないかと思います。だから恋人らしき人がいると聞いた時には、意外な気がしたんですよ」

真柴綾音と同じだ、と草薙は思った。若山宏美という助手や、帰省の際は一緒に温泉に行く幼なじみぐらいはいるが、基本的には孤独に暮らしている。広いリビングでソファに座り、一日中パッチワークをして過ごすという生活だ。

つまり真柴義孝が、そういうタイプの女性が好きだったということなのかなと考えた。

いや――。

それは少し違う、と草薙は思い直した。猪飼達彦から聞いた話を思い出していた。

「彼は、そういう点を評価しない。子供を産めない女がソファに座っていても、置物と同じで邪魔なだけ、という考えだったようです」

真柴義孝が孤独な女性を選んだのは、相手を子供を産む装置としか見ていなかったからなのだ。装置に面倒な人間関係が付属している必要はない、とでも思っていたのかもしれない。

あのう、と笹岡が口を開いた。

「どうして今頃になって、彼女の自殺について調べておられるんですか。動機は不明でしたが、事件性はないということで、特に捜査らしきことは行われなかったようでしたが」

「自殺に不審な点があるとかではありません。別の事件の捜査で、津久井さんの名前が出てきたものですから、一応確認しているだけです」

「はあ、そうなんですか」

何の事件の捜査なのか、笹岡は知りたい様子だった。草薙は話を切り上げることにした。

「お仕事の邪魔をして申し訳ありませんでした。これで失礼します」

「もういいんですか。いやあ、お茶を出すのも忘れてましたなあ」

「結構です。ありがとうございます。それより、これをお借りしても構いませんか」二冊の絵本を取り上げた。

「どうぞ。差し上げます」

「いいんですか」

「ええ。置いてても、いずれ断裁される運命の本です」

「そうですか。では、遠慮なく」

草薙は立ち上がって出入口に向かった。笹岡もついてきた。

「しかしあの時は驚きました。亡くなったと聞いた時には、自殺だとは思わなかったですからね。自殺と知った後も、仲間うちであれこれと想像を働かせたものです。殺されたんじゃないかというやつもいました。不謹慎な話ですが。何しろ、あんなものを飲んで死んだんですからね」

草薙は足を止め、笹岡の丸い顔を見つめた。

「あんなもの？」

「ええ、毒物です」

「睡眠薬じゃないんですか」

笹岡は唇を丸くして手を振った。

「違いますよ。あれ、御存じないんですか。ヒ素です」

「ヒ素？」ぎくりとした。

「例の事件、和歌山のカレー事件で使われたとかいう」

「亜ヒ酸ですか」

「あっ、なんかそういう名前の毒です」

心臓が大きくバウンドした。失礼します、といって草薙は階段を駆け下りた。

携帯電話で岸谷にかけた。大至急、津久井潤子の自殺に関する資料を所轄から取り寄せるように命じた。

「一体どういうことですか。草薙さん、まだあの絵本作家のことが気になるんですか」

「このことは係長も了解済みだ。つべこべいわずにいわれた通りにしろ」

電話を切り、通りかかったタクシーを拾った。目黒署へ、と運転手に告げた。

事件から何日も経つというのに、捜査は一向に進展していない。毒物の混入経路を特定できないことが大きいが、どこをどう調べても真柴義孝を殺害する動機を持つ人間が見当たらないことも原因の一つだった。唯一動機があるとすれば綾音だが、彼女のアリバイは完璧だった。

草薙は、事件当日に真柴家を訪れた人間が必ずいるはずだ、と間宮に進言した。さらに、津久井潤子という真柴義孝の元恋人について調べさせてほしいと願い出た。

「だけどその女性は死んでるんだろ」間宮はいった。

「だからこそ気になるんです」草薙は答えた。「もし自殺の原因が真柴義孝にあるのなら、津久井潤子の周りに、真柴を恨んでいる人間がいる可能性は十分にあります」

「復讐ということか？　しかし自殺したのが二年も前じゃなあ。どうして今まで実行しなかったんだ」

「それはわかりません。もしかすると、あまり時間を置かないで復讐すると、すぐに津久井潤子の自殺と結びつけられてしまうと考えたのかもしれません」

「もしその推理が当たっているとすれば、犯人は相当執念深い人間だということになる。二年間も憎しみを風化させずに生きてきたということだからな」

間宮は半信半疑という表情だったが、津久井潤子について調べることを認めてくれた。

それで草薙は昨日から、津久井潤子の実家に電話をかけたり、遺書を受け取った者に会ったりして詳細な情報を集めている。実家の連絡先は、例の『あした雨降りになあれ』の担当者から教わった。

だがこれまでのところ、自殺に真柴義孝が関与していたという話は誰の口からも出てこなかった。それどころか、彼女が真柴と交際していたことさえ、知っている人間はいないのだ。

母親によれば、津久井潤子の部屋から、男性が出入りしていた痕跡は全く見つからなかったらしい。だから今も、失恋などが自殺の原因ではないと思っているということだった。

紅茶専門店で真柴と津久井潤子の姿が初めて目撃されたのは約三年前だ。その一年後に潤子は自殺したわけだが、その時すでに真柴とは別れていたということなら筋は通る。

仮に真柴と別れたことが自殺の原因だとしても、そのことを知っている人間がいないのなら、彼を恨む人間もまた存在しないことになる。せっかく間宮から許可を得た捜査だが、早くも暗礁に乗り上げようとしていた。

そんな時に毒物の話を聞いたわけだ。

津久井潤子の自殺を扱った署から資料を取り寄せておけば、もっと早くに気づいたはずのことだった。最初に実家に電話をかけ、母親からなまじ詳しい話を聞いてしまったため、基本的な手順を割愛してしまったのだ。自殺として処理されたぐらいだから、所轄に大した情報はないだろうとたかをくくっていた。

それにしても亜ヒ酸とは——。

もちろん単なる偶然だという可能性もある。和歌山の毒入りカレー事件がきっかけで、亜ヒ酸が猛毒だという認識が世間に広がった。当然、自殺や他殺に使うことを考える人間も増える。

しかし元恋人が自殺に使ったのと同じ毒で殺されるというのは、偶然にしては出来すぎている。何者かの意思が込められていると考えたほうが妥当ではないのか。

そんなことを考えていると携帯電話が着信を告げた。液晶表示を見ると湯川からだった。

「どうしたんだ。いつから女子高生なみの電話好きになった？」

「話したいことがあるんだから仕方がない。今日、どこかで会えないか」

「会えないことはないが、何の用だ。毒殺のトリックでもわかったか」

「わかった、というのは正確ではないな。立証はされていないが、可能性のある方法を見つけた、という言い方なら出来る」

相変わらず回りくどい表現を使うやつだと思いながらも、草薙は電話を握る手に力を込めた。湯川がこんなふうにいう時には、大抵正解を見つけている。

「内海には話したのか」

「いや、まだ話していない。ついでにいうと、現時点では君にも話す気はない。だから、それを聞けると思って僕に会ってくれても失望するだけだ」

「なんだ、それは。じゃあ、おまえが話したいことというのは何なんだ」

「今後の捜査についての要望だ。トリックが成立するには条件が整っているかどうかを確認したいと思ってね」

「トリックの内容については教えてくれないくせに、俺から情報だけは得ようってわけか。わかっていると思うが、捜査で知り得た内容を一般人に話すことは、本来御法度なんだ」

数秒ほど間を置き、湯川が答えた。

「今更、そんなことを君の口から聞かされるとは思わなかった。まあそれはいい。トリックを話せないのは理由があるからだ。それについては会ってから説明したい」

「やけにもったいぶるじゃないか。これから一旦目黒署に行く。その後で大学に行こう。八時ぐらいになると思う」

「それなら着いたら電話をしてくれ。研究室にはいないかもしれない」

「わかった」

電話を切った後、草薙は自分が緊張し始めていることに気づいた。

湯川が思いついた毒殺のトリックとは、一体どういうものだろうか。もちろんその内容を、今ここで自分に推理できるとは草薙も思っていない。気になるのは、そのトリック解明によって綾音の立場がどうなるのか、ということだった。

もし湯川の考えたトリックが、彼女の鉄壁のアリバイを崩すものだとしたら——。

逃げ道はなくなる、と草薙は思った。綾音の、ではない。彼自身の逃げ道が閉ざされる。今度こそ、彼女に疑いの目を向けなければならない。

果たして湯川は、どんな話を始める気でいるのか。これまでなら、わくわくしながらその時が来るのを待ったものだが、今日は違った。息苦しさが、じわじわと迫ってきた。

目黒署の会議室では、岸谷がファクス用紙を手にして待っていた。津久井潤子の自殺に関する報告書を所轄から送ってもらったのだという。そばには間宮もいた。

「狙いがわかりましたよ。毒物のことですね」岸谷が用紙を差し出した。

草薙は報告書に目を走らせた。それによれば津久井潤子は、自宅のベッドで死んでいたらしい。そばのテーブルに、半分ほど水の入ったグラスと、白い粉の入ったビニール袋が置いてあった。

白い粉は三酸化二ヒ素、いわゆる亜ヒ酸だった。

「入手経路については何も書かれていないな。不明ってことか」草薙は呟いた。

「たぶん、そこまでは調べなかったんだろうな」間宮がいった。「どう見ても事件性はない。さほど入手が難しくない亜ヒ酸の出所について調べるほど、所轄だって暇ではないということだ」

「いずれにしても、元恋人が亜ヒ酸で自殺しているというのは気になりますよね。草薙さん、やったじゃないですか」岸谷の口調は興奮気味だった。

「この時の亜ヒ酸、警察で保管してないかな」草薙はいった。

「確認してみた。残念ながら残ってない。二年前だからな」間宮が残念そうな顔をした。

残っていれば、今回の事件で使用されたものと同一かどうかを確認できたのだ。

「それにしても、毒物については遺族に説明がなかったのかな」草薙は首を捻った。

「どういう意味だ」

「津久井潤子の母親は、睡眠薬自殺だといったんです。どうしてかなと思いまして」

「単なる思い違いじゃないのか」

「そうかもしれませんが」

だが娘が自殺に使った毒物を間違えるだろうか、と疑問に思った。

「内海はあんなことをいいだしたし、ここへ来て、少しずつですが捜査に進展が見られ始めましたね」

岸谷の言葉に、草薙は顔を上げた。

「内海が何かいいだしたのか」

「ガリレオ先生から、何やら知恵を授かったらしい」間宮が答えた。「真柴家の水道につけてあった浄水器を今一度徹底的に調べてみろってさ。何といったかな、例の施設」

「スプリング8です」岸谷がいう。

「そう、それだ。そこに依頼してでも調べろと湯川先生はいっているそうだ。内海は今頃、手続きのために本庁を走り回っているだろう」

スプリング8というのは兵庫県にある世界最大の放射光施設だ。ごく微量な資料でも成分分析が出来るということで、二〇〇〇年の秋から犯罪捜査に活用されている。毒入りカレー事件の際も鑑定に使用され、その有効性が注目された。

「すると湯川は、浄水器に毒が仕込んであったと考えているわけですか」

「内海の話によればそうだ」

「でもやつは、仕込む方法は見つけられなかったはず……」そういってから、はっとした。

「どうした？」

「いや、じつは後であいつと会うことになっているんです。トリックが解けたようなことをいっていましたが、トリックというのは浄水器に毒を仕込む方法のことかなと……」

間宮は頷いた。

「内海もそれらしいことをいっていた。先生は謎を解いたようだ、と。ところが肝心の内容を教えてもらえなかったらしい。いつものことだが、あの先生は頭がいい代わりに偏屈で困る」

「俺にもトリックについては話す気はないようです」

間宮は苦笑を浮かべた。

「まあいい。どうせ無償で協力してもらっているんだ。いずれにせよ、わざわざおまえを呼び出すぐらいだから、何か有効なアドバイスをしてくれるつもりなんだろう。しっかりと話を聞いてこい」


草薙が大学に着く頃には八時を過ぎていた。湯川に電話をかけたが繋がらない。もう一度かけると、何度か呼び出し音が鳴った後、湯川だ、と声が聞こえた。

「すまなかった。電話に気づかなかったんだ」

「今、どこにいる？　研究室か」

「いや、体育館だ。場所は覚えてるな」

「当たり前だろ」

電話を切り、体育館に向かった。正門を入って左に進むとアーチ形の屋根をした灰色の建物がある。草薙が学生時代、学舎よりも頻繁に通った場所だ。湯川とも、そこで出会った。あの頃は二人とも痩せていた。今、その体型を維持しているのは湯川のほうだけだ。

フロアに向かうとトレーニングウェア姿の若い男が出てくるところだった。バドミントンのラケットを持っている。草薙を見て、会釈してきた。

中では湯川が座ったままでウインドブレーカーを着ているところだった。コートにはネットが張られている。たった今まで練習をしていたのだろう。

「大学教授には長生きする人間が多いと思っていたが、その理由がわかったよ。大学の施設を、自分専用の無料トレーニングジムとして使えるからだな」

草薙の皮肉に、湯川は顔色ひとつ変えなかった。

「自分専用というのは誤解だ。僕はきちんと予約をして使っている。それから、大学教授が長生きするという考察にも問題がある。そもそも、教授になるには時間と労力が必要だ。つまり長生き出来るほど健康でなくては教授にはなれないということなんだ。君は結果と原因をはき違えている」

草薙は空咳をし、腕組みをして湯川を見下ろした。

「話ってのは何だ」

「そう、急かなくてもいいだろ。どうだい、たまには」湯川は二本のラケットを手に近づいてくると、一方を草薙のほうに差し出した。

「こんなことをしに来たんじゃないんだけどな」

「時間が惜しい、といえるほど君が粘れれば大したもんだ。前からいおうと思っていたんだが、ここ数年で君のウエストサイズは、どう低く見積もっても九センチはアップしている。聞き込みで歩き回るだけでは、シェイプアップの効果がないということだ」

「いってくれるじゃないか」草薙は上着を脱ぎ、差し出されたラケットを握った。

久しぶりにネットを挟んで湯川と対峙した。約二十年も前の感覚が蘇ってくる。

だがラケットでシャトルコックを扱う感覚は、おいそれとは戻ってくれなかった。しかも体力の衰えも痛感することになった。湯川がいった通り、わずか十分ほどで息が上がり、足は動かなくなった。

がら空きのスペースに思いきりスマッシュを決められたのを見て、草薙は座り込んだ。

「俺も歳かなあ。腕相撲なら若い奴にだって負けないんだけどな」

「腕相撲などで主に使う速筋は、加齢によって衰えても、少し鍛えればすぐに戻る。ところが持久力を支える遅筋のほうは、なかなか元には戻らない。心肺機能なども同様だ。地道にトレーニングに励むことをお勧めする」

淡泊な口調でそんなことをいう湯川の息は全く乱れていない。なんだこいつ、と草薙は思った。

壁にもたれ、並んで座った。湯川が水筒を出してきて、中の液体を蓋に注いだ。それを草薙のほうに寄越した。飲んでみるとスポーツドリンクだった。よく冷えている。

「こうしてると、学生時代に戻ったみたいだな。俺のほうの腕前は、ずいぶんと落ちたが」

「続けていなければ、体力と同様に技術も衰える。僕は続けているが、君はそうではない。それだけのことだ」

「慰めてくれてるのか」

「いいや。どうして君を慰めなきゃいけないんだ」

湯川が不思議そうな顔をするのを見て、草薙は微苦笑した。水筒の蓋を湯川に返した後、真顔に戻った。

「毒物は浄水器に、か？」

うん、と湯川は頷いた。

「電話でもいったが、まだ立証は出来ていない。だけど、たぶん間違いない」

「それで内海に、浄水器をスプリング8で調べてもらえといったのか」

「あの浄水器と同じものを四つ入手して、一旦亜ヒ酸を仕込み、何度か水で洗い流した後、成分を見つけられるかどうかを実験してみた。うちの大学でやれたのは、誘導結合プラズマを用いた分析法だ」

「誘導結合……何だって？」

「わからなくていい。とても高度な分析法だと思ってくれ。四つの浄水器で試してみたところ、ヒ素を検出できたのが二例、あとの二例では明確な答えは出せなかった。あの浄水器に使われている材料には特殊なコーティングがしてあって、微粒子でさえも極めて付着しにくくなっているんだ。しかも内海君に問い合わせてもらったところ、真柴家の浄水器の鑑定に使ったのは、原子吸光分析法だという。それだと僕が使った方法より、若干感度が落ちる。それで彼女にいったんだよ。スプリング8に持ち込んでみろ、とね」

「そこまでいうからには、絶対の自信があるということか」

「絶対とはいわない。だけど、それしか考えられない」

「じゃあ、一体どうやって仕込んだんだ。内海の話では、仕込むことは無理だと断念したはずだが」

草薙の問いに、湯川は黙り込んだ。両手でタオルを握りしめている。

「それがトリックというわけか。で、俺には話せないってことなんだな」

「内海君にもいったことだが、君たちに先入観を植え付けるわけにはいかない」

「俺たちが先入観を持とうと持つまいと、トリック自体には関係ないんじゃないのか」

「それが大ありなんだよ」湯川は草薙のほうを向いた。「もし僕の考えているトリックが実際に使われたのだとしたら、その痕跡がどこかに残る可能性は高い。浄水器をスプリング8に持ち込めといったのも、その痕跡を見つけるためだ。だけど、仮に痕跡が見つからないからといって、そのトリックが使われなかったという証明にはならない。そういう特殊なトリックなんだよ」

「だから、どうなんだ」

「現時点で僕が君たちにトリックの内容を話したとする。その後、痕跡が見つかればいい。でももし見つからなかった場合はどうだろう。その時に君たちは考えをリセット出来るだろうか。依然としてトリックに拘るんじゃないだろうか」

「それは……そうかもしれない。だって、トリックが使われなかったという証拠もないわけだからな」

「それは僕としては抵抗がある」

「どういうことだ」

「証拠もないのに、ある特定の人物に疑いが集中するようなことはしたくない、という意味だ。このトリックを使えるのは、この世にたった一人しかいないからね」

草薙は眼鏡の奥にある湯川の目を見つめた。

「真柴夫人か」

湯川は、ゆっくりと瞬きした。肯定しているらしい。

ふうーっと草薙は息を吐き出した。

「まあいい。俺は正攻法の捜査を続けるだけだ。ようやく、取っかかりらしきものも見つかったしな」

「取っかかり？」

「真柴義孝の元恋人が見つかったんだ。しかも今回の事件と共通していることがある」

草薙は、津久井潤子が亜ヒ酸で服毒自殺を図っていることを話した。湯川が他言する人間でないことは確信している。

「そうか、二年前にそんなことが……」

湯川は遠くを見るような目をした。

「おまえはそのトリックとやらに自信がありそうだが、俺は俺で、自分の進んでいる方向が間違っているとは思っていない。今回の事件は、夫の不倫に腹を立てた妻が復讐した、なんていう単純なものじゃない。もっと複雑な何かが絡んでいると考えている」

すると湯川は草薙の顔を見た後、ふっと笑みを浮かべた。

「なんだ、気味が悪いな。俺が的外れなことをいっているとでも思うのか」

「そうじゃない。そういうことなら、わざわざ君を呼び出すまでもなかったのかな、と思っただけだ」

その言葉の意味がわからずに草薙が眉根を寄せると、湯川は頷いて続けた。

「僕がいいたかったのは、まさにそういうことなんだ。この事件の根は案外深い。事件前後のことだけじゃなく、もっともっと過去に遡って、あらゆることを調べたほうがいい。君の今の話なんかは、特に興味深い。そこで亜ヒ酸が出てくるというのがね」

「わからんな。おまえは真柴夫人を疑ってるんだろ？　それなのに過去が重要だとも思うのか」

「重要だ。極めて」湯川はラケットとスポーツバッグを手にし、腰を上げた。「身体が冷えてきた。戻ろう」

二人で体育館を後にした。正門のそばで、湯川は立ち止まった。

「僕は研究室に戻るが、君はどうする？　コーヒーでも飲むかい？」

「ほかにまだ話したいことでもあるのか」

「いや、僕のほうからは何もない」

「だったら遠慮しておく。署に戻って、やるべきことがある」

「わかった」湯川は踵を返した。

湯川、と草薙は呼び止めた。

「彼女は父親に、パッチワークで作った上着を送っている。腰のところにクッションを仕込んだものだ。雪で滑って腰を打った時のことを考えてだ」

湯川が振り返った。「それで？」

「彼女は軽率なことをする人間じゃない。何か行動を起こす前に、それでいいかどうか、自分に確認できる人間だ。そういう人間が、夫に裏切られたぐらいのことで、殺人行為に走ることはないと思う」

「刑事の勘というやつかい？」

「印象を述べている。だけどおまえも内海と同様、俺は真柴夫人に特別な感情を持っているとでも思うんだろうな」

湯川は一旦目を伏せた後、再び草薙を見た。

「特別な感情を持ったって、別に構わないんじゃないか。僕は君のことを、感情によって刑事としての信念を曲げてしまうような弱い人間ではないと信じている。それともう一つ」彼は人差し指を立てて続けた。「君のいっていることは、おそらく正しい。彼女は愚かな人間ではない」

「彼女を疑ってるんじゃないのか」

だが湯川は答えず、片手を上げると背中を向けて歩きだした。

23

深呼吸を一つしてから草薙はインターホンのチャイムを鳴らした。『アンズハウス』と書かれたプレートを見つめながら、なぜこんなに緊張しているのだろうと自問した。

インターホンからの応答がないままドアが開いた。綾音の白い顔が現れた。母親が息子に注ぐような優しい眼差しを草薙に向けてきた。

「時間通りですね」彼女はいった。

「あ、そうですか」草薙は腕時計を見た。午後二時ちょうどだった。前もって電話をかけ、この時刻に訪問したいと告げてあったのだ。

どうぞ、と彼女はドアを大きく開き、彼を招き入れてくれた。

草薙が前にこの部屋に来たのは、若山宏美に任意出頭を求めた時だ。そのときにじっくりと眺めたわけではなかったが、今日の室内の様子は微妙に違っているように感じられた。作業台や家具はそのままだが、どことなく華やかさが乏しくなったように思う。

勧められた椅子に座り、彼が周りを見ていると、ティーポットの紅茶をカップに注ぎながら綾音が苦笑した。

「すっかり殺風景になったでしょう？　宏美ちゃんのものが意外にたくさん置いてあったんだなって、改めて感じました」

草薙は黙って頷いた。

若山宏美は自分のほうから辞めたいといってきたらしい。それを聞き、当然だろうなと草薙は思った。ふつうの女性ならば、真柴義孝との不倫関係が判明した時点で、そうするものだ。

綾音はホテルを出て、昨日からこの部屋で寝泊まりしているということだった。自宅で暮らす気はないらしい。その気持ちも草薙には理解できた。

綾音がティーカップを草薙の前に置いた。恐縮です、と彼はいった。

「今朝、家に行ってきたんです」そういって綾音は草薙の向かい側に座った。

「御自宅に、ですか」

彼女はティーカップに指をかけ、顎を引いた。

「花に水をやるためです。あの子たち、すっかりしおれちゃってて」

草薙は顔をしかめた。

「すみません。鍵を預かっておきながら、水撒きに行く時間がなくて……」

綾音はあわてたように手を振った。

「とんでもない。そもそも、草薙さんにそんなことをお願いすること自体が厚かましい話なんです。嫌味でいったわけじゃありませんから、どうかお気になさらないで」

「うっかりしていました。これから気をつけます」

「いえ、本当にもう結構です。これからは毎日自分で水をやりに行くつもりですから」

「そうですか。お役に立てず、申し訳ありません。じゃあ、御自宅の鍵はお返ししたほうがいいですね」

するど綾音は迷うように首を傾げた後、草薙の目を見つめてきた。

「もう、警察の方がうちを調べることはないんでしょうか」

「いや、それはまだ何とも」

「だったら、そのままお持ちになっていてください。お調べになる時に、わざわざ私のほうから出向かずに済みますから」

「わかりました。責任を持って、お預かりしておきます」草薙は左の胸を叩いた。そこの内ポケットに真柴家の鍵を入れてあるのだ。

「そういえばあの如雨露、もしかして草薙さんが？」

綾音の問いかけに、ティーカップを口元に運びかけていた草薙は、もう一方の手を頭にやった。

「前にお使いになっていた、空き缶に穴を開けた道具も悪くないと思うんですが、やはり如雨露のほうが効率がいいんじゃないかと……。余計なことでしたか」

綾音は笑顔で首を振った。

「あんなに大きな如雨露があるなんて知りませんでした。使ってみたらすごく便利で、もっと早くこうしていたらよかったと思っているぐらいなんです。ありがとうございます」

「それを聞いて安心しました。例の空き缶に愛着があったんじゃないかと心配していたものですから」

「あんなものに愛着なんかはありません。あれは処分してくださったんですよね」

「あ……いけませんでしたか」

「とんでもない。お手数をおかけしました」

綾音が笑いながら頭を下げた時、棚の上に置かれた電話が鳴りだした。ちょっと失礼しますといって彼女は立ち上がり、受話器を取った。

「はい、『アンズハウス』です。……ああ、オオタさん。……えっ？……はい。……あ、そうなんですか」

綾音は笑顔のままだったが、その頬が微妙に強張っていくのが草薙にもわかった。電話を切る頃には、その表情はすっかり沈んだものになっていた。

すみませんでした、といって綾音は椅子に座り直した。

「何かあったんですか」草薙は訊いた。

綾音は目元に寂しげな色を覗かせた。

「パッチワーク教室の生徒さんです。家の都合で通えなくなったということでした。三年以上も続けてこられた方だったんですけど」

「そうですか。主婦が習い事をするというのは、やっぱりなかなか大変なんでしょうね」

草薙の言葉に、綾音は唇を緩めた。

「昨日から、教室を辞めたいという電話が続いているんです。今の方で五人目です」

「事件の影響でしょうか」

「それもあると思いますけど、宏美ちゃんが辞めたことが大きいんじゃないでしょうか。この一年、ずっと宏美ちゃんが講師役をしてくれていましたから、実質的には皆さん、彼女の教え子みたいなものなんです」

「つまり、師匠が辞めるなら自分も辞めるってことですか」

「そこまでの団結力はないと思うんですけど、雰囲気が悪くなりそうな気配を感じ取っておられるんじゃないでしょうか。そういうところって、女の人は敏感ですから」

「ははあ……」

曖昧に相槌を打ったが、草薙には理解しにくい話だった。綾音の技術を習得したくて、この教室に通っていたのではなかったのか。その綾音から直接指導を受けられることになったのだから、生徒たちとしては嬉しいのではないか。

あいつなら気持ちがわかるのかもしれないな、と内海薫の顔を思い浮かべた。

「まだこれから、辞めたいという人が増えるかもしれません。こういうのって、連鎖反応みたいになっちゃうでしょ？　いっそのこと、しばらくはお休みにしちゃったほうがいいかも」綾音は頰杖をついた後、はっとしたように背筋を伸ばした。「ごめんなさい。草薙さんには関係のないことでしたね」

彼女に見つめられ、草薙は思わず視線を落としていた。

「今のままでは、なかなか落ち着かないでしょうね。全力を挙げて、一刻も早く事件を解決するつもりです。そうなったら、少しのんびりされたらいかがですか」

「そうですね。気分転換に、一人旅でもしてこようかしら」

「それはいいと思います」

「旅行らしい旅行って、ずいぶんしていません。昔は一人で海外に行くこともあったんですけど」

「そういえば、イギリスに留学しておられたそうですね」

「うちの親からお聞きになったんですね。古い話です」綾音は俯いた後、すぐに顔を上げた。

「そうだわ。草薙さんに手伝っていただきたいことがあるんですけど、お願いしてもいいかしら」

「何でしょうか」紅茶を飲んでいた草薙は、カップをテーブルに置いた。

「この壁なんですけど、何もなくて味気ないでしょう？」

綾音が横の壁を見上げた。たしかにそこには何の装飾もない。最近まで何かが貼られていたらしく、四角い跡が残っていた。

「タペストリーを飾ってあったんです。でもそれは宏美ちゃんが作ってくれたものなので、彼女にあげました。そうしたら、こんなにがらんとした感じになっちゃって、何か飾らなきゃと思っていたんです」

「そうですか。で、飾るものは決まったんですか」

「ええ。今日、自宅から持ってきました」

綾音は席を立ち、隅に置いてあった紙袋を持ってきた。布のようなものが入っているらしく、大きく膨らんでいる。

「それは？」草薙は訊いた。

「寝室に飾ってあったタペストリーです。もう、あそこには不要ですから」

「なるほど」草薙は腰を上げた。「じゃあ、早速飾りましょう」

はい、と答えて綾音は紙袋の中身を取り出そうとした。だがすぐにその手を止めた。

「あっ、でも、その前に草薙さんの用件を聞かないと。だって、そのためにいらしたんでしょう？」

「いや、それは飾り付けの後でも構いませんが」

綾音は真顔でかぶりを振った。

「そういうわけにはいきません。草薙さんはお仕事でいらしたんですから、まずはそちらを優先させてください」

草薙は苦笑して頷き、懐から手帳を取り出した。次に彼女を見る時には口元を引き締めていた。

「では質問に入らせていただきます。あなたにとって、あまり愉快な内容ではないと思いますが、捜査のためですからどうか御容赦を」

はい、と綾音は答えた。

「御主人が、あなたと出会う前に交際していた女性の名前がわかりました。津久井潤子という方でした。この名を聞いたことはありますか」

「ツクイ……」

「津久井潤子さんです。こういう字を書きます」草薙は手帳に書いた名前を綾音に見せた。

綾音は真っ直ぐに草薙を見つめ、「初めて知った名前です」と答えた。

「では、御主人の口から絵本作家の話を聞いたことはありませんか。どんな些細なことでも構わないのですが」

「絵本作家？」彼女は眉をひそめ、首を傾げた。

「津久井潤子さんは絵本を描いておられたのです。ですから御主人が、昔話として、そういう知り合いのことをあなたに話しておられた可能性もあると思ったのですが」

綾音は視線を斜め下に落とし、紅茶を口に含んだ。

「申し訳ないんですけど、主人が絵本や絵本作家さんの話をしていたという記憶はありません。もし聞いていたら印象に残っていたと思います。だって、あの人には最も縁のない世界ですから」

「そうですか。それならば仕方がないですね」

「あの……その人が事件に関わっているんですか」綾音のほうから質問してきた。

「それはまだわかりません。今、調べているところなんです」

「そうなんですか」彼女は目を伏せた。瞬きすると長い睫がぴくぴくと動いた。

「もう一つ、お訊きしてもいいでしょうか。これはあなたに訊くことではないのかもしれませんが、当人たちがすでにこの世にいないものですから」

「当人たち?」彼女は顔を上げた。

「ええ。じつはその津久井潤子さんも亡くなっているんです。二年も前に」

へえ、と綾音は目を見張った。

「で、質問ですが、我々が調べるのに苦労したことでもわかるように、御主人は津久井さんとの仲を周囲に隠していた形跡があります。それはなぜだと思いますか。御主人はあなたと交際を始めた当時も、そのようにしておられたんでしょうか」

綾音はティーカップを両手で包み、少しの間考えていた。やがて顔を傾けたままで口を開いた。

「主人が私との関係を周りに隠していたということはありませんでした。私の場合、出会った時点で、主人の一番の友人である猪飼さんが一緒にいましたから」

「ああ、そうですね」

「だけど仮に猪飼さんがあの場にいなかったとしたら、もしかしたら主人は私とのことを、なるべく人には知られないようにしていたかもしれません」

「どうしてですか」

「だって、知られていなければ、別れたって周りからとやかくいわれなくて済むでしょ」

「常に別れることを想定しておられた、ということですか」

「というより、相手の女性に子供が出来ないことを想定していた、といったほうがいいと思います。その場合はさっさと別れるというのが、あの人のやり方ですから。彼にとっての理想の結婚は、世間でよくいう出来ちゃった婚だったんです」

「やはり子供が唯一の目的というわけですか。でも結局あなたとの結婚は、そういう形にはならなかったんですね」

草薙がいうと、綾音は意味ありげに微笑んだ。その目には、これまであまり見せたことのない、何かを企んだような光が滲んでいた。

「理由は単純です。私がそういうのを拒んだんです。正式に結婚するまでは、きちんと避妊してほしいと頼みました」

「なるほど。すると津久井潤子さんとの時には、御主人は避妊しなかったんですかね」生々しい質問だと思ったが、草薙は敢えて投げかけた。

「たぶん、そうだったんでしょう。だからその女性は切られたんだと思います」

「切られた？」

「主人は、そういう人でしたから」まるで楽しい話題を口にするように彼女は頰を緩めた。

草薙は手帳をしまった。

「わかりました。どうもありがとうございました」

「もういいんですか」

「十分です。不愉快な質問、失礼しました」

「大丈夫です。私にだって、主人以外に付き合った男性はいますから」

「そうでしょうね」草薙は、心からそういった。「じゃあ、タペストリーを飾るのを手伝いましょう」

はい、と答えて綾音は先程の紙袋に手を入れた。だがすぐに、思い留まったようにその手を抜いた。

「今日はやめておきます。よく考えたら、この壁をまだ拭いてないんです。壁を奇麗にしてから自分で貼ります」

「そうですか。ここに飾るときっと映えますよ。もし手が足りないようでしたら、いってください」

ありがとうございます、と綾音は頭を下げた。

『アンズハウス』を出た後、草薙は自分が発した質問を頭の中で反芻した。さらに彼女の回答について、適切な対応をしたのかどうかを確認した。

「僕は君のことを、感情によって刑事としての信念を曲げてしまうような弱い人間ではないと信じている」

湯川の言葉が脳裏に蘇っていた。

24

間もなく広島駅に到着するというアナウンスが流れた。薫はｉＰｏｄに繋いだヘッドホンを耳から外し、バッグにしまいながら席を立った。

デッキに出て、手帳に記した住所を確認した。津久井潤子の実家は東広島市高屋町にある。最寄り駅は西高屋駅だ。今日訪ねていくことは、すでに先方に伝えてある。潤子の母、津久井洋子は、電話を受けて少し戸惑った様子だった。潤子の自殺については、草薙からも問い合わせがあったからだろう。なぜ今頃になって警視庁の捜査員が関心を持っているのかと訝しんでいるに違いない。

広島駅に着くと、売店でミネラルウォーターを買い、山陽本線に乗り換えた。西高屋までは九駅あり、四十分ほどかかる。薫は再びｉＰｏｄをバッグから取り出した。福山雅治の歌を聴きながら、ペットボトルの水を飲んだ。ラベルによれば軟水らしい。どういう料理に向いているのかを湯川から聞いたはずだが、内容はすっかり忘れていた。

水といえば――。

どうやら湯川は、亜ヒ酸が混入されていたのは浄水器だと確信しているようだ。だが確信していながら、そのトリックを薫にも、そして草薙にも話してはくれない。草薙によれば、「そのトリックが使われなかったということを証明するのが不可能だから」ということらしい。湯川は、自分の推理が冤罪に繋がることを恐れているのだ。

果たして彼の思いついたトリックとはどういうものなのか。薫は、これまでに湯川が発した言葉のいくつかを思い出してみた。

理論的には考えられるが、現実的にはありえない――これは彼が初めてトリックを思いついたといった時に述べた台詞だ。その後、薫が彼の指示に基づいて調べた内容を伝えた際にも、こういった。そんなこと、絶対にありえない、と。

言葉を額面通りに受け取るなら、湯川が考えたトリックは、かなり現実離れしたものらしい。しかし同時に彼は、それが実行された可能性が高いとも思っているのだ。

トリックの内容は教えてくれなかったが、湯川はいくつかの指示を薫に出してきた。まずは今一度浄水器を徹底的に調べ、何か不審な点がないかどうかを確認しろという。毒物検査についてはスプリング8に持ち込んだほうがいいともいった。さらには浄水器の品番を調べておくように、とのことだった。

スプリング8での結果はまだ届いていないが、ほかのことについては、すでに湯川に伝えてある。鑑識の見解は、真柴家の浄水器に不自然な点は何ひとつないというものだった。前回取り替えられてから約一年間が経っているわけだが、フィルターの汚れ方は相応な程度だし、何らかの改造が加えられた形跡もない。品番も正規に存在するものだった。

それを聞いた湯川の返事は、「わかった。御苦労さん」だけだ。それだけで薫は電話を切られてしまったのだ。

ヒントぐらいくれてもいいじゃないかと思うが、あの物理学者が相手では、そんなことを期待するのも虚しいような気がした。

それよりも薫は、草薙が湯川から聞いたという話が気になっていた。湯川は、事件前後ではなく、もっと過去に遡ってあらゆることを調べたほうがいいと草薙にアドバイスしたらしいのだ。特に彼は、津久井潤子が亜ヒ酸で自殺したということに強い関心を示していたという。

どういうことだろうと思った。湯川は真柴綾音が犯人だと思っているのではないのか。綾音が犯人なら、事件前後を調べるだけで十分のはずだ。何らかの確執めいたものが過去にあったとしても、湯川はそんなものに興味を示す人間ではない。

いつの間にかｉＰｏｄに入れた福山雅治のアルバムが終わっていて、別の歌手の曲が流れていた。曲名を思い出そうとしているうちに、電車は西高屋駅に到着した。

津久井家は駅から徒歩で約五分のところにあった。斜面に立っていて、すぐ後ろに鬱蒼とした森が迫っている。二階建ての、洋風の邸宅だった。女性が一人で住むには広すぎるのではないかと薫は思った。電話で聞いたところによれば、津久井潤子の父親は他界していて、長男は結婚後に広島市内に引っ越したということだった。

インターホンを押すと、電話で聞いた声が返ってきた。訪問時刻を予め連絡してあったせいか、相手が戸惑っている気配はなかった。

津久井洋子は六十代半ばと思われる痩せた女性だった。彼女は薫が一人だと知り、幾分安堵したような表情を浮かべた。いかつい男性刑事が一緒のことを想像していたのかもしれない。

津久井邸の外観は洋風だが、内部は日本家屋そのもので、薫が通された部屋も十二畳ほどの和室だった。中央に大きな卓袱台《ちゃぶだい》が置かれている。床の間の横には、仏壇が据えられていた。

「遠いところまで、どうも御苦労様です」ポットで急須に湯を注ぎながら洋子はいった。

「いえ、こちらこそ申し訳ありません。今頃になって潤子さんのことをあれこれ尋ねられて、きっと妙に思っておられるでしょうね」

「そうですね。あのことはもう、自分なりに決着をつけたつもりでおりますから」

どうぞ、といって洋子は湯飲み茶碗を薫の前に差し出した。

「当時の記録によりますと、自殺の原因については特定できなかったということなんですが、それについては今も変わりはないんでしょうか」

薫の質問に、洋子は薄い笑みを浮かべながら顔を傾けた。

「手がかりらしきものが何もありませんでしたからねえ。付き合いのあった人たちも、何も心当たりがないといってましたし。でも結局、寂しかったんじゃないかな、と今では思っているんです」

「寂しかった？」

「絵を描くのが好きで、絵本作家になるんだといって上京しましたけど、あの子は元来、地味でおとなしい子だったんです。馴れない都会暮らしの中で、絵本作家としてもなかなか芽が出ないし、きっといろいろと辛かったんだと思います。歳も三十四になってましたし、将来にも不安を感じてたはずなんです。相談できる人がいれば、また違ったんでしょうけどねえ」

やはり洋子は、娘に恋人がいたことは今も知らないらしい。

「亡くなる直前、潤子さんはこちらに帰ってこられたそうですね」当時の報告書に記されていたことを確認した。

「そうです。ちょっと元気がないなとは思ったんですけど、まさか死ぬことを考えていたなんて……」洋子は瞬きした。涙ぐみそうになるのを堪えているのだろう。

「つまり、いつもと変わらない会話を交わされた、ということですか」

「はい。元気にしてるのって訊いたら、元気よって答えましたし」洋子は首を深く折った。

薫は実家の母の顔を思い浮かべた。自殺を決意し、最後に顔を見ておこうと帰ったとして、どんなふうに接するだろうかと想像してみた。まともに顔を合わせられないような気もするし、潤子のように案外いつも通りに振る舞える気もした。

あの、と洋子が顔を上げた。

「潤子の自殺が、何か問題になっているんでしょうか」

彼女としては、それが一番気にかかっているはずだった。だが現時点では、捜査の内容を詳しく話すわけにはいかない。

「ほかの事件で、もしかしたら関連があるかもしれない、という話が出てきたんです。といっても、まだ何の確証もないことで、あくまでも参考程度にお伺いしているだけだと思ってください」

「はあ、そうなんですか」洋子は釈然としない様子だ。

「じつは毒物のことなんです」

薫の言葉に、洋子の眉がぴくりと動いたようだった。

「毒物……といいますと」

「潤子さんは服毒自殺をされたということですが、その際に服用された毒物が何だったか、覚えておられますか」

この質問に洋子は当惑した表情で黙っている。それを薫は、忘れているのだろうと解釈した。

そこで、「亜ヒ酸というものです」といった。

「先日、うちの草薙という者が問い合わせた際には、睡眠薬を飲んで自殺したとお答えになったそうですが、記録によれば亜ヒ酸による中毒死ということになっています。御存じではなかったんですか」

「あ……それは、あの……」なぜか洋子の顔に狼狽の色が浮かんだ。さらに、たどたどしい口調で続けた。「そのことが、あの、何か問題なんでしょうか。ですから、私がつい睡眠薬だと答えてしまったことが何か……」

変だな、と薫は思った。

「睡眠薬じゃないってことは承知の上で、そうお話しになったのですか」

洋子は苦しげに顔を歪めた後、すみません、と小声でいった。

「もう済んだことですし、どうやって自殺したのかってことはさほど重要でもないだろうと思って、そう答えてしまったんです」

「亜ヒ酸を飲んだということは、いいたくなかったわけですか」

洋子は黙っている。何かわけがあるらしい、と薫は察知した。

「津久井さん」

「すみません」突然、洋子が後ずさりし、畳に両手をついた。そのまま頭を下げた。「本当に申し訳ありません。でもあの時には、どうしてもいいだせなくて……」

思いも寄らぬ反応に、薫は当惑した。

「顔を上げてください。一体どういうことなんですか。何か御存じなんですか」

洋子はゆっくりと顔を上げた。激しく目を瞬かせた。

「あのヒ素は、うちにあったものなんです」

えっ、と薫は声を漏らした。

「でも、出所は不明だと報告書には……」

「いえなかったんです。たしかにあの時、ヒ素……じゃなくて亜ヒ酸ですか、心当たりはないかと刑事さんに訊かれました。でも、うちから持ち出したものだとはどうしてもいえなくて、つい知りませんと答えてしまったんです。その後、しつこく訊かれることもなかったので、そのままに……。本当にすみませんでした」

「待ってください。亜ヒ酸がおたくにあったものだというのは事実なんですね」

「たぶん間違いないと思います。うちの人がまだ生きていた頃に、鼠の退治用にということで、知り合いから貰ってきたんです。それを物置にしまってありました」

「潤子さんが持ち出したということは確認されたのですか」

洋子は頷いた。

「刑事さんから亜ヒ酸のことを聞いた後、物置を調べてみました。そうしたら、たしかにあったはずの袋がなくなっていたんです。あの子が帰ってきたのは、あれが目的だったんだって、その時に気づきました」

驚きのあまり、薫はメモを取るのを忘れていた。あわてて手帳にペンを走らせた。

「せっかくあの子が帰ってきてたのに、自殺するつもりだってことにも気づかず、おまけに毒を持ち出されていたなんて、とてもいえなかったんです。それであんな嘘を……。そのことで御迷惑をおかけしたのだとしたら、お詫びする言葉もございません。どこへでも出て、謝りたいと思います」洋子は何度も頭を下げた。

「その物置を見せていただけますか」薫はいった。

「物置ですか。それは構いませんけど」

お願いします、といって薫は立ち上がった。

物置は裏庭の隅に設置されていた。スチール製の簡易なものではあるが、中は二畳ほどの広さがあった。古い家具や電化製品、段ボール箱などが収められている。足を踏み入れると黴と埃の臭いがした。

「亜ヒ酸はどこに？」薫は訊いた。

「たしか、そこです」洋子は埃だらけの棚に載っている空き缶を指差した。「そこにヒ素のビニール袋が入っていたと思います」

「潤子さんが持ち出したのは、どれぐらいの量ですか」

「ビニール袋が、そのままますっかりなくなっていました。だからたぶん、これぐらいの量だと思います」

洋子は両手で何かをすくう形を作った。

「かなりの量ですね」薫はいった。

「そうです。どんぶり一杯ほどはあったと思います」

「自殺するのに、そんなに必要はないでしょう。現場から、それほど大量の亜ヒ酸が見つかったという記録はないようですが」

洋子は首を捻った。

「そうなんです。気にはなっていたんですけど……。潤子が処分したんじゃないでしょうか」

それはないと薫は思った。自殺者は、余分な毒物の後始末など考えない。

「この物置は、かなり頻繁に使用されますか」

「いえ、今は殆ど使っていません。開けたのも久しぶりです」

「鍵はかけられますか」

「鍵ですか。ええ、一応ありますけど」

「では、今日から施錠してください。後日、調べさせていただくかもしれません」

洋子は目を見張った。「この物置をですか」

「なるべく御迷惑にならないようにします。よろしくお願いします」

畳み掛けるようにいいながら、薫は軽い興奮を覚えていた。真柴義孝殺害に用いられた亜ヒ酸の出所は依然として不明のままだ。仮に、潤子がここから持ち出したものと成分が一致したとなれば、事件の様相は一変することになる。

とはいえ実物はないから、この物置に亜ヒ酸の微粒子でも残っていることを期待するしかない。東京に帰ったら間宮に相談してみようと思った。

「ところで、潤子さんから遺書を受け取られたそうですね。郵送で」

「あ……はい、受け取りました」

「見せていただけますか」

少し考える様子を見せてから洋子は頷いた。「わかりました」

再び屋内に戻った。今度案内されたのは、かつて潤子が使っていたという部屋だった。八畳ほどの洋室で、机やベッドが置かれたままになっている。

「あの子のものは、全部この部屋にまとめて保管してあるんです。いずれはもう少し整理しなきゃとは思っているんですけど」洋子は机の引き出しを開け、一番上に置いてあった封筒を取り出した。

「これです」

拝見します、といって薫は受け取った。

遺書の内容は、草薙から聞いていたものと大差なかった。自殺の動機についても具体的なことは何も記されていない。ただ、この世に未練がないということだけは伝わってくる。

「何とかしてやれたんじゃないかって思うんですよねえ。私がぼんやりしていなかったら、あの子の悩みにも気づいてやれたんじゃないかって」洋子の声が震えた。

かけるべき言葉が見つからず、薫は遺書を引き出しに戻そうとした。そこには何通かの郵便物が入っていた。

「これは？」

「あの子からの手紙です。私がメールとかをしないので、近況を知らせるために、たまに送ってくれていたんです」

「見てもいいですか」

「ええ、どうぞ。今、お茶をお持ちします」そういって洋子は出ていった。

薫は椅子を引き、腰を下ろして郵便物を確かめていった。手紙の内容は、今どういう絵本を描いているかとか、今度どんな仕事をすることになったのか、という報告が殆どだ。恋人の有無や、人間関係についての記述は全くといっていいほどない。

これでは参考にならないなと諦めかけた時、一通の絵葉書が目に留まった。赤い二階建てのバスが映っている。そこに青色のペンで書かれた文章を読み、薫は息を呑んだ。文面は次のようなものだった。

『元気ですか。私は今、ロンドンに来ています。こちらで日本人の女の子と友達になりました。北海道出身で、留学中なんだそうです。明日は、街を案内してもらいます。』

25

「津久井洋子さんによれば、潤子さんは大学を出た後で一旦就職しましたが、三年ほどで辞めて、絵の勉強のために二年間パリに行っていたそうです。絵葉書は、その間に出されたもののようです」

興奮して話す内海薫の口元を見つめながら、草薙はどこか忌々しい気分になっていた。彼女の発見を評価したくない思いが心の片隅にあることを、自分でも認めざるをえなかった。

間宮は椅子の背もたれに身を預け、太い腕を組んだ。

「つまり津久井潤子と真柴綾音は友人だった、といいたいわけか」

「その可能性が高いと思います。葉書の消印は、真柴夫人がロンドンに留学していた時期と一致します。しかも北海道出身。偶然とは思えません」

「そうかな」草薙はいった。「その程度の偶然なら、ありうると思うけどな。ロンドンに、一体何人の日本人留学生がいると思う？　百人や二百人じゃきかないぜ」

まあまあ、と間宮がなだめるように掌を振った。

「仮に二人が友人だったとして、今度の事件にどう繋がると考えているんだ」係長は内海薫に質問した。

「まだ推論の段階ですけど、潤子さんが自殺で使った亜ヒ酸の残りが夫人の手に渡った可能性があります」

「それについては、明日早速鑑識に相談してみる。確認できるかどうかはわからんがな。だが内海、おまえの推論通りだとすると、夫人は自殺した友人の元恋人と結婚したことになるぞ」

「そうですね」

「それは不自然だとは思わないのか」

「思いません」

「どうして？」

「友人の元カレと付き合っている女性なんていくらでもいます。私の知り合いにもいます。友人から情報を得ている分、予め相手のことがわかっているというメリットを強調する女性すらいます」

「その友人が自殺していてもか？」草薙は横から訊いた。「自殺の原因は、相手の男にあるかもしれないんだぞ」

「かもしれないというだけで、そうだと決まったわけではありません」

「おまえは大事なことを忘れている。夫人と真柴氏はパーティで出会ったんだ。友人の元カレと、そんなところでたまたま会ったというのか」

「どちらも独身なら、珍しいことではありません」

「で、たまたま恋愛関係になった？　ずいぶんと都合のいいストーリーだ」

「その点については、たまたまではないかもしれません」

「どういう意味だ」

草薙が訊くと、内海薫は彼を見つめてきた。

「夫人は最初から真柴氏を狙っていたのかもしれません。真柴氏と津久井潤子さんが交際していた頃から惹かれていて、潤子さんの自殺を契機に近づいたのかも。お見合いパーティで会ったというのも、偶然ではない可能性があります」

「馬鹿げている」草薙は吐き捨てた。「あの人はそういう女性じゃない」

「じゃあ、どういう女性ですか。草薙さんは、夫人の何を御存じだというんですか」

やめろ、と間宮が立ち上がった。

「内海、おまえの勘の良さは認めるが、少々想像を働かせすぎだ。そういうことは、もっと物証を揃えてからにしろ。それから草薙、いちいち反論せずに、まずは人の話を聞け。いろいろな意見を交わすうちに真相が見えてくることもある。おまえは聞き上手のはずだろ。おまえらしくないぞ」

すみません、と内海薫が頭を下げた。草薙は黙って頷いた。

間宮は椅子に座り直した。

「内海の話は面白いが、いかんせん根拠が薄い。それに夫人が犯人だった場合の、毒物の入手経路についてはは説明できるが、それ以外のことについては今回の事件との繋がりは見えてこない。それとも今度は」彼は机に両肘を載せ、内海薫を見上げた。「自殺した友人の仇をとるために夫人は真柴義孝に近づいた、とでも想像するつもりか」

「いえ、そこまでは……。復讐が目的で結婚までする人間はいないと思います」

「だったら、想像ごっこはここまでだ。それの続きは、鑑識が津久井家の物置を調べてからにしてくれ」間宮が締めくくるようにいった。

草薙が久しぶりに自分の部屋に帰る頃には日付が変わっていた。シャワーを浴びたかったが、上着を脱ぐなりベッドに倒れ込んだ。身体が疲れているのか、精神的に参っているのか、自分でもよくわからなかった。

「草薙さんは、夫人の何を御存じだというんですか」

内海薫の言葉が耳に残っていた。たしかに俺は何もわかっていない、と思った。言葉を交わし、うわべを見ただけで、綾音の内面をわかった気になっている。

だが彼女が、自殺した友人の恋人と平気で結婚できるような女性だとは、どうしても思えなかった。たとえその自殺に真柴義孝が関係していなくても、友人に申し訳ないという気持ちになるのではないか。彼女は、そういう女性のはずだ。

身体を起こし、ネクタイを緩めた。そばのテーブルに放り出してある二冊の絵本に目を留めた。『クヌギ出版』でもらってきた津久井潤子の作品だ。

再びベッドに横たわり、何気なく頁をめくった。絵本のタイトルは、『雪だるまころがった』というものだった。雪国にいた雪だるまが、ある日暖かい国を求めて旅に出るというストーリーだ。雪だるまはもっと南に進みたいが、それ以上進めば身体が溶けてしまうという局面に立たされる。諦めた雪だるまは、元の寒い国に戻る。するとその途中、一軒の家の前を通りかかる。窓から中を覗くと、幸せそうな家族が暖炉を囲んで談笑している。外が寒いからこそ暖かさのありがたみがわかる——そんな会話が交わされている。

その頁に描かれた絵を見て、草薙はベッドから飛び起きた。

雪だるまが覗いている部屋の壁に、見覚えのあるものが飾られていたからだ。

焦げ茶色の背景に様々な色の花びら模様が、まるで万華鏡に映されたように規則正しく散っている。

この模様を初めて目にした時の感動を、草薙は今でもはっきりと思い出すことができる。どこで見たのかも覚えている。

真柴家の寝室だ。あの壁に貼られていたタペストリーの柄なのだ。

昼間、綾音は草薙の手を借りて、まさにあのタペストリーを壁に貼ろうとした。だが急に気が変わったらしく、今日はやめておくといった。

その前に津久井潤子の名前を聞いたからではないのか。彼女の絵本に、あのタペストリーが出てくることを知っていたから、草薙に見せるのを避けたのではないのか。

草薙は頭を抱えた。鼓動に合わせて耳鳴りがした。

翌朝、草薙は電話の音で目を覚ました。時計を見ると午前八時過ぎだった。彼はソファにいた。目の前のテーブルにはウイスキーのボトルとグラスがある。グラスには半分ほどが入っていた。眠れなくて酒を飲み始めたのだ、ということを思い出した。なぜ眠れなかったのかということについては、思い出すまでもなかった。

重い身体を起こし、テーブルの上で鳴り続けている携帯電話に手を伸ばした。着信表示は内海となっていた。

「はい、俺だけど」

「内海です。朝早くに申し訳ありません。どうしても、一刻も早くお知らせしたかったものですから」

「一体何だ」

「結果が出たんです。スプリング8からの報告です。浄水器から亜ヒ酸が見つかったそうです」

26

猪飼法律事務所は、恵比寿駅から徒歩で五分ほどのところにあった。六階建てのビルの四階フロアをすべて占めており、受付には二十代前半と思われる女性がグレーのスーツ姿で座っていた。

事前にアポイントメントを取ってあったが、草薙は応接室で待たされることになった。応接室といっても、小さなテーブルとパイプ椅子が置いてあるだけの小部屋だ。同じような部屋がいくつかあるところを見ると、複数の弁護士が所属しているらしい。だからこそ猪飼も真柴義孝の会社経営を手伝えるのだろう、と草薙は納得した。

結局猪飼が現れたのは十五分以上経ってからだった。それでも彼は詫びの言葉など一切吐かず、「どうも」と会釈しただけだ。仕事中に来るほうが悪い、とでも思っているのだろう。

「何か進展があったんですか。綾音さんからは何も聞いていないのですが」椅子に腰掛けながら猪飼はいった。

「進展といえるかどうかはわかりませんが、新事実はいくつか判明しています。残念ながら、詳しいことはお教えできないのですが」

猪飼は苦笑した。

「大丈夫です。何かを探ろうという魂胆はありません。私もそれほど暇じゃない。真柴の会社も、ようやく一時の混乱から落ち着いてきたし、すんなりと解決してくれることを祈っているだけです。で、今日の御用件は？　これまでのやりとりでおわかりだと思いますが、真柴の私生活について、僕はあまり把握していないんですがね」腕時計を見ながらいった。さっさと済ませてくれ、という意思表示なのだろう。

「今日は、あなたがよく御存じのことをお尋ねしに来たのです。いや、あなたしか御存じないといったほうがいいかもしれません」

猪飼は意外そうな顔で首を捻った。

「僕しか知らないこと？　そんなことがあったかな」

「真柴義孝さんと綾音夫人の出会いについてです。あなたはその場に居合わせたはずです。前に伺った際、そのようにお聞きしました」

「またその話ですか」猪飼は拍子抜けした気配を見せた。

「そのパーティでの二人の様子を具体的に教えていただけませんか。まず、お二人はどのように出会われたのでしょうか」

この質問に、猪飼は怪訝そうに眉根を寄せた。

「そのことが事件に関係しているんですか」

草薙は黙ったままで苦笑を浮かべた。それを見て猪飼は吐息をついた。

「捜査上の秘密というわけですか。しかし気になるなあ。あれはずいぶん前のことだ。事件とは無関係だと思いますが」

「関係しているかどうかは、我々にもまだわからないんです。細かいことを一つ一つ当たっているのだと解釈してください」

「あなたを見ていると、とてもそうは思えないんだが……。まあいいでしょう。ええと、どんなふうに話せばいいのかな」

「前に伺った話ですと、所謂お見合いパーティだったそうですね。そういう場では、見ず知らずの男性と女性が会話を交わせるための仕掛けが用意されていることが多いと聞いたのですが、やはりそうでしたか。たとえば、順番に自己紹介するといったような……」

猪飼は顔の前で手を横に振った。

「そんなものはありません。ごくふつうの立食パーティだと思ってください。おかしな仕掛けがあるんなら、僕だって付き合ったりはしなかった」

そうだろうなと思い草薙は頷いた。

「で、そのパーティに綾音夫人も来ていたわけですね。夫人には連れがいましたか」

「いや、彼女は一人で来ていたようです。誰とも話さず、カウンターでカクテルを飲んでいました」

「どちらから声をかけたのですか」

「真柴のほうです」猪飼は即答した。

「真柴さんが？」

「我々もカウンターで飲んでいたんです。彼女とは、席が二つほど離れていました。そうしたら急に真柴が、彼女の持っていたケータイのケースを褒めたんです」

草薙はメモを取る手を止めた。

「ケータイのケース……ですか」

「彼女がカウンターテーブルの上に置いていたものです。パッチワークで出来ていて、液晶部分が見えるように小さな窓が付いていました。それについて、素敵ですね、だったか、珍しいですね、だったか忘れましたけど、とにかく真柴が声をかけたんです。そうしたら彼女が、手作りなんですよ、と微笑みながら答えてくれましてね。それから何となく話が弾んだというわけです」

「それがお二人の出会いということですか」

「そうです。その二人が結婚することになるとは、その時の僕は想像さえしなかった」

草薙は少し身を乗り出した。

「あなたが真柴さんに付き合って、そういうパーティに出たのは、その時だけですか」

「もちろんそうです。あの時だけです」

「真柴さんは、そういう方なんですか。つまり、知らない女性に気軽に声をかけることが、ふだんでもよくあったんでしょうか」

猪飼は顔をしかめ、首を捻った。

「どうかな。知らない女性を相手にしても臆することなく話せるタイプではありましたが、学生時代も所謂ナンパみたいなことをするやつではなかったです。女性は外見じゃなくて中身が大事だとよくいってましたが、格好をつけていたのではなく、たぶん本音だったと思います」

「すると、そのパーティで綾音夫人に声をかけたというのは、真柴さんとしては異例のことだったということになりますね」

「そうですね。僕も少し驚きました。でもそれが俗にいうインスピレーションってやつじゃないんですか。何か感じるものがあったんでしょう。だから二人は結ばれたんだと僕は解釈していますが」

「その時のお二人の様子に、何か不自然なところはありませんでしたか。どんな些細なことでも構わないのですが」

猪飼は考え込む表情を浮かべた後、小さく首を振った。

「あまりよく覚えていません。何しろ、二人が楽しそうに話しているので、僕はすっかり蚊帳《かや》の外に置かれてしまいましたからね。それより草薙さん、この質問にどういう意味があるんですか。ヒントだけでも教えてもらえませんか」

草薙は笑みを浮かべ、手帳を懐にしまった。

「お話しできる時がくれば、ということにしておきましょう。お忙しいところ、申し訳ありませんでした」彼は腰を上げた。だがドアに向かう途中で振り返った。「今日のことは、どうか御内密に願います。綾音夫人にも」

猪飼の目元が険しくなった。

「警察は彼女を疑っているんですか」

「いえ、決してそういうわけでは。とにかく、どうかよろしくお願いいたします」

呼び止められるのを避けるため、草薙はそそくさと部屋を出た。

ビルを後にし、草薙は歩道に立った。思わず、大きなため息をついた。

猪飼の話を聞いたかぎりでは、綾音のほうから真柴義孝に近づいたわけではなさそうだ。二人はたまたま、そのパーティで出会ったように思われる。

だが本当にそうだろうか。

草薙が綾音に津久井潤子を知っているかと尋ねた時、彼女は知らないと答えた。そのことが引っかかっていた。なぜなら、そんなはずはないからだ。

津久井潤子の『雪だるまころがった』という絵本には、綾音が作ったのと全く同じタペストリーが描かれていた。そのデザインは綾音のオリジナルだ。何かを参考にしたものではない。パッチワーク作家の三田綾音は、オリジナルデザインのものしか作らない。つまり津久井潤子は、どこかで綾音の作品を目にしたことになる。

だが草薙が調べたかぎりでは、あのタペストリーは綾音の作品集などには載っていない。見たとすれば個展会場ということになる。だがそうした会場では写真撮影は出来ない。写真なしで、絵本のような正確な描写が可能だとはとても思えなかった。

したがって津久井潤子は、個人的にタペストリーを見せてもらったということになる。当然、綾音とは何らかの面識があるはずだ。

なぜ綾音は嘘をつくのか。津久井潤子のことを知らないと答えたのか。単に、亡夫が友人の元恋人だったということを隠したいだけなのか。

草薙は時計を見た。午後四時を過ぎたところだった。そろそろ向かわないと、と思った。四時半に、湯川のところへ行く約束をしている。だが草薙は気が重かった。出来れば会いたくなかった。湯川が草薙の望まない結論を出すことは、殆ど間違いないからだ。それでも湯川の話を自分の耳で聞かないわけにはいかなかった。それが、この事件に携わった刑事として当然のことだと思うからだ。また同時に、揺れる思いに決着をつけたいという気持ちがあった。

27

ペーパーフィルターをセットし、湯川はコーヒーの粉をスプーンでいれた。その手つきは、かなり慣れている。

「もうすっかりコーヒーメーカー派のようですね」薫は彼の背中にいった。

「慣れたのは事実だが、こいつの難点にも気がついた」

「何ですか」

「何杯分入れるのかを予め決めておかなきゃならないという点だ。二杯三杯足りないということなら改めて入れればいいだけのことだが、たった一杯のために入れ直す気にはなれない。だからといって余分に入れてしまうと余るおそれがある。捨てるのは勿体ないし、長時間放置しておくと味が変わる。困ったものだ」

「今日は大丈夫です。余った分は私が飲みます」

「いや、今日はその心配はないだろう。四杯分しか作っていない。君と僕と草薙の分で三杯。残りの一杯は、君たちが帰った後、僕がゆっくりと飲むつもりだ」

どうやら話はすぐに済むと湯川は考えているらしい。そんなに簡単にいくだろうかと薫は思った。

「捜査本部では先生に感謝しています。あそこまで強くいわれなければ、浄水器をスプリング8

に持ち込んでまで調べようとはしなかっただろうということで」

「別に感謝してもらう必要はない。科学者として、アドバイスすべきことをしただけのことだ」

湯川は薫の向かい側に腰を下ろした。作業台の上にはチェスボードが置かれている。白いナイトの駒を取り、手の中で弄び始めた。「そうか。やっぱり亜ヒ酸が検出されたか」

「スプリング8では、詳しい成分まで分析してもらえました。真柴義孝氏の殺害に使われた亜ヒ酸と同一と考えて、まず間違いないそうです」

湯川は目を伏せて頷き、チェスの駒をボードに戻した。

「浄水器のどの部分から検出されたかは明らかになってないのか」

「報告書によれば、出水口付近からだそうです。浄水器の中にはフィルターが入っているんですけど、そこからは見つかっていません。ですからおそらく犯人は、浄水器とホースを繋ぐジョイント付近に亜ヒ酸を仕込んだのだろう、というのが鑑識の見解です」

「なるほど」

「ただ、問題は」薫は続けていった。「その方法が依然としてわからないということです。一体犯人はどうやったんでしょうか。スプリング8の結果がこのように出たわけですから、今日は教えていただけるはずです」

湯川は白衣の袖をまくり、腕組みした。

「鑑識も、わからないといってるわけか」

「鑑識では、方法は一つしかないといっています。浄水器から一旦ホースを外し、亜ヒ酸を投入してから再び繋ぐわけです。でもこれだと確実に痕跡が残ります」

「方法がわからないと、やっぱりまずいのかな」

「論外です。誰を容疑者とするにせよ、犯行を立証できません」

「毒物が検出されてるのに？」

「方法が不明だと裁判で争えません。弁護側は、毒物が検出されたのは警察側のミスによるものだと主張してきます」

「ミス？」

「何らかの手違いで、被害者が飲んだコーヒーに含まれていた亜ヒ酸が浄水器に付着した可能性がある、というわけです。何しろ分子レベルの話ですから」

湯川は椅子にもたれかかり、ゆっくりと首を上下に揺らした。

「たしかに、そういうふうに主張することは可能だな。毒を仕込む方法を検察側が提示できなければ、裁判官は弁護側の言い分を認めるしかなくなるわけだ」

「ですから、方法を解明することは絶対に必要なんです。どうか教えてください。鑑識のほうでも気にしています。私と一緒に先生の話を聞きたいといっていた者もいるんです」

「それは困る。ぞろぞろと警察関係者にやってこられたら迷惑だ」

「そう思いましたから、一人で来ました。ほかに来るのは草薙さんだけです」

「だったら彼が来るのを待とう。同じ説明を繰り返すのは面倒だ。それに、最後にもう一度確認しておきたいことがある」湯川は人差し指を立てた。「君たちは……いや、君の個人的な意見でも構わない。今回の事件の動機については、どう考えているんだ？」

「動機は……おそらく愛情のもつれだと思います」

薫の回答に、湯川はげんなりしたように口元を歪めた。

「何だ、それは。そんな抽象的な表現でごまかそうというのかい？　どこの誰が誰を愛し、どんなふうに憎んで被害者を殺したのか、具体的にいってくれないとわからない」

「まだ想像の段階なんです」

「それで結構。いっただろ、個人的な意見で構わないと」

はい、と薫は項垂れた。

コーヒーメーカーから蒸気の吹き出る音が聞こえた。湯川は立ち上がり、流し台からコーヒーカップを取ってきた。その様子を見ながら、薫は口を開いた。

「私はやはり、綾音夫人が怪しいと思っています。動機は真柴義孝氏の裏切りです。子供が出来ないことを理由に離婚をいいだされただけでなく、すでに別の女性がいると知らされ、彼の殺害を決心したのだと思います」

「ホームパーティの夜に決断したということかい？」湯川はコーヒーをカップに注ぎながら訊いた。

「最終的な決断は、その夜に下されたと思います。でも、その少し前から殺意を抱いていた可能性はあります。綾音夫人は、義孝氏と若山宏美の関係に気づいていました。若山宏美の妊娠も察知していました。義孝氏による決別宣言は、いわばだめ押しだったのではないでしょうか」

湯川は二つのコーヒーカップを両手で運んできて、片方を薫の前に置いた。

「津久井潤子という女性のことはどうなる？　事件とは無関係かい？　草薙は、今日もそれに関することで聞き込みに行っているんだろ？」

津久井潤子と真柴綾音の間に面識があった可能性が高いということは、今日ここへ来てすぐ、薫は湯川に話していた。

「もちろん無関係ではないと思います。犯行に使われた亜ヒ酸は、津久井さんが自殺に使用したのと同じものだと考えています。津久井さんと親しかった綾音夫人には、それを入手する機会があったわけです」

湯川はコーヒーカップを持ち上げ、不思議そうに薫を見た。

「それから？」

「それからって……」

「津久井潤子という女性の関わりはそれだけか？　犯行動機には絡んでこないのか」

「それはまだ何とも……」

湯川は薄く笑い、コーヒーを啜った。

「そういうことなら、まだトリックを話すわけにはいかないな」

「どうしてですか」

「君は事件の本質に気づいていない。そんな人間に話すのは、極めて危険だ」

「先生は気づいているというんですか」

「君よりはね」

薫が両手の拳を固めて湯川を睨みつけた時、ドアをノックする音が聞こえた。

「グッドタイミングだ。彼が事件の本質を摑んできたかもしれない」そういって湯川は立ち上がり、ドアに向かった。

28

草薙が部屋に入るなり、湯川は聞き込みの結果を尋ねてきた。戸惑いながらも草薙は、猪飼から聞いたことを話した。

「声をかけたのは真柴義孝のほうからだ。お見合いパーティを利用して夫人が真柴義孝に近づいたんじゃないか、という内海の推理は崩れたわけだ」草薙は後輩の女性刑事を横目で見ながらいった。

「推理というほどのものではありません。可能性があるといっただけです」

「そうかい。しかしその可能性は消えた。さてここから先、おまえはどう考える？」内海薫を見つめて草薙は訊いた。

その彼の前にコーヒーカップが差し出された。湯川が入れてくれたのだ。

どうも、といって草薙はカップを受け取った。

「君の考えはどうなんだ」湯川が尋ねてきた。「その猪飼という弁護士の話を鵜呑みにすれば、そのパーティで夫人と真柴氏は初めて出会ったということになる。つまり、真柴氏のかつての恋人が夫人の友人だったというのも単なる偶然だったってことだ。それでいいのか」

草薙はすぐには答えず、コーヒーを口に含んだ。自分の考えを改めて整理していた。

湯川はにやりと笑った。

「どうやら、弁護士の話を信用してはいないようだな」

「猪飼が嘘をついているとは思わない」草薙はいった。「だけど彼の話したことが事実だという証拠もない」

「というと？」

草薙は一呼吸置いてからいった。「芝居かもしれない」

「芝居？」

「初対面に見せかける芝居だ。二人は以前から交際していたが、そのことを隠したいのでパーティで出会うという状況を作った。猪飼は、いわば目撃証人として連れていかれた。そう考えれば辻褄が合う。カウンターに置かれたケータイのケースがきっかけで意気投合したなんて話は、どう考えても出来すぎている」

「素晴らしい」湯川は目を輝かせた。「僕も同感だ。女性の意見も訊いてみよう」そういって内海薫のほうを向いた。

彼女も頷いた。

「考えられることだと思います。でもどうしてそんなことを？」

「そこだ。なぜ二人はそんな芝居をする必要があったのか」湯川は草薙を見た。「それについての君の考えは?」

「理由は簡単だ。本当のことは明かせないからだ」

「本当のこととは?」

「実際に二人が出会ったきっかけだ。おそらく津久井潤子を通じて知り合ったのだと思う。しかしそのことを公言するのは憚られる。何しろその女性は、真柴義孝の元恋人なんだからな。そこで全く別の機会に出会ったという設定がほしかった。そこでお見合いパーティを利用した」

湯川は指をぱちんと鳴らした。

「いい推理だ。反論の余地もない。では二人は、実際にはいつ出会ったのだろう? いや、そうじゃないな。いつから深い関係になっていたのかが重要だ。具体的には、津久井潤子さんの自殺より前か後か?」

内海薫が大きく息を吸い込む気配があった。背筋を伸ばし、湯川を見つめた。

「津久井さんが自殺したのは、真柴氏と綾音夫人が付き合ったから、ということですか」

「そう考えるのが妥当じゃないかな。恋人と友人から同時に裏切られたんだ。相当にショックだっただろうと想像する」

湯川の話を聞きながら、草薙は自分の心が暗い闇に沈んでいくのを感じた。友人の推理を突飛だとは思わなかった。猪飼の話を聞いた時から、彼の胸にも漂っていた考えだったのだ。

「そうなると、お見合いパーティの意味が一層はっきりしますね」内海薫がいった。「仮に真柴氏と津久井潤子さんとの関係が他人にばれたとしても、さらに津久井さんと綾音夫人が友人だったと知れたとしても、猪飼さんという証人がいる以上、二人が付き合ったのは単なる偶然だと思われるだけで、その何か月も前の津久井さんの自殺と結びつけられることもないわけです」

「いいね。かなり推理の精度が高まってきた」湯川は満足そうに頷いた。

「夫人に確認したらどうでしょうか」内海薫が草薙のほうを向いた。

「何といって確認するんだ」

「たとえば草薙さんが見つけた例の絵本を見せたらどうですか。世界に二つとないタペストリーが描かれているんです。夫人と面識がなければ、ありえないことです」

草薙は首を振った。

「夫人は、こう答えるだろうさ。知りません、心当たりもありませんってね」

「でも」

「これまで彼女は隠し続けてきた。真柴義孝の元恋人のことも、その女性が自分の友人だったってこともだ。今さら絵本を見せられたぐらいのことで、その姿勢を崩すとは思えない。こちらの手の内を見せるだけだ」

「僕も草薙に同感だな」湯川はチェスボードに近づき、黒い駒を手にした。「仮にこの犯人を追い詰めるとしたら、一手で仕留めねばならない。少しでももたついたら、チェックメイトは永久に出来なくなるおそれがある」

草薙は友人の学者を見た。

「やはり彼女が犯人だと？」

だが湯川は答えず、目をそらして立ち上がった。

「肝心なのはここから先だ。真柴夫妻にそういう過去があるとして、そのことが今回の事件とどう結びついているのか？　あるいは亜ヒ酸という毒物以外に関連性はないのか？」

「夫人としては、親友を自殺に追い込んでまで結ばれたのに、そんな自分を裏切った真柴氏のことを、より一層許せないと思ったんじゃないでしょうか」内海薫が思案する顔つきでいった。

「なるほど。その心理はわからなくもない」湯川は頷いた。

「いや、あの人なら、別の考え方をすると思う」草薙はいった。「かつて友人を裏切って、その恋人を奪った。だから今度は自分が助手に裏切られ、夫を奪われた、というふうにね」

「因果応報というわけか。だから夫人は仕方がないと諦める、夫や愛人を憎むこともない、君はそういいたいのかな」

「そういうわけじゃないが……」

「君たちの話を聞いていて、ひとつ気になったことがある」湯川は黒板を背にして立ち、二人を交互に眺めた。「真柴義孝氏は、なぜ津久井潤子さんから綾音夫人に乗り換えたんだろう？」

「それは単なる心変わりというやつで――」そこまでしゃべったところで内海薫は口元に手をやった。「いや、違いますね……」

「違うな」草薙はいった。「おそらく子供が出来なかったからだ。真柴義孝は、相手が妊娠すれば結婚しようと思っていた。ところが出来そうになかったから、ほかの相手に乗り換えた。間違いない」

「これまでの話を聞いたかぎりでは、どうやらそういうことらしいな。では綾音夫人は、当時そのことを自覚していただろうか。つまり、真柴氏が津久井潤子さんと別れて自分を選んだのは、単に子供を産んでくれそうだと期待されたからだと」

「それは……」草薙は口ごもった。

「それはないと思います」内海薫が、きっぱりとした口調でいった。「そんな選び方をされて喜ぶ女性はいません。夫人がそのことを自覚したとすれば、おそらく結婚直前でしょう。例の、一年以内に妊娠しなければ別れる、という約束をした頃だと思います」

「僕もそう思う。さて、そこでもう一度動機について考えてみよう。さっき内海君は、真柴氏の裏切りが動機だといったが、彼の行為は本当に裏切りだろうか。一年経っても妻が妊娠しないので、離婚して別の女性と結ばれようとした——これは結婚当初に約束したことを実行しただけじゃないのか」

「そうですけど、心情的には納得できることではありません」

内海薫の言葉に、湯川は口元を緩めた。

「つまり、こういいかえることができる。綾音夫人が犯人だと仮定した場合、その動機は、夫との約束を果たしたくなかったから。違うかい？」

「そうなりますね」

「何がいいたいんだ？」草薙は友人の顔を見た。

「結婚前の夫人の気持ちを考えてみよう。彼女は、どういう思いで、その約束を交わしたのかな。一年以内に妊娠すると楽観していたのか。それとも、仮に妊娠しなくても夫は約束のことなど持ち出さないだろうと踏んでいたのか」

「両方だと思います」内海薫が答えた。

「なるほど。では君に訊くが、妊娠しなくても大丈夫だとたかをくっていたから、夫人は病院にも行かなかったのだろうか」

「病院？」内海薫は眉をひそめた。

「これまでに僕が君たちの話を聞いたかぎりでは、この一年間、夫人は不妊治療を受けていない。そんな約束をしたのだから、遅くとも結婚後数か月経った時点で婦人科通いを始めていてもおかしくないと思うが」

「夫人が若山宏美に話した内容によれば、不妊治療は時間がかかるから、夫妻は最初から考えていなかったということでしたが……」

「それは真柴氏のことだろう。そんな面倒なことをするぐらいなら、妻を取り替えたほうが早いというわけだ。だけど夫人の側からするとどうだ？　藁にもすがる思いになるのが当然じゃないか」

「そういえばそうだ」草薙は呟いた。

「なぜ夫人は病院に行こうとしなかったのか。今回の事件の鍵は、そこにある」湯川は指先で眼鏡の位置を直した。「考えてみてくれ。金も暇もあって、本来なら病院に行くべき人が行かないとしたら、その理由は何だろう？」

草薙は考え込んだ。綾音の気持ちになろうとした。だが湯川の問いに対する答えは思いつかない。

すると内海薫が突然立ち上がった。

「行っても無駄だから……ではないですか」

「無駄？　どういうことだ」草薙は訊いた。

「病院にいっても効果がないことを知っているからです。そんな時、人は病院には行きたがりません」

「そういうことだ」湯川はいった。「夫人は病院に行っても無駄だと知っていた。だから行かなかった。そう考えるのが最も論理的だ」

「彼女は……綾音夫人は不妊症だということですね」

「夫人は三十過ぎだったな。これまで婦人科に行ったことがないとは思えない。子供の出来ない身体だと指摘されたことがあるんじゃないだろうか。だとすれば、病院に行っても無駄だ。それだけでなく、夫に不妊症だとばれるおそれがある」

「待ってくれ。じゃあ、妊娠しないことをわかっていて、彼女はあんな約束を交わしたというのか」草薙は訊いた。

「そういうことになる。つまり彼女の頼みの綱は、夫が約束を反故にしてくれることだけだった。しかし現実にはそうならなかった。彼は約束を履行しようとした。そこで彼女は夫を殺すことにした。さあ、ここで君たちに訊きたい。彼女が夫を殺すことを想定したのは、一体いつだろう？」

「だからそれは、真柴義孝と若山宏美の関係を――」

「いえ、違います」内海薫は草薙の言葉を遮った。「夫が約束を履行したら殺そうと考えていたのだとしたら、それを決心したのは、約束した時ということになります」

「その答えを待っていた」湯川は真剣な表情に戻った。「要するにこういうことだ。綾音夫人は、夫を殺す動機が一年以内に生じることを予想できた。すなわちその時点で、殺害の準備をしておくことも可能だった」

「殺害の準備？」草薙は目をむいた。

湯川は内海薫を見た。

「さっき君は鑑識の見解を聞かせてくれた。浄水器に毒物を仕込む方法は一つしかない、一旦ホースを外し、亜ヒ酸を投入してから再び繋ぐ――そうだったね。鑑識は間違ったことをいっていない。その通りなんだ。犯人は一年前に、その方法で毒を仕込んだんだ」

「まさか……」そういったきり草薙は言葉を出せなくなった。

「でもそんなことをしたら、浄水器を使えません」内海薫がいった。

「その通り。夫人は一年間、浄水器を一度も使っていなかった」

「それはおかしいです。だって、浄水器のフィルターには使用された形跡があるんです」

「その汚れは、この一年間のものじゃない。その前の一年間で付着したものだ」湯川は机の引き出しを開け、一枚の書類を取り出した。「君にフィルターの品番を調べてくれといっただろ？

僕はメーカーに品番を告げ、いつ頃に出回ったものかを問い合わせてみた。回答は、二年ほど前、というものだった。一年前に交換されたフィルターに、その品番が付いていることは考えられない、との答えも得ている。おそらく犯人は、一年前に浄水器のフィルターを交換してもらった後、すぐに自分で古いフィルターに戻したんだ。犯行後、フィルターが新品のままだと判明すれば、トリックが見破られると思ったからだろう。そしてその時に、亜ヒ酸を仕込んだ」

「ありえない」草薙はいった。声がかすれた。「そんなことありえない。一年も前に毒を仕込んで、その後一度も浄水器を使わなかったなんてこと……考えられない。仮に彼女は使わなかったとしても、ほかの誰かが使うかもしれないじゃないか。そんな危険なことをするわけがない」

「たしかに危険な方法だ。しかし彼女はやり遂げた」湯川は冷静な口調でいった。「一年間、夫が家にいる時は決して外出せず、誰も浄水器に近づけなかった。ホームパーティをする時でも、料理は一人で作った。ミネラルウォーターのペットボトルを常に買い置きし、飲料水が不足するのを防いだ。すべて、このトリックを完遂するための努力だった」

草薙は首を振った。何度も振った。

「そんな馬鹿なこと……不可能だ。ありえない。そんなことをする人間がいるわけない」

「いえ、あり得るんです」内海薫がいった。「湯川先生から指示されて、結婚後の夫人の生活を調べました。若山宏美さんにも、いろいろと尋ねました。その目的が私にはわからなかったんですけど、今ようやく理解しました。先生は、夫人以外の人間が浄水器に触れるチャンスがあったかどうかを確認したかったんですね」

「そういうわけだ。特に決め手となったのは、真柴氏が休みの時の行動だ。夫人はリビングのソファに座り、一日中パッチワークをしていたということだったね。あの家には僕も入ったからわかっている。彼女はパッチワークを作ると同時に、夫がキッチンに入らないよう見張っていたんだ」

「嘘だ。それはおまえの妄想だ」草薙は呻くようにいった。

「論理的に考えて、これ以外の方法はありえない。驚くべき執念、おそるべき意志の強さといわざるをえない」

嘘だ、と草薙は繰り返した。だがその声は弱々しくなっていた。

いつだったか、猪飼が綾音の献身ぶりについて、こんなふうに話していたことがある。

「彼女は主婦として完璧だった。外での仕事はすべて辞め、家事に専念していました。真柴が家にいる時は、リビングルームのソファに座り、パッチワークをしながら、いつでも夫の世話ができるように待機していたんです」

さらに草薙は、綾音の実家で聞いた話を思い出していた。両親によれば、元々綾音は料理が得意ではなかったが、結婚前になって急遽料理学校に通ったりして、その腕前を上げたということだった。

どちらのエピソードも、誰もキッチンに立ち入らせないための方策だった、と考えれば筋が通る。

「すると夫人は、真柴氏を殺そうと思った時、特に何もしなくていいわけですね」内海薫がいった。

「そうだ。何もしなくていい。夫を残して家を出る、ただそれだけでよかった。いや、ひとつだけしたことがある。買い置きしてあった水のペットボトルを何本か空にしておいた。残したのは、おそらく一、二本だろう。義孝氏がそれを飲んでいる間は、何も起きない。最初にコーヒーを入れた時も、ペットボトルの水を使ったのだろう。しかし二度目に自分で入れた時には浄水器を使った。たぶんペットボトルが最後の一本になったので、節約することにしたのだと思う。一年前に仕掛けられた毒物が威力を発揮する時が、ようやく来たわけだ」湯川は机の上に置いてあったコーヒーカップを手にした。「この一年の間、夫人はいつでも真柴氏を殺すことが出来た。その上で、彼が過って毒を飲まないよう、細心の注意を払い続けてきた。ふつうの人間は、どうやって人を殺すかに腐心し、労力を使う。だが今回の犯人は逆だ。殺さないことに全精力を傾けた。こんな犯人はいない。古今東西、どこにもいない。理論的にはありえても、現実的には考えられない。だから虚数解だといったんだ」

内海薫が草薙の前まで歩み出てきた。

「至急、綾音夫人に任意出頭を求めましょう」

草薙は彼女の勝ち気そうな顔をちらりと見た後、湯川に視線を移した。

「証拠はあるのか。彼女が、そういうトリックを使ったという証拠は？」

すると物理学者は眼鏡を外し、それを横の机に置いた。

「証拠はない。あるわけがない」

内海薫が驚いた表情で彼のほうを向いた。「そうなんですか」

「考えてみれば当然のことだろう。何かをしたのなら、その痕跡が残るかもしれない。しかし彼女は何もしていない。何もしないことが、殺害方法なのだからね。したがって彼女の行動の痕跡を探そうと思っても無駄なことだ。唯一の物証は浄水器から検出された亜ヒ酸だが、それだけでは証拠になりえないことは、先程内海君自身が説明してくれた。フィルターの品番も状況証拠にすぎない。つまり彼女がトリックを使ったと証明することは、事実上不可能だということになる」

「そんな……」内海薫は絶句した。

「だから前にいったんだ。これは完全犯罪だ、とね」

29

薫が目黒署の会議室で資料の整理をしていると、外から戻ってきた間宮が目配せしてきた。彼女は立ち上がり、彼のところへ行った。

「例の件について、課長らと相談してきた」席についてから間宮が口を開いた。その表情は冴えない。

「逮捕状は？」

薫の問いに間宮は一度小さく首を振った。

「今の状況では無理だ。犯人を特定する材料がなさすぎる。ガリレオ先生の推理は相変わらず見事だが、証拠が何ひとつないとなれば起訴に持ち込めない」

「やっぱりそうですか」薫は項垂れた。湯川のいった通りだ。

「課長や管理官も頭を抱えてる。一年も前に毒を仕込んでおきながら、それをここ一番まで飲ませないように用心していたなんて、一体どういう犯行なんだとね。二人とも半信半疑という感じだった。いや、正直いうと俺もそうだ。たしかにそれしか答えはないように思うんだが、それにしても信じがたい。あり得ない話だと思ってしまう」

「私も、湯川先生から聞かされた時には信じられませんでした」

「全く、とんでもないことを考える人間がいる。あの綾音という女もそうだが、推理で突き止めた先生も大したものだ。頭の中がどうなってるのかと思う」そういってから間宮は渋面を作った。「先生の推理が当たっているのかどうかは、まだわからないんだったな。それを明らかにしないことには真柴綾音に手を出せない」

「津久井潤子のセンはどうでしょうか。鑑識は広島の実家を調べたそうですが」

間宮は頷いた。

「亜ヒ酸を入れてあったという空き缶をスプリング8に送ったそうだ。しかし仮に亜ヒ酸が検出されて、それが今度の事件で使われたものと一致したとしても、決定的な証拠にはならない。いや、状況証拠にすらならないかもしれない。津久井潤子が真柴義孝の元の恋人なら、真柴本人が亜ヒ酸を持っていたという可能性だってあり得るからな」

薫は大きくため息を吐いた。

「一体どういったものならば証拠になるんでしょうか。何を揃えればいいのかをいってください。指示してくだされば、何としてでも見つけます。それとも、湯川先生がおっしゃったように、この犯行は完全犯罪だということでしょうか」

間宮が顔をしかめた。

「でかい声で、ぎゃんぎゃん吠えるな。どうすれば犯行を証明できるか、それがわからんから困ってるんじゃないか。今のところ、証拠と呼べそうなのは浄水器だけだ。亜ヒ酸が見つかっているわけだからな。その証拠としての価値を高めていくのが先決だろう、というのが課長たちの意見だ」

上司の意見を聞き、薫は思わず唇を嚙んでいた。敗北宣言のように聞こえた。

「そんな顔をするな。俺は諦めちゃいない。きっと何かが見つかる。完全犯罪なんてものは、そう簡単に成立するもんじゃない」

薫は黙って頷いた後、改めて間宮に向かって頭を下げ、その場を離れた。だが係長の意見に同意したわけではない。

そう簡単に成立するもんじゃない——そんなことはわかっていると思った。真柴綾音のやったことが常人では不可能といえるほど困難なものだから、完全犯罪になるのではないかと恐れているのだ。

元の席に戻ると携帯電話を取り出し、メールをチェックした。草薙から何らかの成果が届いているのではないかと期待したのだ。だが入っていたのは、実家の母親からのものだった。

30

待ち合わせ場所の喫茶店に行くと、すでに若山宏美の姿があった。草薙は急いで近づいていった。

「お待たせしてすみません」

「いえ、あたしも来たばかりですから」

「本当に何度も申し訳ありません。出来るだけ手短に済ませます」

「そんなに気を遣わなくても結構です。今は仕事をしていないので、時間だけはたっぷりありますから」若山宏美は薄く笑った。

彼女は最後に会った時と比べると、幾分顔色がよくなっているように見えた。精神的に立ち直ったのかなと草薙は想像した。

ウェイトレスが近づいてきたので草薙はコーヒーを注文した。さらに、「あなたはミルクですか」と若山宏美に尋ねた。

「いえ、あたしはレモンティーを」彼女は答えた。

ウェイトレスが立ち去ってから、草薙は彼女に笑いかけた。

「すみません。以前、ミルクを注文しておられたのを覚えていたものですから」

ああ、と彼女は頷いた。

「特にミルクが好きというわけでもないんです。それに今は、牛乳はなるべく飲まないようにしていますから」

「ははあ……それは何か理由でも？」

草薙の問いに、若山宏美は首を傾げた。

「そういう細かい質問にも答えなければいけませんか」

「あ、いえ、結構です」草薙は手を振った。「時間はあると伺って、少し気を緩めてしまいました。本題に入ります。今日お尋ねしたいのは、真柴さんの家のキッチンについてです。あそこの水道に浄水器が付いていることは御存じですか」

「知っています」

「お使いになられたことは？」

「ありません」若山宏美の回答は明確だった。

「即答されましたね。ふつうは少しお考えになるものだと思うのですが」

だって、と彼女はいった。

「キッチンに入ることさえめったになかったんです。料理のお手伝いをしたこともありません。だから浄水器を使うことなんてないんです。内海さんにも話したと思うんですけど、あたしがキッチンに入ったのは、先生に頼まれてコーヒーとか紅茶を入れる時だけでした。それも先生がほかの調理をしていて、どうしても手が離せないっていう場合だけです」

「では、キッチンに一人で入ったことはないんですか」

若山宏美は怪訝そうな顔をした。

「その質問の意図がよくわからないんですけど」

「あなたはわからなくて結構です。キッチンに一人で入ったことがあるかどうかを思い出していただけませんか」

彼女は眉間に皺を寄せて考え込んでいたが、やがて草薙のほうを見た。

「なかったかもしれません。キッチンには先生に無断で入っちゃいけないように思ってましたし」

「無断で入るなといわれていたんですか」

「はっきりといわれたわけではないですけど、そんな感じがしていたんです。それに、主婦にとってキッチンはお城みたいなものだって、よくいうじゃないですか」

「なるほどね」

飲み物が運ばれてきた。若山宏美は紅茶の上にレモンを浮かべ、おいしそうに飲み始めた。その表情も、どこか生き生きとして見えた。

対照的に草薙の心は沈んでいた。彼女の話は、湯川の推理を裏づけるものだった。

コーヒーを一口飲み、彼は腰を上げた。「御協力、ありがとうございました」

若山宏美は意外そうに目を丸くした。「もういいんですか」

「目的は果たせました。あなたはゆっくりしていってください」テーブルの伝票を手にし、出口に向かった。

店を出てタクシーを探していると携帯電話が着信を告げた。湯川からだった。

例のトリックについて話がある、というのだった。

「至急、確認したい。どこかで会えないか」

「そういうことなら、これから俺がそっちへ行くよ。だけど、何なんだ、確認したいことって。あの推理には自信があるんじゃなかったのか」

「もちろん自信はある。だからこそ確認したいんだ。なるべく早く来てくれ」いい終えると湯川は電話を切った。

約三十分後、草薙は帝都大学の門をくぐっていた。

「例のトリックが使われたと仮定して、今回の事件について振り返ってみたところ、どうしても一点だけ気になることが出てきた。それはもしかしたら君たちの捜査の助けになるかもしれないと思い、急遽連絡をしたわけだ」草薙の顔を見るなり湯川は話し始めた。

「余程重要なことらしいな」

「重要だ。そこで君に確認したいことというのは、綾音夫人が事件後に初めて自宅に帰った時のことだ。たしか君たちが一緒だったはずだが」

「そうだ。俺と内海とで自宅まで送った」

「その時、彼女は最初に何をした？」湯川は訊いた。

「最初に？　そりゃあ、現場を見て——」

草薙の答えに、湯川は苛立ったように顔を横に振った。

「彼女はキッチンに行ったはずだ。キッチンで水道の水を出した。違うかい？」

草薙は、はっとした。その時の光景がありありと浮かんだ。

「そうだ。たしかにその通りだ。彼女は水を使った」

「何に使ったんだ？　僕の推理では、かなり大量の水を使ったはずなんだが」湯川が目を輝かせた。

「花に水をやったんだ。花がしおれているのを見て、このままだと落ち着かないからといってね。バケツに水を汲んで、二階のベランダに置いてあるプランターの花にやっていた」

「それだっ」湯川は人差し指を草薙に向けてきた。「それがトリックの仕上げだったんだ」

「トリックの仕上げ？」

「犯人の気持ちになって考えてみたんだ。浄水器に毒を仕掛けたままで家を出る。狙い通り、ターゲットの人間は水を飲んで死亡した。だけど安心は出来ない。なぜなら、浄水器には、まだ毒が残っているかもしれないからだ」

草薙は思わず背筋を伸ばした。「たしかにそうだな」

「そのままにしておくことは、犯人としては危険だ。何かの間違いで誰かが飲んだりしたら、二人目の犠牲者が出るおそれがある。当然、警察にもトリックがばれてしまう。そこで犯人としては、出来る限り早く証拠隠滅を謀らねばならない」

「そのために花に水を……」

「その時彼女がバケツに溜めていたのは浄水器の水だ。バケツ一杯分も出し続ければ、仕込んだ亜ヒ酸はほぼ完全に洗い流される。スプリング8の力を借りなければ検出できないほどにね。つまり彼女は花に水をやるといいながら、堂々と君たち捜査員の前で証拠隠滅を成し遂げていたことになる」

「そういうことか。あの時の水が……」

「その水が残っていれば、おそらく証拠になりうる」湯川はいった。「浄水器から亜ヒ酸の微粒子が検出されたというだけでは、例のトリックを証明したことにはならないだろう。事件当日、浄水器から致死量に相当する亜ヒ酸を含んだ水が出たということが示されれば、その時初めて僕の推理が裏づけられることになる」

「今もいったように、その水は花に撒かれた」

「だったら、プランターや植木鉢の土を調べるんだな。スプリング8なら亜ヒ酸を見つけてくれるはずだ。その時に夫人が撒いた水に含まれていたと証明するのは難しいかもしれないが、証拠の一つにはなると思う」

湯川の話を聞き、草薙の脳裏に何かが引っかかった。思い出せそうで思い出せない何か、知っているのに知っていること自体を忘れている何か、だ。

その小骨のような記憶が、ぽろりと思考の中に落ちた。草薙は息を呑み、湯川の顔を見つめていた。

「どうした？」湯川が訊いた。「僕の顔に何かついてるのか」

いや、と草薙は首を振った。

「おまえに……いや、帝都大学の湯川准教授に頼みたいことがある。警視庁捜査一課の捜査員としての依頼だ」

湯川は顔つきを厳しくした。眼鏡の位置を指先で直した。「聞こう」

31

ドアの前で薫は立ち止まった。ドアには相変わらず、『アンズハウス』と書かれたプレートが貼られている。だが草薙の話では、パッチワーク教室は殆ど開店休業の状態らしいということだった。

その草薙が頷くのを見て、薫はインターホンのチャイムを鳴らした。少し待ったが返事がないので、もう一度鳴らそうとボタンに指を近づけた。その時、はい、と声が聞こえた。綾音の声に相違なかった。

「警視庁の内海といいます」薫はマイクに口を近づけていった。極力、隣近所には聞こえないよう配慮しているつもりだ。

一瞬の沈黙の後、「ああ、内海さん。何でしょうか」と応答があった。

「じつは、お伺いしたいことがありまして。よろしいでしょうか」

再び、沈黙。インターホンの向こうで思案に沈む綾音の姿が、薫の脳裏に浮かんだ。

「かしこまりました。今、開けます」

薫は草薙と顔を見合わせた。彼は小さく顎を引いた。

鍵の外れる音がしてドアが開いた。綾音は草薙を見て、少し驚いたようだ。薫一人だと思ったのだろう。

草薙は綾音を見下ろし、頭を下げた。「突然、申し訳ありません」

「草薙さんも御一緒だったんですね」綾音の顔に笑みが浮かんだ。「どうぞお入りになってください」

「いえ、じつは」草薙はいった。「目黒署まで御同行願いたいのです」

綾音の顔から笑みが消えた。「警察に？」

「そうです。署のほうで、ゆっくりとお話を伺いたいのです。じつは、少々デリケートな内容でもありますので」

綾音が見据えるような視線を草薙に向けた。それにつられ、薫も先輩刑事の横顔を見た。彼の目には、悲しみと無念さ、さらには憐憫を含んだ光が宿っていた。大きな決意を胸に秘めてここへやってきたことは、綾音にも伝わるに違いなかった。

「そうですか」彼女が答えた。目に優しい光が戻っていた。「そういうことでしたら、同行いたします。でも支度に少々時間がかかりますので、部屋に入って待っていていただけませんか。人を外で待たせていると思うと落ち着きませんので」

「わかりました。では、お邪魔します」草薙は答えた。

どうぞ、と綾音は改めてドアを大きく開いた。

室内は奇麗に片付いていた。家具や調度品をいくつか整理したと思われた。ただし、部屋の中央に据えられた、作業台を兼ねた大きなテーブルはそのままだった。

「あのタペストリー、まだ飾っておられないんですね」そういって草薙が壁を見た。

「なかなか時間がなくて」綾音が答える。

「そうですか。あの柄は素敵だから、飾ったらいいと思いますよ。まるで絵本に出てきそうなデザインでした」

綾音は頬を緩めたまま、彼を見返した。「ありがとうございます」

草薙の視線がベランダに移った。

「花を持ってこられたようですね」

それを聞いて薫もそちらを見た。色とりどりの花がガラス戸の向こうに認められた。

「ええ、一部ですけど」綾音が答えた。「業者の方にお願いして、運んでもらったんです」

「そうでしたか。今も水を撒いておられたようですね」草薙が視線を落とした。ガラス戸の手前に、大きな如雨露が置かれていた。

「そうなんです。その如雨露、とても助かっています。ありがとうございました」

「いいえ、役に立っているのならよかったです」草薙は綾音のほうを振り返った。「どうぞ、我々に構わず支度を始めてください」

はい、と頷き、綾音は隣の部屋へ向かいかけた。だがドアを開ける前に振り向いた。

「何か見つかったんでしょうか」

「といいますと？」草薙は訊いた。

「事件に関係する何か……新事実とか証拠とかです。そういうものが見つかったから、私が警察に呼ばれるんでしょう？」

草薙は薫のほうにちらりと視線を投げてから、再び綾音を見つめた。

「まあ、そういうことです」

「それは興味深いですね。何が見つかったのか、話していただけませんか。それとも、やっぱりそのことも警察に行ってからでないと教えてもらえないのかしら」綾音の口調は、まるで楽しい話を催促するように明るい。

草薙は一旦目を伏せ、しばらく黙ってから口を開いた。

「どこに毒物が仕掛けられていたのかが判明したんです。様々な科学的見地から、浄水器の中と考えて、まず間違いありません」

薫は綾音の顔を凝視していたが、その表情には細波《さざなみ》さえ立たなかった。澄んだ目を草薙に向けたままだった。

「そうだったんですか。あの浄水器に」その声にも狼狽の響きはなかった。

「問題は浄水器に毒を仕込む方法でした。状況から考えて、一つしか手段はないのです。そしてそうなると容疑者も絞られてきます。たった一人に」草薙は綾音を見つめた。「だからあなたに御同行をお願いしているのです」

綾音の頬に、ほんの少しだが赤みがさした。しかし唇に浮かんだ微笑は消えていない。

「浄水器に毒が仕掛けられていたという証拠はあるんでしょうか」

「詳細な分析の結果、亜ヒ酸が検出されています。ただ、それだけでは証拠とはいえません。何しろ犯人が毒を仕込んだとすれば、一年も前ということになるのです。その毒が事件当日でも有効だった、つまり一年間浄水器は一度も使われることがなく、仕込まれた亜ヒ酸が流れ出していることもなかった、ということを証明する必要があります」

綾音の長い睫がぴくぴくと動いた。彼女が反応したのは「一年前」という言葉だと薫は確信した。

「それで、証明できたんでしょうか」

「驚かれないのですね」草薙はいった。「犯人は一年前に毒を仕込んだ――この推理を初めて聞いた時には、自分などは耳を疑ったものですが」

「意外な話ばかりなので、感情を表に出している余裕がないんです」

「そうですか」

草薙が薫のほうを見て目配せした。彼女は持っていた鞄からビニール袋を取り出した。

その瞬間、初めて綾音の口元から笑みが消えた。ビニール袋の中身に気づいたらしい。

「これが何かは、もちろんおわかりですよね」草薙はいった。「以前あなたが水を撒くために使っておられた空き缶です。底に錐で穴を開けてあります」

「それ、処分されたんじゃ……」

「自分が持っていました。しかも、洗いもせずにね」草薙は口元を緩めたが、すぐに厳しい顔つきに戻った。「湯川を覚えておられますか。友人の物理学者です。彼の大学で、この空き缶を調べてもらいました。結論からいいますと、亜ヒ酸が検出されました。さらに他の成分も調べたところ、おたくの浄水器を通った水だということが判明しました。自分は、この空き缶が最後に使われた時のことをよく覚えています。あなたは二階のベランダの花に水をやっていました。そこへ若山宏美さんがやってきて、あなたの水撒きは中断したんです。それ以後、この空き缶は使われていません。なぜなら自分が如雨露を買ったからです。空き缶は使われることなく、自分の机の引き出しに入れられていました」

綾音が目を見開いた。「どうして引き出しに？」

しかしこの質問に草薙は答えなかった。そのかわりに、感情を押し殺した口調でいった。

「以上のことから、浄水器には間違いなく亜ヒ酸が仕込まれていて、事件当日、浄水器から出た水には致死量となる亜ヒ酸が含まれていたと推定できます。そして様々な証拠が、亜ヒ酸が仕込まれたのは一年前だと物語っています。それが出来た人間、さらには一年もの間、誰にも浄水器を使わせないでいられる人間となれば、一人しかいないんです」

薫は顎を引き、綾音の様子を見つめた。美貌の容疑者は、目を伏せ、唇を結んだ。まだかすかに笑みを残してはいたが、彼女を包む優雅な気配は、日が沈むようにゆっくりと翳りを見せ始めていた。

「詳しい話は、署のほうで改めて」草薙は締めくくった。

綾音が顔を上げた。大きく吐息をつき、真っ直ぐに草薙を見て頷いた。

「わかりました。でも、もう少しだけ待っていただけませんか」

「構いません。ゆっくりと支度をしてください」

「支度だけじゃないんです。花に水を撒いておきたいんです。途中だったものですから」

「あ……そういうことなら、どうぞ」

すみません、といって綾音はベランダの戸を開けた。大きな如雨露を持ち上げ、両手でゆっくりと水を撒き始めた。

32

あの日もこんなふうに水を撒いた——約一年前のことを綾音は思い出していた。義孝から残酷な事実を知らされた日だ。彼の話を聞きながら、彼女はプランターに植えられたパンジーを見つめていた。親友の津久井潤子が好きだった花だ。だから彼女はペンネームを「胡蝶スミレ」としていた。パンジーの別名だ。

潤子と出会ったのは、ロンドンの本屋でだった。綾音はパッチワークのデザインを探していた。ある画集を手に取ろうとしたら、ほかの女性もその本に手を伸ばしかけたところだった。綾音よりも数歳上に見える、日本人の女性だった。

潤子とは忽《たちま》ち意気投合し、帰国したら必ず会おうと約束した。その約束は果たされた。綾音が上京して間もなく、潤子も東京に出てきた。

お互いに仕事を持っていたので、さほど頻繁に会うことは出来なかったが、綾音にとって潤子は心を許せる友人だった。同様に、潤子にとっても自分はそういう存在だろうという自信があった。潤子は、綾音以上に人付き合いが苦手だったのだ。

ある日潤子から、会ってほしい人がいる、といわれた。彼女がキャラクターのデザインを手がけた、ネットアニメを配信している会社の社長だという。

「キャラクターグッズについて相談された時、知り合いにパッチワークの専門家がいると話したら、是非会ってみたいといわれたの。面倒だと思うけど、一度だけ付き合ってくれない？」

電話で潤子は申し訳なさそうに頼んできた。綾音は快諾した。断る理由などなかった。

こうして綾音は真柴義孝と出会った。義孝は強烈な魅力を備えた男だった。自分の思いを伝えようとする時の表情は豊かで、その目には自信が漲《みなぎ》っていた。他人から言葉を引き出す技術にも長けていた。彼と数分話しているだけで、自分までもが会話上手になったと錯覚してしまうほどだった。

彼と別れた後、「素敵な人ね」と綾音は思わず漏らしていた。それを聞いて、そうでしょう、と潤子は嬉しそうに微笑んだ。その表情を見た瞬間、綾音は潤子の義孝に対する気持ちを察知した。

あの時になぜ確かめなかったのだろう、と今になっても綾音は後悔してしまう。たった一言、「付き合ってるの？」と訊けばよかったのだ。訊かなかったから、彼女は何もいわなかったのだ。

キャラクターグッズにパッチワークを取り入れるというアイデアは、結局立ち消えになった。そのことで義孝から直接電話がかかってきた。時間を取らせて申し訳なかった、という詫びの電話だった。その際に、是非近いうちに食事を御馳走したいといわれた。

どうせ社交辞令だろうと思っていたが、しばらくして本当に誘いの電話があった。しかも義孝の口ぶりでは、潤子には声をかけていない様子だった。それで綾音は、二人が交際しているわけではなさそうだ、と思い込んでしまった。

浮き立つ気持ちを抱えて、義孝との食事に出かけていった。彼と二人だけで過ごす時間は、その前とは比べものにならないほどに楽しかった。

綾音の義孝への思いは急速に膨れあがった。それと共に潤子とは疎遠になっていった。彼女も義孝に惹かれていることを知っていたので、何となく連絡が取りづらかったのだ。

数か月ぶりに潤子と会った時、綾音は彼女を見て驚いた。ひどく痩せていたし、肌も荒れていたからだ。どこか身体の具合でも悪いのではないかと心配したが、本人は大丈夫だと答えるだけだった。

二人で近況報告などをしているうちに、潤子も少しずつ元気になっていった。それで綾音が義孝とのことを打ち明けようかと思った時、不意に潤子の顔色が変わった。

どうしたの、と訊いてみた。潤子は何でもないと答えた後、すぐに腰を上げた。急用を思い出したので帰る、というのだった。

わけがわからぬまま、タクシーに乗り込む潤子を綾音は見送った。結果的にそれが、彼女との永遠の別れとなった。

それから五日後、綾音のもとに宅配便が届いた。小さな箱に収められていたのは、ビニール袋に入れた白い粉だった。袋にはマジックで、『ヒ素（有毒）』と書かれていた。差出人は潤子だった。

不審に思い、連絡を取ろうとした。しかし潤子の電話は繋がらなかった。気になるので、マンションまで出かけていった。そこで目にしたものは、警察によって彼女の部屋が調べられている光景だった。集まった野次馬の一人から、その部屋の住人が服毒自殺したことを知らされた。

ショックのあまり、その後自分がどこをどう歩いたのかさえ綾音は覚えていない。気づいた時には部屋に戻っていた。そして改めて、潤子から送られてきたものを見つめた。

そこにどんなメッセージが込められているのかを考えているうちに、ふと思いついたことがあった。最後に潤子と会った時、彼女は綾音の携帯電話を見つめていたように思ったのだ。綾音は自分の携帯電話を取り出した。そこには義孝とお揃いで買った、携帯ストラップが付けられていた。

潤子は綾音と義孝の関係に気づいたから自殺したのか――そんな不吉な想像が綾音の胸に広がった。潤子が一方的に片思いをしていた程度なら死ぬわけがない。つまり彼女もまた義孝と深い仲だったということになる。

綾音は警察に行けなかった。潤子の葬儀にも出られなかった。自分が彼女を自殺に追い込んだのではないかと思うと、真実を明らかにするのが怖かった。

それと同様の理由で、義孝に潤子とのことを尋ねる勇気もなかった。もちろん、それをすることで彼との仲が壊れるのではないかという怯えもあった。

しばらくして義孝が奇妙なことを提案した。二人で別々にお見合いパーティに出席し、そこで出会う演技をしようというのだった。その目的を、「煩わしさを解消するためだ」と彼はいった。「世間の暇人たちは、恋人には必ず馴れ初めを訊くだろ？　そういうことは、あれこれと詮索されたくないんだよ。お見合いパーティなら話が簡単だ」

それならば、そういう話にしておけばいいだけで実際にパーティに参加する必要はないと思ったが、義孝は猪飼という証人まで用意した。その徹底ぶりは彼らしいともいえるが、綾音は、彼自身の過去から潤子の影を払拭したかったのではないかと疑った。ただし、疑うだけで口には出さなかった。彼にいわれるままパーティに出席し、打ち合わせ通りの手順で「劇的な出会い」を演じた。

その後、二人の交際は順調に進んだ。お見合いパーティから半年後、綾音は義孝からプロポーズされた。

幸福感に包まれながらも、綾音の胸中で日に日に大きくなっていく疑念があった。無論、潤子のことだ。なぜ彼女は自殺したのか。義孝との関係はどうだったのか。

真実を知りたいという思いと知りたくないという思いが、交互に綾音を襲った。そうしている間にも、義孝と約束した結婚の日にちは近づいてくる。

そんなある日、義孝から衝撃的なことを告げられた。いや、彼のほうには、それほど無謀なことを発言しているつもりはなかったかもしれない。じつに気軽な口調でこういったのだ。

「結婚して、もし一年以内に子供が出来なかったら別れよう」

綾音は耳を疑った。まだ結婚しないうちから、離婚のことをいいだされるとは思ってもみなかった。

何かの冗談かと思ったが、どうやらそうではないようだった。

「昔から、そう考えていたんだ。リミットは一年だ。避妊しなければ、大抵の夫婦には子供が出来る。出来なければ、どちらかに問題がある可能性が高い。で、前に診て貰ったことがあるんだけど、俺のほうには問題がない」

彼の話を聞き、綾音は全身が総毛立つのを覚えた。彼女は彼を見つめて訊いた。

「あなた、潤子にも同じことをいったの？」

「えっ？」義孝の視線が宙を彷徨《さまよ》った。彼にしては珍しく狼狽を露わにしていた。

「お願いだから正直に答えて。あなた、潤子とも付き合ってたんでしょ」

義孝は不愉快そうに眉をひそめた。しかし彼はごまかそうとはしなかった。ややふて腐れたような顔をしながらも、まあね、と答えた。

「もっと早くにばれると思っていた。君か潤子のどちらかが、俺とのことを話すだろうと予想していたからね」

「二股をかけてたの？」

「それは違う。君と付き合い始めた時には、すでに潤子とは別れるつもりだった。嘘じゃない」

「何といって別れたの？」綾音は未来の夫を見つめて訊いた。「子供の出来ない女とは結婚できない——そういったの？」

義孝は肩をすくめた。

「言葉は違うが、意味は同じかな。タイムリミットだといったんだ」

「タイムリミット……」

「彼女は三十四歳になっていた。避妊してないのに、妊娠する気配すらない。見切りをつける時だった」

「それで、私を選んだわけ？」

「いけないか。可能性のない人間と付き合ってたって意味がない。そういう無駄なことはしない主義だ」

「どうして今まで隠してたの？」

「その必要がないと思ったからだ。さっきもいったように、どうせばれると覚悟していた。そうなってから説明しようと思っていた。俺は君のことを裏切ってないし、騙してもいない。それは断言できる」

綾音は義孝に背中を向け、ベランダの花を見下ろした。パンジーが目に入った。潤子が好きだったパンジーだ。それを見下ろしながら潤子のことを考えた。彼女の無念さを思い、涙がこぼれそうになった。

義孝から別れを切りだされた後も、潤子は割り切れない気持ちを抱えたままだったに違いない。

そんな時に綾音と会い、携帯ストラップから義孝との関係に気づいた。ショックのあまり、自殺を決意したが、死ぬ前に彼女としては綾音にメッセージを送っておきたかった。それがあの亜ヒ酸だ。だが恋人を奪われたことを恨んでのものではない。あれは警告だったのだ。

いずれあなたも同じ目に遭う——彼女は、そう告げたかったのだ。

綾音にとって潤子は、どんな悩みも打ち明けられる唯一の存在だった。先天性の異常により妊娠する見込みがないことも、彼女にだけは話した。だから彼女には、綾音もまた近い将来に義孝から捨てられることが予見できたのだ。

「俺の話、聞いてるのか」義孝がいった。

彼女は振り返った。

「聞いてるわよ。聞いてるに決まってるじゃない」

「それにしては反応が鈍いね」

「ちょっとぼんやりしちゃって」

「ぼんやり？　君らしくないな」

「だって、驚いたもの」

「そうかい？　でも君だって、俺のライフプランについてはよく知っているはずだろ」

義孝は自分の結婚観について語った。子供を持てないなら結婚には何の意味もない、という内容だった。

「なあ綾音、一体何が不満なんだ。君だって、望むものは全部手に入れたわけだろ。もちろん、まだ何か希望があるというのなら、遠慮なくいってくれていい。出来るかぎりのことはするつもりだ。あれこれ思い悩むのはやめて、新しい生活のことを考えろよ。それともほかに選択肢があるのかい？」

　彼は自分が恋人の心をどれほど傷つけているか、全くわかっていなかった。たしかに彼のバックアップのおかげで、綾音は様々な夢を実現できた。だが一年後には別れることが決まっているのに、どうして今後の結婚生活のことなど考えられるだろう。

「ねえ、ひとつだけ確認していい？　あなたにとってはくだらないことかもしれないけど」綾音は義孝に尋ねた。「私への愛情は？　それはどうなったの？」

　潤子を捨てて自分を選んだのは、単に子供を産んでくれそうだったからで、愛があったからではないのか、という質問だった。

　すると彼は戸惑った表情を浮かべつつ、「それは変わっていない」と答えた。さらに続けた。

「そのことは断言できる。君が好きだという気持ちに変わりはないんだ」

　この言葉を聞いた時、綾音は決心した。彼と結婚しようと思った。だがそれは単に彼と暮らしたかったからではない。愛情と憎しみという二つの相反する自分の気持ちに折り合いをつけるためだ。

　妻としていつもそばにいる、ただし彼の運命を握っているのは私――そういう結婚生活を手に入れようとした。それは彼への罰を猶予するという生活だった。

　浄水器に亜ヒ酸を仕込む時には緊張した。これで誰もキッチンには近づけられないと思った。

だが同時に、義孝を支配したという歓びもあった。

彼が家にいる時には、常にソファにいるようにした。トイレや風呂に入るのも、彼が決してキッチンには近寄らないタイミングを慎重に選んだ。

結婚後も彼は優しかった。夫として非の打ち所がなかった。彼の愛情が変わらぬかぎり、綾音は浄水器には誰も近付けないつもりだった。潤子への仕打ちは許せなかったが、自分に同じことをしないのであれば、永久にそのままでもよかった。綾音にとっての結婚生活とは、絞首台に立った夫を救済し続ける毎日だったのだ。

だがもちろん、義孝が子供を諦めることなど期待していなかった。若山宏美との関係を察知した時には、ついに来るべき時が来たと思った。

猪飼夫妻を招いてのホームパーティの夜、義孝から別れを告げられた。じつに事務的な口調だった。

「わかってると思うけど、間もなくタイムリミットだ。出ていく準備をしておいてほしい」

綾音は微笑んだ。彼の言葉に対して、こう返した。

「その前に、ひとつだけお願いがあるんだけど」

何だ、と彼は訊いた。夫の目を見つめながら彼女はいった。

「明日から二、三日、家を留守にしたいの。あなたを一人にしておくのは心配なんだけど」

彼は、何だそんなことか、と笑った。

「構わないよ。俺は一人で大丈夫だから」

そう、と綾音は頷いた。夫への救済が終わった瞬間だった。

33

そのワインバーは地下にあった。ドアを開けるとカウンターがあり、その奥にテーブルが三つ並んでいる。草薙と湯川は、壁際の席についていた。

「遅くなってすみません」薫は頭を下げ、草薙の隣に腰掛けた。

「例の結果は？」草薙が訊く。

薫は大きく頷いた。

「朗報です。同一のものが検出されたということです」

「そうか」草薙は目を見開いた。

津久井潤子の実家の物置にあった缶をスプリング8に持ち込んだところ、真柴義孝殺害に使われた亜ヒ酸と同一のものが見つかったのだった。真柴綾音の、「潤子から宅配便で送られてきた亜ヒ酸を浄水器に仕込んだ」という自供内容が裏づけられたことになる。

「どうやら、無事に事件は解決したようだな」湯川がいった。

「そういうことだ。よし、内海も来たことだし、改めて乾杯しよう」

草薙がウェイターを呼び、シャンパンを注文した。

「それにしても、今回はおまえに助けられた。礼をいうよ。今夜は俺の奢りだから、遠慮せずに飲んでくれ」

　草薙の言葉に湯川は眉をひそめた。

「今回は、ではなく、今回も、じゃないのかな。それに僕が協力した相手は、君ではなく内海君のような気がするんだが」

「どうでもいいだろ、そういう細かいことは。さあ、シャンパンが来たぞ。乾杯しよう」

　草薙のかけ声の下、三人はグラスを合わせた。

「しかし、よくそんなものを保管していたな」湯川がいった。

「そんなものって？」

「真柴夫人が水撒きに使っていたとかいう空き缶だよ。君が保管していたんだろ？」

「ああ、そのことか」草薙は浮かない顔つきになり、視線を落とした。

「君が夫人に代わって水撒きをしていたことは知っているが、如雨露を購入しているとは知らなかった。それはいいとして、なぜそんなものを保管していたんだ。内海君によれば、机の引き出しに入れていたそうだが」

　草薙が、ちらりと薫のほうに視線を向けてきた。彼女は目をそらした。

「それはまあ……勘だ」

「勘？　刑事の勘というやつか」

「そうだ。何が証拠になるかわからんから、事件が解決するまでは無闇に物を捨てたりしない。これは捜査の鉄則だ」

「ふうん、鉄則ね」湯川は肩をすくめ、シャンパンを口にした。「僕はまた、何かの思い出の品として取っておいたのかと思ったんだが」

「どういう意味だ？」

「いや、何でもない」

「私のほうから先生に質問させていただいてもかまいませんか」薫は訊いた。

「どうぞ」

「先生は、どうしてあのトリックに気づいたんですか。何となくだといわれれば、納得するしかないんですけど」

湯川は、ふっと吐息をついた。

「何となくアイデアが浮かぶなんてことは、そうはない。様々な観察、思考の末に生まれるものだ。僕がまず気になったのは、問題の浄水器の状態だった。自分の目で見たから覚えているが、埃だらけで長期間手を触れられていないのは明白だった」

「知っています。だからこそ毒を仕込む方法がわからなかったんですから」

「しかし、そもそもなぜそんな状態なんだろうと思ったわけだ。君の話では、夫人はかなり几帳面な性格だという印象だった。実際君は、シャンパングラスが外に出しっぱなしになっていたことから、彼女に疑いの目を向けたわけだろ。そういう女性なら、たとえ流し台の下であろうとも、ふだんから奇麗にしておくんじゃないかと思った」

「あっ……」

「そこでこう考えた。もしわざとだとしたらどうだろう、とね。わざと掃除をしない。埃だらけにしてある。だとすれば、その目的は何か。そう考えた時、逆転の発想が生まれた」

薫は学者の顔を眺め、小さく首を振った。

「さすがですね」

「褒めてもらうほどのことじゃない。それにしても女性というのは恐ろしい。あれほど合理性のない、矛盾に満ちたトリックを考えつくんだからな」

「矛盾といえば、若山宏美は子供を産む決心をしたそうです」

湯川は怪訝そうな目を返してきた。

「別に矛盾しているとは思わないがね。産みたいというのは女性の本能じゃないのか」

「産むように勧めたのは真柴綾音だそうです」

薫の言葉に、物理学者の表情が一瞬停止した。その後でゆっくりと頭を振り始めた。

「それは……たしかに矛盾している。不可解だ」

「それが女性なんです」

「なるほどね。どうやら今回、論理的に事件を解決できたのは奇跡に近い出来事のようだ。そうは思わ――」草薙に話しかけた湯川が、突然言葉を切った。

薫も隣を見た。草薙は首を前に折り、眠り込んでいた。

「完全犯罪を崩すと同時に彼の恋も壊れた。疲れ果てて当然だ。少し休ませてやろう」そういって湯川はグラスを傾けた。

初出誌
「オール讀物」二〇〇六年十一月号～二〇〇八年四月号

東野圭吾

1958年、大阪生まれ。大阪府立大学工学部電気工学科卒業。
85年、エンジニアとして勤務しながら『放課後』で
江戸川乱歩賞を受賞しデビュー。
99年、『秘密』で日本推理作家協会賞、
2006年、『容疑者χの献身』で直木賞受賞。
同書は本格ミステリ大賞、2005年度の「週刊文春ミステリーベスト10」「このミステリーがすごい！」「本格ミステリ・ベスト10」各第1位にも輝いた。
『白夜行』『ダイイング・アイ』『流星の絆』など著書多数。

聖女《せいじょ》の救済《きゅうさい》

2008年10月25日　第1刷発行

著　者　東野《ひがしの》圭吾《けいご》
発行者　庄野音比古
発行所　株式会社　文藝春秋
〒102－8008　東京都千代田区紀尾井町3-23
電話　03-3265-1211
印刷所　凸版印刷
製本所　加藤製本

万一、落丁・乱丁の場合は送料当方負担でお取替えいたします。
小社製作部宛、お送り下さい。定価はカバーに表示してあります。

© Keigo Higashino 2008
Printed in Japan
ISBN978-4-16-327610-6

東野圭吾の傑作小説

秘密

妻と小学生の娘が事故に。妻の葬儀の夜、意識を取り戻した娘の体に宿っていたのは死んだ筈の妻だった。**日本推理作家協会賞受賞作** ☆★

片想い

旧友美月と再会した哲朗は、彼女が性同一性障害で、現在は男として暮していると告白される。美月は他にも大きな秘密を抱えていた ☆★

手紙

強盗殺人の罪で服役中の兄から、弟のもとに月に一度、届く手紙。犯罪加害者の家族を真正面から描き切り、感動を呼んだ不朽の名作 ☆

「ガリレオ」シリーズ・好評既刊

探偵ガリレオ

突然燃え上がる頭、池に浮かぶデスマスク、心臓だけ腐った死体、幽体離脱した少年。刑事は奇怪な事件を抱え天才物理学者の扉を叩く ☆★

予知夢

十六歳の少女の部屋に侵入した男は、十七年前に少女と結ばれる夢を見たと言う……天才物理学者湯川が謎に挑む連作シリーズ第二弾 ☆★

容疑者χの献身

天才数学者でありながら高校教師に甘んじる男の、命がけの純愛が生んだ犯罪。五冠に輝いた東野ミステリーの金字塔。**直木賞受賞作** ☆★

文藝春秋刊（★は単行本　☆は文春文庫）

「ガリレオ」シリーズ・最新短篇集

ガリレオの苦悩

科学を殺人に使う人間は
絶対に許さない

悪魔の手と名乗る者から、警察と湯川に挑戦
状が届く。事故に見せかけて殺人を犯してい
るという彼に、天才科学者・湯川が立ち向かう

文藝春秋刊